Allerliebste
Geburtstagswünsche
für Gesa
von
Brigitte und
Luckel

im Dezember 2002

Ludwig Harig

Und wenn sie nicht gestorben sind

Aus meinem Leben

Carl Hanser Verlag

1 2 3 4 5   06 05 04 03 02

ISBN 3-446-20212-9
Alle Rechte vorbehalten
© Carl Hanser Verlag München Wien 2002
Satz: Satz für Satz. Barbara Reischmann, Leutkirch
Druck und Bindung: Kösel, Kempten
Printed in Germany

»Du redest zuviel«, unterbrach ihn Gottfried, »warum mußt du über diese alten Geschichten nachdenken?«

»Es gibt keine alten Geschichten, wenn man sie jetzt im Kopf hat, Gottfried«, erwiderte der Vater, »erzähle sie weiter, damit sie neu werden, es sind keine Beispiele, keine Bildergeschichten. Ich möchte nur, daß sich die Wunden nicht schließen, daß nichts vergessen wird, weil man glaubt, daß man es erkannt hat und deshalb vergessen kann.«

Alfred Kolleritsch, *Die grüne Seite*

Wir fahren an die Stelle, wo wir
am besten das Mondlicht fangen können
mit unserem Käscher. Einen Eimer voll,
das langt, gegen sieben sind wir dann
wieder zurück mit unserer Beute
und können erzählen.

Michael Krüger, *Keiner weiß es besser als der Mond*

Verdun ist keine Taube

Mein Vater im Ersten Weltkrieg

»An schulfreien Tagen und in den Ferien ging ich mit meinem Vater durch den Wald nach Fischbach, wo seine Malergesellen das ganze Jahr über auf immer der gleichen Baustelle beschäftigt waren. Indem wir den stoppeligen Brefelder Wald durchquerten, Laub mit den Füßen scharrten, Äste zur Seite bogen, uns manchmal auch im Unterholz verfingen, erklärte er mir das Wort ›Salve‹, ahmte er mir den Verlauf der Schützengräben nach, beschrieb er mir den Krieg. So wie sein Kopf beschaffen war, ist er nie zum Erzählen gekommen, immer beschrieb er die vielen verschiedenen Ordnungen, die das Leben regeln, und ich lernte, wie Hierarchien aufgebaut sind und wie Systeme funktionieren. ›Der Krieg‹, sagte er, ›oje!‹ Und dann beschrieb er mir, wie die zwölf Kompanien eines Bataillons an den Schieber-, Kranz- und Stengelfarben zu erkennen waren.«

Diese Sätze aus meinem Roman Ordnung ist das ganze Leben standen in einem längst verzettelten Notizbuch ganz vorne auf dem ersten Blatt. Der Schreibbeginn des Vaterromans ist wie Wilhelm Raabes »Federansatztag« zur Niederschrift seiner Chronik der Sperlingsgasse die anbrechende »Zeit für einen Märchenerzähler«. Alle Geschichten haben einen Anfang, in dem der eine seinen Fund dem anderen weitergibt. Wie Wilhelm Raabe einen Packen Papier falzte für seinen großen Gedanken und einen letzten Blick hinauswarf auf den ersten Schnee, ergriff ich bei den Blitzen eines Sommergewitters meinen Schreibstift, um anzufangen mit meiner Geschichte, die bisher kein Ende genommen hat.

Schreibend setzte ich mich auf die Spur eines Mannes, in dessen liebevoller Obhut ich zwar Kindheit und Jugend zugebracht, den ich aber nie recht gefunden habe.

Im Sommer 1948, ich war einundzwanzig Jahre alt, verwirrte er mich mit einem Wunsch, den ich ihm nicht erfüllen konnte: Entschieden weigerte ich mich, ihn auf einem Sonntagsausflug im Reisebus zu den Schlachtfeldern des Ersten Weltkriegs nach Verdun zu begleiten. Im August 1917 vor dem Steinbruch der Ornes-Schlucht schwer verwundet – auch er war damals einundzwanzig – wollte Vater vielleicht die Gelegenheit des Wiedersehens seiner Schützengräben nutzen, mir an Ort und Stelle etwas zu erklären, was er sonst nirgendwo übers Herz gebracht hätte. Ich lehnte womöglich ein für ihn lebensentscheidendes Gespräch ab, das später nie zustandegekommen ist. Denn nach wiederholten Bitten in den fünfziger und sechziger Jahren schlugen mein Bruder und ich seinen Wunsch immer wieder in den Wind. Wir waren, so kurz nach dem Zweiten Weltkrieg, angewidert vom Jägerlatein der Veterane, nicht bereit, uns einem Schlachtfeldtourismus anzuschließen.

Zwei Jahre vor Vaters Tod, im Herbst 1978, drehte ich den Spieß um und bat ihn, mich nach Verdun zu begleiten. Längst hatte ich begriffen, daß ich mir ohne einen gemeinsamen Ausflug in die Wälder der Ornes-Schlucht kein rechtes Bild seines Lebens und Denkens machen könnte; und da ich wußte, daß auch sein Herz immer noch für diesen Spähtrupp schlug, kamen wir überein, schon am nächsten Tag zu fahren. Ich sah Vaters Schützengräben des Ersten Weltkriegs, sah den Steinbruch, wo er verwundet wurde, sah ihn jetzt dastehen, schweigend und totenfahl, und ich begriff, was der Krieg in ihm angerichtet hatte. Denn noch in den zwanziger Jahren habe er nachts im Traum geschrieen und sei schweißgebadet auf dem Bettrand gesessen, erfuhren wir von seiner Schwester, sie konnte sich nicht erklären, was ihn so aufgewühlt hatte. Weder den Eltern noch den Geschwistern hat er je eine Geschichte aus dem Krieg erzählt.

Vier Jahre nach seinem Tod reiste ich mit meinem Bruder an die Somme, wo Vaters Krieg begonnen hatte. Bei Vermandovillers war am 21. September 1914 der Dichter Alfred Lichtenstein, bei Ablaincourt am 20. Juli 1916 Reinhard Johannes Sorge gefallen. Sorges Kompanie war eine Woche zuvor als Ablösung in die Gräben gegangen, aus denen Vater damals ausgezogen war in die Ruhestellung nach Lassigny. Hermann und ich hatten uns auf den Weg gemacht, Vater zu suchen, als er noch ein ganz junger Mann war, Musketier in einem brandenburgischen Regiment, und, mit dem Flammenwerfer bewaffnet, beim Sturmlauf auf das Dörfchen Ablaincourt mit seiner Kompanie »ohne Flankenschutz in schwere Handgranatenkämpfe verstrickt wurde«, wie seine Regimentsgeschichte berichtet. Wir suchten einen Mann, der unser Vater war, riefen uns Merkmale seiner äußeren Erscheinung und Bedingungen seines inneren Lebens ins Gedächtnis und versuchten, uns sein Verhalten in dieser äußersten Situation menschlicher Existenz vorzustellen: Die Bilder des Grauens hellten sich allmählich auf, Vater blieb stumm. Aber zwei Dichter sprachen von diesem Grauen in ihren Gedichten zu uns. So verschieden sie auch sind, Alfred Lichtenstein und Reinhard Johannes Sorge haben eine große Nähe zu unserem Vater: Als Frontsoldaten haben sie am selben Ort gekämpft, und wir stellten uns vor, wie sie im selben menschenüberfüllten Graben, schlaflos, hungrig, den schwerbepackten Tornister auf dem Rücken, eng zusammengepfercht, auf den Befehl zum Angriff gewartet haben. Ihre Nähe zu unserem Vater hat sie uns nahegebracht. So war unsere Erkundungsfahrt zugleich eine Reise in Vaters Leben und in die Literatur. In meinem Vaterroman gibt es den Anfang, doch kein Ende dieser Geschichte vom Krieg. Immer wieder kommt es zu neuen Ereignissen, die mich bewegen, Vaters Leben weiterzuerzählen.

I

Verdun ist keine Taube

War ich noch zu jung, als ich Fritz von Unruhs *Opfergang*
zum ersten Mal in die Hand bekam, darin blätterte, darin las,
darin etwas entdeckte, das ich skandalös fand, als undeutsch
und defätistisch auffaßte? Doch glaubte ich nicht auch, eine
beklemmende Wirklichkeit hinter den Sätzen, eine schauerli-
che Wahrheit zwischen den Wörtern herauszulesen, die mich
für Augenblicke verstört haben mußten? Ich war zu jung, um
beim Lesen in diesem Buch eine klare Vorstellung von Krieg
und Greuel zu gewinnen, doch alt genug, um eine dunkle Ahnung von körperlicher Verstümmelung, von seelischer Ver-
ödung, von geistiger Zerstörung zu bekommen. Den großen,
theatralischen Begriffen dieser Zeit, zu abstrakt, um Leib und
Seele und Geist in heftigen Tumulten zu erfassen, fuhren Bilder sinnlicher Wahrnehmung dazwischen, die mich auf seltsame Weise erregten, ja aufwühlten, ohne daß ich verstanden
hätte, was in diesen Bildern tatsächlich vorging.

Es war wohl im Mai 1940, mein Großvater gerade gestorben, der Frankreich-Feldzug im Gange, ich selbst noch nicht
dreizehn Jahre alt, als ich das rostrote Buch, in schönen Lettern gedruckt, in Großvaters Bücherschrank entdeckte. Ich
erinnere mich, außer an Einband, Druck und eine Fotografie,
die einen Kavalleristen zeigt, der sein Pferd am Halfter hält,
nur an einen Satz, den ich mir aus dem Buch herausschrieb
und den ich sofort wiederentdeckte, als ich *Opfergang* später

wiederlas: »Ohne es mir verübeln zu wollen, möchte ich bekennen, daß ich lieber in den Hallen Platons verschieden wäre als mit der Aussicht auf eine mir ziemlich fremde Stadt, die ich nur einmal aus dem Munde eines Israeliten vernommen hatte, der mir neue Kochherde ›Verdun‹ anpries und behauptete, ›Verdun‹ sei seit Menschengedenken der beste Bratofen.«

Was war das für ein Satz, und was mochte dahinterstecken? Sonst las ich von der »Hölle« Verdun, von »Stahlbad« und »Feuerwalze«; Bratofen, das schien mir banal, entwürdigend, doch war ich unserem Bratofen in der Küche schon einmal zu nahe gekommen, und so regte sich in mir das dumpfe Gefühl, daß es sich vielleicht auch mit dem Heldentum anders verhalten müßte, als es die vaterländischen Filme der dreißiger Jahre vorspiegelten, die in den Kinos liefen, auch die Verdun-Romane von Beumelburg, Zöberlein, J. M. Wehner, die heroischen Tagebücher von Ernst Jünger, die ich in den kommenden Kriegsjahren las. Das Gefühl war dumpfer als dumpf, weniger als eine Ahnung, nur ein augenblicklicher Reflex, der längst abgeklungen war, als wir Halbwüchsige selbst Waffen in die Hand bekamen. Ein Franz Schauwecker feierte vergossenes Heldenblut als Sekt des Todes, so etwas fing an, uns zu gefallen, der Stachel der frühesten Lektüre hatte wohl nicht tief genug gesessen.

Heute, beim zweiten Wiederlesen von *Opfergang*, fallen mir Dinge auf, die mir früher noch entgangen waren, alles liest sich bei Fritz von Unruh anders: »Der Hauptmann zerfetzt bis auf den Kopf. Der Kopf aber schaute, vom Regen weißgewaschen, aus zersplittertem Leib. Andere Leute waren gleichfalls so zerrissen, daß ein Soldat, der hinzulief – ›Die kriegen wir nicht mehr für ein Grab zusammen, das ist ja das reinste Mosaikgemälde‹ –, weiterkroch.« Mosaikgemälde, Bratofen, später »Von den Knochen fällt uns das Fleisch«, was Mutter sagte, wenn ihr ein Braten zu lange in der Röhre geschmort hatte: das waren Vergleiche, scheußlich und außergewöhnlich und zugleich von einer bodenlosen, tiefernsten Komik, daß mir heute noch, beim Vergewissern dieser Bilder, der kindliche

Angstschweiß im Nacken gefriert. Etwas in diesem Buch ist anders als in allen anderen Kriegsromanen.

Während dort der verlorene Krieg gerechtfertigt, der betrogene Soldat verherrlicht, der Heldentod glorifiziert werden sollte (selbst Remarques *Im Westen nichts Neues*, ein pazifistischer Erfolgsroman der zwanziger Jahre, verklärt ja die häßliche Kehrseite des Kriegs), nimmt sich Fritz von Unruh der Leiden des geschundenen Frontsoldaten auf eine Weise an, die ich sonst nirgends in der Antikriegsliteratur wiederfinde, weder in Georg von der Vrings *Soldat Suhren* noch in Arnold Zweigs *Erziehung vor Verdun*. Was hier anders ist, ist die Sprache, es ist die bis zum Alleräußersten, bis zum Zerreißen, bis an die Grenze des Erträglichen gespannte expressive Sprechweise des Dichters.

Im Februar 1916 von der Obersten Heeresleitung beauftragt, den von General Falkenhayn »zum Weißbluten der französischen Streitkräfte« geplanten Generalangriff auf die Festung Verdun zu beschreiben, »um der Heimat den Ernst der Lage zu schildern und um die Truppe beim Portepee zu fassen«, wie es Auftraggeber Major Nicolai formulierte, lieferte der Dichter ein zugleich schonungsloses und visionäres Bild vom Untergang gequälter, verstümmelter, schließlich getöteter Menschen ab, das den Autor vor ein Kriegsgericht brachte. »Im Felde, vor Verdun, Frühjahr 1916«, heißt es am Ende des seiner Mutter gewidmeten Buches, doch schon vor der Widmung, nach dem Innentitel, kann man lesen: »Das Erscheinen dieses Buches, das im Sommer 1916 vollendet vorlag, wurde bis zum Winter 1918 durch die Zensur verhindert. – Von dem Buch ist als 5. Band der Collection de la Revue Européenne eine französische Ausgabe unter dem Titel *Verdun* erschienen.« Es war das erste Verdun-Buch, das geschrieben worden war, von Unruh las das Manuskript dem Kronprinzen vor, ein Militärgericht verbot die Veröffentlichung, der Gerichtsherr schickte den Autor auf ein Himmelfahrtskommando, der Kronprinz zerriß das Urteil.

Fritz von Unruh, 1885 als Sohn eines späteren Generals geboren, als Zwölfjähriger Kadett im Kadettenkorps von Plön, als Sechzehnjähriger zum Duzfreund des jüngsten Sohnes von Kaiser Wilhelm II. bestimmt, 1911 freiwillig aus der Armee ausgeschieden, als er nicht auf die Aufführung seines Dramas *Offiziere* verzichtet, spricht in *Opfergang* die pathetische Sprache des Expressionismus: das ist es, was die besondere Ansprache seines Buches ausmacht. Von Unruh wendet sich an den Zeitgenossen, an den Deutschen, an seinesgleichen, aber auch an alle Menschen dieser Welt, er ruft aus: »O Mensch!«, wie es die jungen expressionistischen Dichter um Herwarth Walden schon ein halbes Jahrzehnt zuvor ausgerufen hatten, als sie ihre Hoffnung auf eine neue Menschheit, eine neue Humanität jenseits von Kadavergehorsam und Hurrapatriotismus ausdrücken wollten. Fritz von Unruh sagt: »Wir«, er sitzt im gleichen Zug wie die Personen seiner Erzählung auf dem Weg zur Front, ein Lehrer und ein Kellner, ein Kriegsfreiwilliger und ein Tambourgefreiter, denen sich bald andere hinzugesellen, ein Schauspieler, ein Vikar; und die Protagonisten sind es, einfache Leute, die sich in dieser Sprache anreden.

»O, Du Koch, … mir ist's, als sollte ich England gebären«, ruft einer den Kellner an; »O Cäsar Schmidt aus Görlitz, sende mir deinen Humor, in mir rumort es wie eine Tragödie!« ein anderer den Schauspieler; »O Bengelchen, wie sieht mir doch die ganze Welt so anders aus!« ein dritter den Freiwilligen. »Menschen! Menschen! Bestien sind wir!« hören wir. »Im Blutkrampf wälzt sich die Menschheit.«

Das erinnerte mich beim Wiederlesen an die frühe Lektüre kurz nach dem Zweiten Weltkrieg, an das Entdecken der expressionistischen Lyrik, an die Verse der Frühgefallenen, an Alfred Lichtenstein: »Die Sonne fällt zum Horizont hinab. / Bald wirft man mich ins milde Massengrab«, an Ernst Stadler: »Vielleicht würden uns am Abend Siegesmärsche umstreichen, / vielleicht lägen wir irgendwo ausgestreckt unter Leichen.«

Bei Stadler folgen die Verse: »Aber vor dem Erraffen und

vor dem Versinken / würden unsre Augen sich an Welt und Sonne satt und glühend trinken.« Fritz von Unruh aber schaut eine schönere hiesige Welt in der Zukunft, der Opfergang vor Verdun, von dem er erzählt, ist kein Opfergang für Kaiser und Reich, sondern ein Opfergang für eine bessere friedliche Menschheit, er spricht vom Gerichtstag; Vizefeldwebel Clemens, im Zivilberuf Lehrer, schreit dem Hauptmann ins Gesicht, »... und seine Stimme füllte sich mit geheimer Macht: ›Verträgt unser Herz nur Hergebrachtes, daß wir ängstlich werden, sobald wir den Atem der Schöpfung fühlen! Hauptmann, sind wir unwert, nach Klarheit zu ringen, ehe wir in das Jenseits gehen? Sollen wir Sklaven bleiben immer und ewig? Schreitet Seele nicht vorwärts durch die Jahrhunderte? Sollen uns Skelette beherrschen? Entwurzeln wir nicht Bäume, in denen die Maden nisten, und dürfen nicht Grenzen abschütteln, die uns beengen? Glaubt Ihr, die Jugend da vorne stürbe umsonst? Ihr heller Geist blute für Ländererwerb? Ahnt Ihr nicht endlich, daß wir in heiliger Gemeinschaft sterben? In des Geistes, in eines Volkes ernster Verbrüderung? Was kümmern uns Festungen oder Länder!«

Das ist das glühende Pathos des Utopisten, das Credo des Weltverbesserers, seine Geschöpfe sind erzählte Geschöpfe, die erst in dieser besonderen Sprache des Dichters ihr wahres Menschsein als Verzückte erfahren, ihren eigentümlichen Glücksrausch als Sprachgeschöpfe erlangen. *Opfergang* ist das Dokument dieses erzählten Menschen, Fritz von Unruh hält im Erzählen den letzten Augenblick fest, in dem eine ekstatische Jugend, die sterben muß, noch aber prall von Leben ist, sich einer Hoffnung auf Veränderung gewiß zu sein glaubt.

Daher auch die einige Male wiederkehrende Metapher von Verdun, das keine Taube sei, die ich lange nicht entschlüsseln konnte, bis sich mir, immer den Vergleich vom Bratofen im Kopf, endlich in der letzten Wiederholung »Verdun ist keine Taube, wenn Du auch Deinen Schlund wie ein Wolf aufgesperrt hältst«, das Bild aufdrängte, Verdun sei wahrhaftig nicht die gebratene Taube, die dem hoffnungsvollen, doch untätigen Weltveränderer in den Mund fliegt. »Wir blasen neuen Odem«, sagt von Unruh. Das alles gibt es ein Jahrzehnt später nicht mehr, die Kriegsromane der zwanziger Jahre sprechen die Sprache der Neuen Sachlichkeit, sind Protokoll- und Reportageromane, wie Ludwig Renns *Krieg* und Edlef Koeppens *Heeresbericht*, doch sind sie näher an der Realität?

Fritz von Unruhs *Opfergang* mag heute viele Leser abschrecken: vergessene Wortbildungen wie Blütenjubel, Kugelweg, Bluttenne, wie simserhoben, wandgegenüber, schrecktoll; gewagte Inversionen, lapidare Ellipsen, die heute fremd, ja unerträglich erscheinen mögen, sind für mich Ausdruck hoher Wahrnehmung und zugleich höchster Kunst geblieben; die erzählende Sprache des Dichters und seine gesellschaftliche Anrede fallen nicht auseinander, sind nicht hier schöne Literatur und dort Aufrufe, Info, Paper, im Gegenteil. Dieses Buch ist, mit allen seinen skurrilen Auftritten, magischen Szenen, burlesken Stückchen im besten Sinne auch absurdes Erzähltheater, in dem die Paradoxie, die Unentschiedenheit, was in der Erzählung Traum, was Wirklichkeit ist, nicht unkonkret genannt werden darf, weil ja gerade diese Sprache das erhöhte Lebensgefühl zwischen Schein und Sein so wahrhaftig faßt.

An einer Stelle heißt es: »Clemens wurden die Augen aufgerupft. Vor seinem Gesicht atmeten trockene Schnauzen. Er fuhr hoch. Aus der Schlucht irrte etwas, was fleischlich roch, als hätte es sich von der Seele der Kämpfer gesondert. Aber darüber war feiner Ton wie Dächergesang von Nachtwandlern; als Clemens zur Besinnung kam, stand er an den Grabenlöchern der Kompagnie und hörte den Durstschrei. Werner riß den Lehrer nieder: ›Clemens!‹ ›Hauptmann?‹ ›Die Kochgeschirre?‹ Da wurde ihm klar, daß er im Traum gegangen.« Das Entsetzen ist so irreal, der Schrecken so unwahrscheinlich, daß der Erzähler sich fragt: »Ist nun Wirklichkeit Traum, oder träumt man die Wirklichkeit?« Die häufigste Wendung des Buches ist: »Weiß der Kuckuck.«

Opfergang ist seit vielen Jahren vergriffen, ich weiß nicht, ob das Buch nach dem Zweiten Weltkrieg überhaupt noch einmal aufgelegt worden ist. »Was würden unsere Urenkel darum geben, sähen sie, wie wir, Weltgeschichte lebendig vor dem Fenster vorüberziehen?« fragt der Vikar beim Ausmarsch aus Marville zum Schlachtfeld von Verdun; ich will auch danach fragen, auch im Blick auf uns selbst und unsere Väter.

Als Olof Lagerkrantz als Achtzehnjähriger Remarques eben erschienenen Roman *Im Westen nichts Neues* und die darin geschilderten Szenen von Verzweiflung und Todesangst des Frontsoldaten las, reagierte er mit heftigem Protest. »Feigheit vor dem Feind war das verabscheuungswürdigste Verbrechen. Ein Mann, der seine Würde verlor, hatte kein Recht zu leben«, schreibt er in der Geschichte seiner Jugend *Mein erster Kreis*; als er die englischen Kriegskrüppel auf dem Trafalgar Square in London sah, fragte er sich, welche grauenvolle Dialektik von Mitgefühl und Verhärtung wohl jede Form von Kriegserinnerung hervorrufe. Er schreibt: »Eine schreckliche Vorstellung – daß es zwischen den Verkrüppelten und den künftigen Massenmorden einen Zusammenhang gab. Was wird dann die Folge von Hiroshima und den Gaskammern sein!«

II

Am Kap der Guten Hoffnung

Vorbei am deutschen Soldatenfriedhof von Azannes I führt ein Weg bergauf in den Wald. An Feldern entlang, durch Wiesen hindurch, über Mulden und Bodenwellen steigt er, erst schnurgerade, dann in leichter Links- und bald darauf in energischer Rechtswindung, zu einem Waldstück empor, das sich von der Höhe herab in einen breiten Hohlweg schlingt. Dort, wo der Wald auf dem Berghang am weitesten vorspringt, steht ein Granatapfelbaum. Wer weiß, wie dieser Baum an den Waldrand von Verdun gekommen ist! Hat ein deutscher Soldat, der weit draußen in der Türkei gekämpft hatte, den Samen hierhergebracht und eingepflanzt, hat ein afrikanischer Zuave aus dem französischen Heer einen Kern in den Boden gespuckt? Der Granatapfelbaum steht zwischen Weißdorn und Heckenrosen, seine Früchte sind zwiebelfarben und verblassen im leuchtenden Rot der Hagebutten.

Das Waldstück ist ein stiller Platz, die Waldspitze ein Aussichtspunkt, der Waldrand ein rettender Ort. Wer denkt an die Stoßseufzer der Erleichterung, an die unterdrückten Schreie der Freude, die die Soldaten ausstießen, wenn sie, aus den Gräben gezogen, aus der Schlacht geworfen, endlich abgelöst, über die Bergkuppe liefen und hier im gedeckten Gelände anlangten. Der Granatapfelbaum, der sich aus dem Orient ins Schlachtgelände von Verdun verirrt hat, hält sich tapfer im kargen Kalkboden, sein krummgewachsener Stamm trotzt dem Wind aus dem Osten, seine grauglänzende Rinde leuchtet im Mittagslicht.

Es ist spät im Jahr, Allerseelen. Wir sind den steinigen Pfad zum Kap der Guten Hoffnung aufgestiegen, zwischen reifen Maisfeldern und abgegrasten Sommerweiden stapften wir auf spitzigen Steinen. Holzbalken, halbverrottet, quer in die alte Fahrstraße eingelassen, Basaltpflaster, blankgerieben, hin und wieder unter dem Schotter sichtbar, erinnern an die Anmarschtage vom Februar 1916. Kühe in stacheldrahtbewehrtem Pferch, Schafe blöken in eingezäunter Apfelwiese; ein Bulldozer mit Anhänger hat Mist geladen, er fährt im Lehmschlamm, durch Wasserpfützen, der Mistgeruch zieht über den Hang und lockt die letzten Mücken aus dem Gesträuch. Wir stehen unter dem Granatapfelbaum und laben uns am hellen Mittagsfrieden. Wir laben uns an nichts als am warmen Licht der Herbstsonne, der Granatapfelbaum, der vor uns seinen filigranen Schatten auf den Weg wirft, streckt uns seine Äpfel entgegen und lädt uns zum Essen ein. Oder ist es nur eine gemeine Mispel, und der braungrüne Holzapfel gäbe keinen süßen Most wie die würzige Granatfrucht im Hohelied Salomons.

Von hier aus rückten die deutschen Sturmbataillone am Morgen des 22. Februar 1916 gegen die französischen Stellungen vor; die Hessen stiegen durch den Caureswald und erreichten am Nachmittag, nach schweren Bajonett- und Handgranatenkämpfen, die Straßengabelung, an der die Wege von Flabas und Ville zusammentreffen; die Brandenburger drangen durch den Herbebois vor, blieben im Unterholz stecken, woraus ihnen wütendes Maschinengewehrfeuer entgegenschlug, und langten erst am Abend des 23. am Rande des Fosseswaldes an. Der »Hessenplatz« ist heute ein Picknickplatz; Tische, Bänke, Papierkörbe, grob aus Holz gefügt, stehen mitten im überwachsenen Trichterfeld, durch den lichten Hain fällt die späte Herbstsonne, und die rostroten Blätter der Blutbuchen ringeln sich im leichten Wind.

Vor Kommandant Driants Betonbunker, von Moos und dichtem Gestrüpp überzogen, breitet sich im Halbrund eine

Esplanade, begrenzt von geköpften Steinpyramiden, die bekrönt sind mit Lilien und Helmen, verziert mit Jagd- und Signalhörnern. Driant und seine Jäger fielen am Nachmittag, im Nahkampf, als die Deutschen ihn aus dem Granattrichter zogen, quoll immer noch Blut aus einer Kopfwunde und dem Mund, sein Teint war wachsbleich, seine Augen waren halb geschlossen. Die Leiche liegt seitab im Wald unter klobigem Steinquader, dem ein Mauerrest aus Bruchstein aufgesetzt ist. »Ils sont tombés / silencieux, sous le choc / comme une muraille«, heißt es in dem Stein; die Chasseurs, bis zum letzten Mann kämpfend, hatten den Hessen den Weg nach Beaumont verlegt. Was waren das für Menschen, aus denen Politiker und Generalitäten Erzfeinde gemacht hatten, waren es nicht Erdenbürger, Menschenbrüder, eine verlassene, eine verlorene Generation? »Weiß der Kuckuck, was Du getan hast«, sagt der Trommler in Fritz von Unruhs Erzählung *Opfergang* zu einem toten Franzosen in den Trümmern von Beaumont, »weiß der Kuckuck, das mag ein anderer herausfinden als ich.«

Der Friedhof der Brandenburger, die durch den Herbebois vorwärts stürmten, liegt am Waldrand, dort wo der Steilhang hinter dem Kap der Guten Hoffnung ein spitzes Dreieck in die Waldschlucht zeichnet. Es ist der Friedhof des Infanterieregiments 24, eine Fotografie zeigt das steinumzäunte kleine Geviert vor dem zerfetzten Herbebois, der Hang ist kahl und von Granaten durchwühlt, nur hie und da ragt ein abgerindeter Baumstamm aus dem Schutt. Die Eingangspfosten liegen heute zerschellt im Waldgrund, die Sockel sind umgestürzt, die Steine zersprengt, Rosenschalen, Reichsadler, Kaiserkrone, aus Sandstein gehauen, wittern in Regen und Frost, und auch das Wappen von Neuruppin ist ausgewaschen und von gelben Flechten gefleckt.

Hier liegen Kriegsfreiwillige, Pioniere, Fahnenjunker; nein, nicht ein anderer mag es herausfinden, was ihr getan habt, was Vater getan hat, was ich getan hätte, was von anderen alles noch getan werden wird; wir wollen es ein jeder selbst herausfinden, damit es nie wieder möglich sein kann, dieses Verletzen, dieses Verstümmeln, dieses Töten von Menschenkindern. Der Granatapfelbaum, der Mispelbaum reckt seine Zweige, seine Früchte erschienen Rilke wie halboffene Stirnen, von ihren Gedanken gewaltsam zersprengt.

Wir steigen wieder bergab. Das Herbstlaub der Bäume verdeckt nur flüchtig die alten Granattrichter und Schützengräben, die hinter den lichten Stämmen unter den welken Blättern liegen. Altweibersommer fliegt, am Wegrand blüht eine letzte Wiesenskabiose. Walzen und Eggen, von Rost überzogen, säumen den Pfad wie halbverrottetes Kriegsgerät die alte Anmarschstraße. Unten steigen wir die paar Stufen zum Friedhof von Azannes I hinauf, treten in das gepflegte Areal, setzen uns auf die sonnenbeschienene Mauer.

Die Reihen der schwarzen Eisenkreuze, hin und wieder unterbrochen von schlanken weißen Granitstelen mit dem Davidstern und den jüdischen Namen – Julius Lutterkort, Gefreiter, Leo Abrahamsohn, Musketier, Bruno Levy, Leutnant –, umschließen die Dorfgräber im weiten Karree. Hier sind mehr als achthundert Soldaten begraben, die deutschen Gefallenen ruhen bei den Toten des Dorfs. Auf dem Gedenkstein ist, mit prächtigem Lorbeerkranz geschmückt, der bayrische Raupenhelm ausgehauen, das königlich-bayrische Armierungsbataillon X gedenkt seiner braven Gefallenen, wir denken an Arnold Zweig, der, bayrischer Schipper, hier seine *Erziehung vor Verdun* erfuhr, und wir kommen nicht los von diesen Wäldern, wo ja auch Vater gelebt, gekämpft, gelitten hat.

Ja, auch Spätgeborenen, Nachgeborenen wurden diese Wälder, die nur Krüppelwälder geblieben sind, zum Alptraum, zum Fiebertraum, zum Angsttraum. Es ist ein halbes Jahr her, seit ich mit zwei anderen Besessenen durch den Chaumewald streifte, in dem Vater als Meldeläufer verwundet wurde; Kurt Fischer, einer der besten Kenner des heutigen Geländes, führte uns von Ornes aus in die alten Gräben. Es war Mittwoch, der 26. März, auf den Tag genau siebzig Jahre nach dem ersten vergeblichen Angriff auf das Fort Vaux und dem Vorstoß in den Caillettewald; die Truppe lag fest, sie büßte an dieser Stelle täglich dreihundert Mann ein. Aus dem Brunnenstein von Ornes strömte ein schwacher Wasserstrahl in die ausgehauene Schale, die Gedächtniskapelle lag wie ein gemauerter Ansichtskartenkiosk gegenüber, in der Schlucht tummelten sich Waldarbeiter mit Stahlkeilen und Motorsägen.

Es schien mir damals, als sei das Schlachtfeld gar nicht mehr *terre sacrée*, heilige, unberührbare Erde der Franzosen; zum erstenmal befiel mich ein Gefühl touristischer Geschäftigkeit, und erst, als wir am oberen Ausgang der Schlucht, wo der Chemin de St. André auf die Fahrstraße trifft, durchs Gestrüpp in den Stoppelwald schlüpften, streifte ich den Wunsch ab, Bierflaschenscherben und Preßglassplitter, zerbeulte Kochgeschirre, zerfetzte Ledertaschen, zerbeulte Trinkbecher für Souvenirs einer Expedition zu halten und aufzusammeln.

Wir drangen, über Gräben und Stacheldrahtverhaue, über Schweineschwänze und verbogene Wellbleche hinweg in zusammengebrochene Stollen vor, wühlten im Schutt, scharrten im Geröll, Lianen schlangen sich um unsere Beine, modernde Stümpfe hemmten den Schritt. Kurt Fischer trat auf den Blindgänger eines 15er Haubitzengeschosses, nichts geschah. Das Geschoß war durch das Rohr der Haubitze gegangen, denn Zug und Feld im Führungsring waren stark gerieft, doch der Rost hatte den Zünder zerfressen, und kein Funke mehr würde das Pulver zünden.

Später liefen wir den Chemin de St. André entlang, Richtung Herbebois. Wo die alte Ferme gestanden hatte, lagen ein paar Ziegelsplitter im aufgewühlten Lehm. Ein Hagelschauer trieb uns auf die Straße zurück, Schneetreiben kam auf, Verdunwetter, wir standen da und hielten uns die Hände vors Gesicht: Hatten wir genügend Vorstellungskraft, uns in die Situation des Februar 1916 zu versetzen, ein Waldstück voller Toten zu sehen, abgetrennte Gliedmaßen, noch in den Ärmeln und Hosenbeinen steckend, steifgefrorene Leiber, wie ausrangierte Marionetten zusammengeklappt, fahlgelbe Köpfe, Schnee in den offenen Mündern? »O Mutter, behüte den Wald wohl!« ruft der Freiwillige in Fritz von Unruhs Erzählung aus, »meinen Sternenteppich der Heimat!« Nein, dieser Himmel hier zeigte keine Sterne, dieser Boden hatte nichts von einem Teppich und war doch für viele zur Heimstatt geworden.

Auf dem Rückweg grub der Begleiter von Kurt Fischer auf einem Acker hinter der Straßenbiegung von Bezonvaux ein paar Fläschchen aus; es sind kleine, schmalbauchige Fläschchen mit schmalem Hals und wulstigem Rand, nicht höher als Daumenlänge, einige grün, einige gelbbraun. Es sind Arzneifläschchen aus dem Feldlazarett, das hier, in Muraucourt-Ferme, untergekommen war; »vielleicht sind es die Fläschchen, aus denen Ihr Vater seine Arznei bekommen hat«, sagt Kurt Fischer. Von der Ferme gibt es kein Gemäuer mehr, nicht ein einziger Ziegelstein liegt im Acker, der von Maulwurfshaufen übersät ist. Die Fläschchen stehen auf meinem Schreibtisch; wenn ich ganz allein bin und sie betrachte und meine Phantasie reicht aus, mir den Einundzwanzigjährigen vorzustellen, wie er da liegt, schmerzverzerrt, um sein Leben bangend, dann kommt mich das Elend der Menschheit an, und ich kann mich kaum der Tränen erwehren.

Jetzt ist es Herbst, und wir sind zu zweit. Brigitte trägt einen Mispelzweig vom Kap der Guten Hoffnung in der Hand; wir sind weitergefahren, nach dem Soldatenfriedhof von Azannes II, der hinter der ersten Straßenbiegung der D 66 nach Mangiennes liegt. Steil steigt das Gelände zur Côte de Romagne an, die Gräber liegen in Doppelreihen übereinander, siebeneinhalbtausend Gefallene ruhen unter dem geschorenen Rasen. Montags und dienstags hallen die Salven der Panzerkanonen vom Schießplatz unterhalb des Fosseswaldes herüber, dann ist das Waldgelände bis zum Douaumont hin gesperrt. »Terrain interdit!« heißt es auf weißen Tafeln, mit blauweißroter Banderole am oberen rechten Schildrand; der elegante Satz fährt fort: »pendant les tirs annoncés par la présence d'un fanion rouge.« Dann ist das rote Fähnchen ausgesteckt, und statt der Motorsägen der Waldarbeiter dröhnen die Ketten der Schützenpanzer durch die Wälder beiderseits der kahl gerodeten Kegelbahn.

Die Gefallenen ruhen unter Linden, sie sehen nichts, sie hören nichts; die ihrer gedenken, stehen ein paar Minuten vor den Kreuzen still, und einige falten auch die Hände. Im Besucherbuch des Friedhofs ist zu lesen: »Einer der unbekannten Soldaten ist Harm Kramer, gefallen vor den Schluchten von Chauffour. Wir gedenken seiner.« Und an anderer Stelle: »Hier ruht unser Großvater, der einen qualvollen Tod erlitten hat.«

Am 2. November 1916 gab die Oberste Heeresleitung den Befehl zur Sprengung des Forts Vaux; kurz nach Mittag detonierten die Sprengladungen, die Munitionskasematten rissen auseinander, das Mauerwerk stürzte zusammen, die Kuppel des Geschützpanzerturms schleuderte in den Hohlgraben. Fort Douaumont war aufgegeben, Fort Vaux war aufgegeben. Hunderttausende von Toten deckten das Schlachtfeld; wo lag die Begründung, wo lag der Sinn? Im Memorial von Fleury gibt es eine Tafel, darauf sagt ein M. Genevois: »Was wir getan haben, ist mehr, als man von Menschen verlangen konnte – und wir haben es dennoch getan.« Die Front wurde bereinigt, der Grabenkrieg ging weiter: Hunger, Durst, Hitze, Frost, Nässe, die unaufhörliche Angst vor Tod und Verstümmelung blieb den Soldaten auch fürderhin nicht erspart.

Es ist Allerseelen, vierzehn Tage vor dem Volkstrauertag, an dem Vater neunzig Jahre alt geworden wäre, siebzig Jahre nach der Aufgabe des Forts Vaux, mehr als ein halbes Jahrhundert nach dem Gemetzel in den Schützengräben und Trichterfeldern von Verdun: Was bewirkt der Tag des Gedächtnisses der Toten in den Köpfen der Politiker, der Generäle, der Industriellen? Das Museum von Fleury zeigt die Waffen, die Geräte, die Gegenstände: auf rotem Samt eine Garnitur von deutschen und französischen Bajonetten, mit erläuternden Texten den Ölbehälter eines deutschen Flammenwerfers, in Blechdöschen den Ohrverschluß für Trommelfellgeschädigte, in Schaufenstern stehen Puppen mit deutschen und französischen Uniformen, an der Decke hängen deutsche und französische Jagdflugzeuge, im Keller steht die deutsche Feldküche mit ihrem einen, die französische mit ihren vier Kochkesseln. Ein französisches Paar geht an uns vorüber, der Mann zeigt mit dem Finger auf die monumentalen Fotos an der Wand, die das Unvorstellbare in Bildern zeigen sollen: die Hekatombe von Les Eparges, die Hekatombe von Vauquois. Er streckt mir die Hand entgegen und fragt: »Warum?«

In meiner Hand liegt ein Apfel des Mispelbaums, er ist klein und hart, eine unscheinbare, blasse Frucht. Ich trage ihn immer noch bei mir, der Zweig liegt auf einem Soldatengrab. Ja, der Granatapfelzweig vom Kap der Guten Hoffnung ist nur ein einfacher Mispelzweig, doch ich wünschte mir, seine Äpfel gäben einen süßen Most und das Kap wäre wirklich ein Kap der Guten Hoffnung.

III

Mohn und Stoppelfeld

Den Spurensucher trifft es oft härter als den, der die Spuren gelegt hat. Unversehrt entrann mein Vater dem Trommelfeuer an der Somme, doch das Buch, das ich über ihn geschrieben habe, kam unter die Räder. Als ich mit Gerd Krumeich, dem Historiker aus Düsseldorf, nach Ablaincourt kam, um neue Spuren meines Vaters aufzunehmen, fiel das Buch vom Kofferdeckel des Autos, wo wir es aus Versehen hatten liegenlassen, mitten auf die Straße. Ein Bauer fuhr mit seinem Trecker darüber hinweg, doch Jean-Pierre Thierry, der picardische Heimatforscher, hob es vom Boden auf, prüfte seinen Zustand, und da es wenig zerdrückt war, sagte er: »Quelle solidité allemande!« Gérard Rougeron dreht einen Film über meine Spurensuche von vor fünf Jahren, ihn bewegt Vaters Stummheit, seine Unfähigkeit, über das Kriegserlebnis zu sprechen. »Wir müssen unter der Erde nachgraben«, sagt er, »de même sous le sol du cerveau«, auch unter der Sohle des Hirns. Wo ist das, unter der Sohle, unter der Schwelle, unter dem Grunde des Hirns?

Das ist dort, wo es über Stege und Brücken, über gefurchte Hügel und durch finstere Kammern hinab in die Souterrains der Erinnerung geht. Doch die Wege dahin sind versandet, viel zu rasch wurden in den zwanziger Jahren schon die Fährten verwischt, die Spuren verlegt, die Zeichen mißdeutet. Schutt und Gerümpel bedecken die kärglichen Reste, wer soll sie finden, soll sie zusammenfügen zu einem sinnvollen Erinnerungsstück? Unter der Lehmerde der Picardie verrotten die Wohnstätten einer vergangenen Generation nur ganz allmählich. Die Toten waren schon vor ihrem Hinscheiden verstummt, bevor noch ihr Gedächtnis ausgefragt, ihre Erinnerung ausgemistet war. Uns wurde der Wortmüll der zwanziger und dreißiger Jahre in die Hirne gestopft.

Es ist Erntezeit. Es rauscht und rumort, doch so angenehm es auch wäre, den Schrecken in argloser Arbeit zu simulieren: Erntemaschinen sind keine Kriegsmaschinen, Wasserwerfer keine Flammenwerfer. Ein Bauer aus Deniécourt erzählt mir: »Vor dem Trommelfeuer, das vom 24. Juni bis zum 1. Juli 1916 dauerte, lag unsere Ferme hundert Meter von hier entfernt, dort drüben, wo jetzt die Kühe weiden. Sie war aus Lehm und Stroh gebaut, wie alle Häuser hier, leider gibt es keine Fotografie. Eine Woche bevor die Engländer mit dem Trommelfeuer begannen, wurden meine Großeltern mit Kindern und Mägden evakuiert. Als sie zwei Jahre später zurückkehrten, war nichts von ihrem Haus übriggeblieben, nicht einmal ein Stein des Fundaments. Das einzige, was dem Trommelfeuer standgehalten hatte, war ein deutscher Wohnstollen, den ich Ihnen zeigen will.«

Er führt uns zu einer Treppe, die unter seiner Scheune in feuchtes Halbdunkel hinabweist. Der Stollen ist mit gewellten Stahlblechplatten ausgeschlagen, die zu Rippen gefügt, zum Gewölbe gebogen sind. Hier lagen Teppiche auf gewürfelten Fliesen, hing eine Kuckucksuhr an der Stirnwand, die Somme war zur deutschen Heimat geworden. Oder spielten die Soldaten nur Schwarzwaldhäuschen und Heimgarten, war ihre deutsche Geschäftigkeit ein verzweifeltes So-tun-als-ob? Wir wissen es nicht. Aber jetzt begreifen wir, warum die Engländer so erstaunt waren, nach einer Woche Trommelfeuer eine Armee deutscher Soldaten aus den Erdlöchern emporsteigen zu sehen.

Hier folgen wir der Spur meines Vaters, der am Tag nach dem Angriff der Engländer und Franzosen bei Estrée-Belloy in die Schlacht geworfen wurde. »Worte vermögen nicht zu schildern, in welches Tohuwabohu die Truppe kam«, erzählt seine Regimentsgeschichte, »gänzlich unbekanntes, zum Teil unübersichtliches Gelände, dunkle Nacht, widersprechende Meldungen über die Lage, Befehle, Gegenbefehle, abirrende Kompanien, sich häufende Verluste, schweres Fernfeuer auf allen Anmarschwegen, allen Annäherungsgräben, und dicht davor die gewaltig kochende Schlacht, die ihre Schlacken dem Regiment entgegenwarf. Wohin man auch kam, überall ein fürchterlicher Brei zusammengeschossener, zerfetzter Bataillone und Kompanien, wirr durcheinander, in den Stunden der Krisis eiligst in die Schlacht geworfen und nun hier in engen, mit Menschenleibern vollgestopften Gräben ineinandergeballt, ohne klare Befehlsverhältnisse, ohne Ahnung der Lage.« Vater hat hier gelebt, als Neunzehnjähriger. Konnte ein Mensch überhaupt hier leben? Wir folgen ihm noch einmal vom Bahnhof in Ham über Béthancourt und Pargny nach Epénancourt. Diesmal ist es nicht Nacht in Ham, diesmal fährt kein Schiff am Soldatenfriedhof von Béthancourt vorüber, diesmal zeigt die Kirchturmuhr von Pargny auf allen vier Seiten die gleiche Zeit an, nur die aufgelassene Zuckerfabrik von Epénancourt ist noch immer verstrickt in das Gewirr ruinöser Gestelle und Tanks. Vor einem roten Blechkasten mit der Aufschrift »Danger Explosif!« liegen verrostete Kartuschen, achtlos auf den Haufen geworfen, angewachsen an Moos und Knöterich, als brauche man sich nicht um die Vergangenheit zu kümmern.

Wieviel ist zugeschüttet worden, ohne daß es genau angesehen, mit Interesse betrachtet, mit Sorgfalt gedeutet wurde! Die Kirche in Deniécourt ist ein Schuttplatz der Nachkriegsjahre. Unrat liegt zwischen den Bänken, Staub bedeckt den Altar, Spinnweben überziehen die Fensternischen. Der Bauer von nebenan hat uns die Tür geöffnet, wir treten in ein schmutzstarrendes Gruselkabinett. In den Schubladen der Sakristei sind verfleckte Priesterstolen und Ministrantenschärpen liegengeblieben, zerschossene Bilder des Kreuzwegs hängen an der Wand, Prozessionsfahnen verrotten in der

Ecke, das Harmonium ist im Dreck, die Glocke im Rost erstickt. Niemand hat hier je wieder ein gottgefälliges Leben begonnen, der Bauer steht angewidert auf der Türschwelle.

Fast gibt es kein Eindringen in das Wäldchen von Soyécourt. Efeu hat Baumstämme und Wurzelstöcke mit seinem Herzmuster überspannt, Lianen umschlingen das Gestrüpp, sie sind faustdick und fest im Fleisch, graugelb und gut genährt. Wir lassen uns an ihnen in die Unterstände und Gräben hinunter, aus Lehm gestampft sind die Grabensohlen, auf denen verrostetes Blech und Eisen liegt. Am Waldrand, jenseits der alten Brustwehr, über dem leicht ansteigenden Maisfeld, trillern die Lerchen zwischen den Fontänen, die ein Wasserwerfer aufschießen läßt.

Am Ortsende von Chaulnes, eingelagert in eine kleine Senke, entdecken wir Steinschutt eines Denkmals. Die Kalkquader sind längst abgetragen, ein Blick in das Fundament zeigt uns den ausgesparten Hohlraum, in dem einst eine Flasche lag, die eine Botschaft enthielt. Sie war eingemauert worden, als die Deutschen während des Krieges hier ein Denkmal für ihre Gefallenen errichtet hatten. Als der Platz nach dem Kriege zur Schutthalde wurde, war die Flasche nicht vergessen. Ein Bauer aus der Nähe wußte um die Flasche, sein Sohn wandte sich vor einigen Jahren an den Volksbund Deutscher Kriegsgräberfürsorge, der die Erlaubnis erhielt, die Reste des Denkmals an anderer Stelle wieder aufzumauern. Der Bauer besorgte es selbst, und so finden wir das kleine Monument beim Abstieg zur Mulde, goldgelb in der Sonnenhitze.

Monsieur Belot sitzt in seinem Wohnzimmer, zwischen Eierkorb und Staubsauger, zwischen einer Kiste mit verrosteten Ketten und einem Ständer mit illustrierten Zeitungen, und zeigt die Flasche. Er sitzt da, zwischen zwei Fernsehapparaten und einem Personalcomputer, zwischen Nylontüten und Handwerksgeschirr, und hält ein Gefäß in der Hand, das ihm wertvoller erscheint als alle lebenswichtigen Geräte seiner täglichen Arbeit: eine Monstranz, eine Bundeslade. Da sitzt er, zwischen Linolschnitten eines deutschen und dem holzgeschnitzten Klapperstorch eines elsässischen Künstlers, die Gerätschaften liegen herum, als lägen sie schon seit siebzig Jahren da wie die verrotteten Geschoßhülsen auf seinem Hof. Ihn kümmert nur die Flasche, die die Botschaft birgt. Mit breiten Fingern, die aber vorsichtig, ja liebevoll zupacken, nimmt er das Blatt Papier aus der zerbrochenen Flasche, legt es sorgfältig auf einen weißen Karton und bittet uns, das Papier, wenn nötig, nur mit den Fingerspitzen zu berühren. Es ist ein angegilbtes Stück Büttenpapier, an den Rändern zerfranst, vom Schimmel gebläut, mit spitzen Schriftzügen in Sütterlin bedeckt.

Die Botschaft hat bis heute niemand entziffert. Wir entziffern sie. Es ist aber kein Aufruf zur Waffenruhe, kein Friedensappell, kein neues Evangelium, o nein. Ein Leutnant spricht vom siegreichen Feldzug, vom tapferen Ausharren, vom ehrenden Gedenken. Er beschwört mit Wörtern aus dem angelernten Sprachgebrauch. Doch Léon Belot hört unsere Übersetzung mit dem Behagen eines Sammlers. Er fügt das Blatt den Postkarten, den Regimentsgeschichten, den Bildbänden aus der Korpsverlagsbuchhandlung von Bapaume bei, die er stapelweise einer Kiste entnimmt. »C'était la guerre!« ruft er aus, und ruhig, als sei er fest davon überzeugt, fügt er hinzu: »Mais la guerre, c'est fini!« Chaulnes hat mit einem Dorf bei Hannover Partnerschaft geschlossen, Monsieur Belot schenkt niedersächsisches Bier aus und zeigt stolz die Flaschenetikette. Ist der Krieg wirklich zu Ende? Damit es so sei und jedermann hüben wie drüben die Waffen und Wunden, aber auch die Kriegskuriositäten des anderen sehen und deuten kann, hat die Association STORIA, die auch den Film über meine Spurensuche dreht, eine Ausstellung im Rathaus von Péronne eingerichtet: Nebeneinander liegen der englische, der französische, der deutsche Stahlhelm aus dem Ersten Weltkrieg, die deutsche Maschinenpistole und der englische Revolver, das französische Kriegspuzzle »Nos grands Chefs militaires«, das deutsche Kriegsquartettspiel »Versenkte Dampfer«, das englische Grabenfußballspiel »Trench Goal Football«, der französische Hygienekasten, der englische Flachmann, der deutsche Bierkrug mit Kaiser Wilhelms Pickelhaube.

In der Bibliothek betrachten wir das Fotoalbum eines deutschen Offiziers: Wir sehen die Soldaten beim Baden und Bootfahren, beim Ständchensingen und bei der Gartenpflege. Wen finden wir, wenn wir da nach den Zwanzigjährigen von damals suchen, stoßen wir wirklich auf neue Spuren? »Je mehr wir voneinander wissen, um so besser werden wir uns verstehen«, sagt Gerd Krumeich, und er kennt auch die englische Weisheit, daß ein Volk, das seine Vergangenheit leugnet, keine Zukunft haben wird.

Es sind zwei kleine Dörfchen, die dicht beieinanderliegen, Vermandevillers, wo Alfred Lichtenstein am 25. September 1914 in den tödlichen Schrapnellhagel geriet, Ablaincourt, wo Reinhard Johannes Sorge am 20. Juli 1916 in einen Granatsplitterregen lief, nur ein paar Tage später nachdem mein Vater aus dem vorderen Graben ausgezogen war. Zwei deutsche Dichter liegen hier begraben, ich suche, ich finde ihre Namen im Namenbuch, Lichtenstein und Sorge ruhen im Kameradengrab, wie es in der Sprache des Volksbundes Deutscher Kriegsgräberfürsorge lautet, nicht im Massengrab, wie es früher einmal hieß. Eine Krähenfeder liegt im Gras, ich hebe sie auf. Wenn ich sie mit dem Taschenmesser zur Schreibfeder zurechtschneiden würde, flösse vielleicht schwarze Tinte heraus. Ich könnte Sorges letztes Gedicht aufschreiben, in dem er so unbegreiflich vom heilen Sinn der eisernen Saat spricht, könnte Lichtensteins Gedicht notieren, worin es am Ende heißt: »Am Himmel brennt das brave Abendrot. Vielleicht bin ich in 13 Tagen tot.« – Ich suche meinen Vater, Merkmale seiner Beschaffenheit, Bedingungen seines Lebens, Umstände seines Verhaltens in dieser äußersten Situation menschlicher Existenz: Die Bilder des Grauens hellen sich erst allmählich auf; Vater blieb stumm.

Ich finde aber zwei deutsche Dichter, die von diesem Grauen sprechen. Meine Reise ist eine Erkundungsfahrt, wie sie die Prinzen von Serendip unternommen hatten, die in unübersichtlichem Gelände den richtigen, den glücklichen Weg finden wollten, »im rechten Augenblick« unternommen, durch »genaues Hinsehen« gekennzeichnet, wie Walter Höllerer schreibt. Lichtenstein und Sorge haben eine große Nähe zu meinem Vater: Als Frontsoldaten haben sie am gleichen Ort gekämpft wie er, ich stelle mir vor, wie sie im gleichen menschenüberfüllten Graben, schlaflos, hungrig, den schwerbepackten Tornister auf dem Rücken, eng zusammengepfercht, auf den Angriff gewartet haben. Ihre Nähe zu meinem Vater hat sie mir nahegebracht; meine Erkundungsfahrt ist eine Reise ins Leben und in die Poesie.

Es ist später Nachmittag. Vom Wegrand aus setzen wir unseren Fuß auf die kalkige Ackerkrume. Sollen wir es den Soldaten von damals gleichtun und in die weiten Mohnfelder hineingehen? In wieviel Briefen ist vom Mohn die Rede? In wieviel Gedichten wird vom Mohn gesprochen? Wir halten ein, wir bleiben stehen, wir schauen nur. Am Horizont steigt Rauch auf. In kilometerbreiter Front brennt ein Stoppelfeld.

IV

Pegasus im Kriegsdienst

Es gibt Männer und Frauen, die absolut nicht zusammenpassen, sich aber nichtsdestotrotz verloben, vermählen, Kinder zeugen und sich dann wundern, was dabei herauskommt. Poseidon, der griechische Gott des Meers mit der grauen Zottelmähne, und Medusa, das schöne sterbliche Mädchen mit dem schwarzgewellten Haar, zeugten zusammen das geflügelte Pferd Pegasus. Dessen Geburt war ein ungewöhnliches Ereignis, eine Sehenswürdigkeit: Ihre Geschichte wäre eine Räuberpistole, hätten nicht große Dichter sie in wunderwirkender Sprache erzählt. Medusa, von der eifersüchtigen Göttin Athene in ein Ungeheuer mit Schlangenhaaren und entsetzlichen, alles Lebendige versteinernden Augen verwandelt, ist zum Gebären bereit: Da kommt Perseus, der grimmigste Kämpfer der Vorzeit, mit seinem gewaltigen Schwert daher, die schreckliche Medusa zu enthaupten.

Perseus ist ein Schlauberger. Wohl wissend, daß er sich dem versteinernden Blick der Medusa nicht Auge in Auge aussetzen darf, nähert er sich ihr rückwärts gehend, greift mit der einen Hand in seine Umhängetasche, holt den Spiegel heraus, zückt mit der anderen sein Schwert und haut der Gräßlichen mit einem Hieb das Haupt ab. Und schon rauscht es so gewaltig, daß Perseus unwillkürlich den Kopf einzieht und sich niederbückt. Aber kein Grund zur Beunruhigung: Es ist der geflügelte Pegasus, der dem Mund der Medusa entführt und wie Sturmgebraus durch die Lüfte davonrauscht.

Was wissen wir sonst noch von Pegasus? Im Auftrag von Zeus zog er den Wagen des Donners und der Blitze, mit Bellerophon im Sattel bezwang er die feuerspeiende Schimäre; vielleicht käme er – hätte er darüber hinaus nichts anderes mehr zustande gebracht – im Hohelied des Dichters Ovid gar nicht vor. Darin spricht Pallas Athene an entscheidender Stelle mit Urania, der Muse der Lehrdichtung und Sternkunde, und deklamiert in schönsten Hexametern:

»›Kunde ist mir zum Ohr von der neuen Quelle gedrungen,
welche der harte Huf des Gorgovogels geschlagen,
sie ist Grund meiner Fahrt. Ich wollte das Wunder betrachten,
hab ich ihn selbst doch gesehn sich dem Blut der Mutter
                                                    entschwingen.‹
›Was auch immer, o Hehre, dein Grund, dies Heim hier zu
                                                    schauen‹,
sprach Urania drauf, ›unsern Herzen bist hoch du
                                                    willkommen.
Wahr ist die Kunde indes, und Pegasus hier unsrer Quelle
Ursprung‹, und führte Minerven hinab zu dem heiligen
                                                    Wasser.
Diese bewunderte lang die hufschlagentquollenen Wellen,
blickte darauf umher auf die Haine, die Wälder, die alten,
rings auf die Grotten und die im Schmuck von unzähligen
                                                    Blumen
prangenden Wiesen und pries ob der Kunst, ob des Ortes
                                                    die Töchter
Mnomones glücklich.«

Unter dem Hufschlag des Pegasus ist die Musenquelle entsprungen, Treffpunkt der außerehelichen Töchter des Zeus und der Mnemosyne, die als die leibhaftige Erinnerung gilt. »Wenn nämlich über Menschen / Ein Streit ist an dem Himmel und gewaltig / Die Monde gehn, so redet das Meer auch und Ströme müssen / Den Pfad sich suchen«, singt Hölderlin in seinem Gedicht »Mnemosyne« und holt die Angelegenheiten der Götter auf die Erde herab: »Denn nicht vermögen / Die Götter alles. Nämlich es reichen / Die Sterblichen eh an den Abgrund. Also wendet es sich, das Echo / Mit diesen. Lang ist / Die Zeit, es ereignet sich aber / Das Wahre.« Das Wahre ist das Menschenleben, sind Hunger und Durst, Blut und Schweiß, Krankheit und Tod. Die Götter sind sterbliche Menschen geworden, und in ihrem Gefolge hat sich der Pegasus in ein irdisches Pferd verwandelt. Auch der Günstling Apollos, der sich mit dem Wasser der Roßquelle die Lippen netzt und ein Dichter wird, ist ernüchtert von diesem Wahren. Indem er von den Göttern erzählt, erzählt er vom Menschen, denn der Mensch, von den Göttern erzählend, erzählt ja in Wahrheit von sich selbst, von seinen Wünschen und seinen Alpträumen, seinen Erfolgen und seinen Verfehlungen, den Glücksmomenten und den lang anhaltenden Leidenszeiten. Er schaut sich auf der Erde um und erzählt vom Menschen.

Doch nicht nur der Dichter trinkt an der Musenquelle und kriegt fortan den Mund nicht mehr zu – seit der erste Steinmetz einen Schluck dieses Wassers auf der Zunge spürte und sich unverzüglich daranmachte, den Gedenksteinen der Sieger von Olympia lebensähnliche Gesichtszüge zu meißeln, legt auch er sein Handwerkszeug nicht mehr zur Seite. Jeder Künstler, den schwefligen Horngeschmack des Pegasushufs auf der Zunge, öffnet den Mund, greift zum Schreibstift, zum Pinsel, zum Meißel und erzählt vom Menschen, jeder nach seiner Art, nach seiner Kunst.

Was war das einst ein heiterer Pegasus, dessen »hufschlagentquollenen Wellen« die Zunge des Dichters lösten? Was war das ein feuriger Pegasus, der den dröhnenden Donnerwagen zog und den stürmischen Bellerophon im Sattel trug! Er ist zum Ackergaul, zum Kriegsklepper verkommen, je mehr die Zeit verging, die Götter abdankten und die Menschen ihn an die Leine nahmen. Zur profanen Erwerbsarbeit herangezogen, schändlich mißhandelt »in der Dienstbarkeit«, quält er sich an der Kandare des Menschen ab. Was ist aus dem burschikosen Gesellen geworden, der noch die Freiheit besaß, den Donnerwagen in den Graben zu kutschieren und den schönen Bellerophon vom Sattel zu werfen, weil er sich die Kühnheit herausnahm, den Olymp zu erstürmen! In anonymen griechischen Distichen dreht er, allein im Göpelgespann, den Mühlstein; in der Ballade von Schiller zieht er, mit einem Ochsen im Joch, den Pflug; und auf dem Bild von Max Slevogt schleppt er, mit gebundenen Flügeln, bis auf die Knochen abgemergelt, eine Kanone hinter sich her.

Diesen irdischen Pegasus, nur noch Schindmähre, sehen wir auf dem Bild von Slevogt. Längst hat er aufgehört, den Donnerwagen zu ziehen, den schönen Bellerophon im Sattel zu tragen: Bellerophon liegt schwerverwundet auf der Asphodelenwiese, und dem Donnerwagen ist ein Kanonenrohr aufmontiert worden. Pegasus ist im Kriegsdienst. Mit steifer Kruppe, den Hals gesenkt, die Augen geschlossen, stampft er vergeblich den zerwühlten Boden, das schwere Gefährt aus dem Schlamm zu ziehen. Seine Beine stemmen sich gegen das ansteigende Gelände, mühsam geht er im strammgespannten Geschirr. Pegasus ist gefesselt. Ein Riemen, um Rücken und Bauch geschlungen, hält die Flügel des Rosses fest an seinen Leib gepreßt.

Flanke an Flanke, gestreckten Halses und mit struppiger Mähne auf dem Kamm, galoppiert ein Rappe neben dem Schimmel her. Er trägt ein Skelett, das sich über den Schimmel beugt und eine zerzauste Rute gegen seine Kruppe schwingt. Pegasus wird nicht in den heiligen Hain der Musen zurückkehren, wo sein Hufschlag einst die Quelle der Dichter entspringen ließ. Sein Huf wühlt in Schmutz und Kot. Das schlammige Wasser, das er aufwirft, wird die Lippen des Dichters mit dem Dreck des Schlachtfelds besudeln, daß kein Preislied mehr über sie springt. Und er selbst, vom Knochengestell des Todes gepeitscht, wird seine Qualen nicht mehr lange ertragen müssen: Vor Erschöpfung wird er im Morast verenden, vielleicht trifft ihn eine tödliche Kugel, vielleicht schlachtet und verwurstelt ihn der Pferdemetzger für die Gulaschkanone.

Am 8. Oktober 1914, seinem 47. Geburtstag, erhält der Maler Max Slevogt ein Telegramm, das seine heißersehnte Bestallung zum Kriegsmaler bei der 6. Bayrischen Armee bestätigt und ihn unverzüglich an die Westfront kommandiert. »Ich bin auf dem Wege zum Kriegsschauplatz«, schreibt er am 12. Oktober aus dem Luxemburger Bahnhofshotel an seinen Freund Johannes Guthmann – »als Schlachtenmaler«. Am 14. Oktober beginnt er zu zeichnen, eine zerschossene Brücke und Vorwerke des Forts Ayvelles an der Maas, doch schon am 2. November, nachdem er tags zuvor den erbeuteten Berberhengst eines marokkanischen Scheichs aquarelliert hatte, schreibt er: »Allerseelen, ich fliehe … sapienti sat.« Dem Verständigen genügt's, heißt es bei Plautus, für ihn bedarf es keiner weiteren Erklärung.

Max Slevogt hat in den drei Wochen seiner Karriere als »Schlachtenmaler« die ernüchternde Bilderfolge *Ein Kriegstagebuch* gezeichnet, die 1917 bei Bruno Cassirer in Berlin erscheint. Wir sehen dahinschlurfende deutsche Soldaten auf der Vormarschstraße, niedergeschlagene französische Gefangene in einer Kirche, Verwundete auf Strohschütten, Gefallene an einer Straßenecke. Wir sehen scharrende Hunde an einem Kriegergrab, eine Schweineleiche auf dem Hackklotz einer Feldschlächterei und gräßlich zugerichtete Pferdekadaver im Chausseegraben. Da gibt es keine beherzt aufprotzende Artillerie im Haubitzenfeuer, keine heldenhaft scharmützelnde Reiterpatrouille im Ulanenangriff, keine heroisch auftrumpfende leichte Kavallerie in den afghanischen Bergen, wie man sie in der illustrierten Kriegsgeschichte *Die große Zeit* bewundern kann, einem Buch mit geprägtem Goldadler auf dem Umschlag und ganzseitigen Gemälden von Pferden, denen der Schaum um das triumphierende Maul fliegt. Max Slevogt ist keinem dieser Streitrösser wie dem sagenhaften Hengst Falke begegnet, der Dietrich von Bern in Not sah, den

Zaum zerbiß, mit dem er an einen Lindenbaum festgebunden war, herbeilief und mit den Vorderhufen so lange auf den bösen Widersacher stampfte, bis sein Herr wieder auf die Beine kam.

Max Slevogt ist dem zerschundenen Pegasus begegnet, der unter der Peitsche des Todes das Leichenfeld stampft, bis er entkräftet im Morast verendet. »Mir ist ziemlich schwindlig und schlecht«, schreibt Slevogt in sein Tagebuch, »ich möchte nicht mehr bleiben«, und reist, von Grauen und Angst geschüttelt, nach Deutschland zurück. »Im Banne der Verwüstung vermögen wir noch die Verstümmelung von Häusern, Bäumen stimmungsvoll, reizvoll, auch darstellbar empfinden«, lesen wir in seinem Kriegstagebuch, »nicht so den verstümmelten Menschen, den Kadaver.« Er ordnet seine Erinnerungen, seine Gedanken, seine Visionen, die ihn stark bedrängen, unverzüglich greift er zur Lithographiekreide, zum Schabeisen und schickt sich an, seine Alpträume zu erzählen.

In einundzwanzig Stein- und Zinkdrucken bringt er 1917 seine *Gesichte* heraus: der Papst drückt das Schaukelpferd mit den bösen Buben Europas, Scheusale spielen Krieg mit ihren abgehackten Gliedmaßen, Wölfe kämpfen und zerfleischen einander – und Pegasus zieht die Kanone. Slevogt klagt nicht an, er verteidigt nicht, er richtet nicht, pflanzt keine weiße Fahne in die Bresche, trägt kein Transparent mit Parolen vor sich her. Er erzählt. Doch die vehementen, oft nur flüchtigen Striche des Impressionisten illustrieren weder Mythen von Haudegen noch Anekdoten von Hasenfüßen: Slevogt erzählt, ohne das Geschaute auf platte Art und Weise nachzuerzählen oder mit Arabesken zu garnieren, mit Gestikulationen zu erklären. Er erzählt, indem er das Gesehene mit Gestalten seiner Phantasie bebildert: Die Menschen sind in Tiere, die Tiere in Zeichen verwandelt, aus denen ein Bild entsteht. Max Slevogts gefesselter Pegasus ist nicht das Bild eines Pferdes im Krieg, sondern ein Bild vom Krieg.

Auf diesem Bild erscheint der Krieg, als sei er ein schlechter Traum, der vom Menschen erzählt. Nur, wo ist der Mensch?

In Max Slevogts *Gesichte* begibt sich der Betrachter in eines der grausamen Märchen, das durch seinen monströsen Widersinn eine gesteigerte Wahrhaftigkeit bezeugt. Dieses Märchen erzählt von den Verletzungen, die der Mensch sich selbst und seinesgleichen, auch den Pflanzen und dem Vieh bedenkenlos zufügt. Er ist es ja, der dem Pegasus die Flügel fesselt, ihn vor die Kanone spannt und ihm vom Sattel herab die Peitsche gibt. Jeder von uns ist schon einmal seinem Pegasus begegnet, hat ihm erst liebevoll die Mähne gekrault und die Flanke getätschelt, am Ende die Flügel gestutzt und vor seine Karre gespannt. Hören wir, wie der alte Pegasus im Göpelgeschirr seine Erniedrigung im rhythmischen Versgang herauswiehert:

»Rosseernährende Heimat, Thessalien, ich, Pegasus, zürne
über das herbe Geschick, das mich am Ziele betraf.
Pytho und Isthmos und Zeus von Nemea sahn mich
                                 umjubelt,
und der arkadische Zweig ward mir als Sieger zuteil.
Und nun dreh ich die Last des runden nisyrischen
                                 Mühlsteins,
ach, und mahle die Frucht, die uns Demeter gewährt.«

Schiller beklagt seine Kränkung in Jamben, nachdem das edle Roß zum Ackergaul entwürdigt ist:

»In lächerlichem Zuge
Erblickt man Ochs und Flügelpferd am Pfluge.
Unwillig steigt der Greif und strengt die letzte Macht
Der Sehnen an, den alten Flug zu nehmen.
Umsonst; der Nachbar schreitet mit Bedacht,
Und Phöbus' stolzes Roß muß sich dem Stier bequemen,
Bis nun, vom langen Widerstand verzehrt,
Die Kraft aus allen Gliedern schwindet,
Von Gram gebeugt das edle Götterpferd
Zu Boden stürzt und sich im Staube windet.«

Und hören wir, wie Arnfrid Astel seine gesellschaftliche Miß-
achtung im Epigramm besingt:

»Pegasus blind und flügellahm
tapert im Kreis
und dreht die Gewerkschaftsmühle.«

Sein künftiges Schicksal scheint besiegelt. Und Zuversicht für
den Pegasus? Wenn nicht alle Zeichen trügen, haben wir sie
verloren. Auch meinem Pegasus ist es schlimm ergangen, und
es sah ganz danach aus, als sei er nicht mehr zu retten. Zuerst
glich er dem griechischen Pegasus bis auf die gekräuselte
Mähne, den buschigen Schweif, die schmalen Fesseln – und
trabte unbesorgt durch die ovidischen Wälder und »die im
Schmuck von unzähligen Blumen prangenden Wiesen«. Ich
war ein Knabe von sechs. Mit meinem Bruder in den Sommerferien auf dem Hunsrück sah ich das weiße Pferd auf
einer Pferdekoppel nahe dem Idarwald. Unbemerkt war es
geradewegs aus dem Wald auf die Wiese getreten und stand
auf einmal da: So unversehens, wie es vor unseren Augen auf-
getaucht war, hätte es auch vom Himmel gefallen oder aus
dem Boden gestampft sein können. Es stand da wie ein
Kunstwerk; hätte es sich nicht bewegt, wir wären versucht gewesen, es für ein Marmorbild zu halten. Es war schlank und
hochbeinig und trug ein langes, weiches Geschlecht. Wir
saßen regungslos auf der Uferböschung und schauten ihm
nach, wie es den Kopf hob, die Hüfte reckte, den Schweif auf-
stellte und über die Wiese davonging. Mein Bruder stutzte für
einen Augenblick, dann blickten wir uns an und lachten. Das
weiße Pferd schritt inzwischen nicht mehr so steif, wie es zu
Anfang geschritten war. Zuweilen trommelte es mit den Vorderhufen auf den Boden und schlug mit der Hinterhand in die
Luft. Ich war gebannt. Während mir die heiße Glut unter das
Haupthaar strömte, kehrte das Pferd uns die Kruppe zu und
trabte davon. Wir sprangen ihm ins Unterholz nach, rannten
in den Hochwald, bogen die Zweige auseinander und suchten

nach Fährten im Laub. Hatte das weiße Pferd nicht Haare verloren im Gestrüpp, hatte es nicht Hufspuren hinterlassen im Erdreich? Wir kamen an ein Wasser, es war frisch und klar, wir beugten uns nieder, schöpften mit offenen Händen und tranken. War es eine Quelle, die der Schimmel mit seinem Huf aus dem Waldboden geschlagen hatte? In der Luft war ein fernes Klingen zu hören, es gellte und schetterte wie metallischer Hufschlag.

Doch ist es meinem Pegasus anders ergangen als dem Pegasus am Göpelrad und unter dem Joch, in der Gewerkschaftsmühle und vor der Kanone? Die Sommerferien gingen zu Ende, es kam der Winter, da sah ich das weiße Pferd wieder. Der Schnee auf den Straßen war festgestampft, und dort, wo das Wasser aus den Rinnsteinen übergelaufen, quer über den Fahrdamm geflossen und gefroren war, herrschte Glätte, und es war gefährlich, die Straßenseite zu wechseln. Auf dem Weg zu Großvater ins Oberdorf, nur ein paar Schritte hinter der Bahnunterführung, stand ich plötzlich neben dem Schimmel. Ich war keuchend um die Kurve gekommen, als ich ihn unverhofft an meiner Seite sah: Mächtig ragte er auf, er schnaubte, er dampfte, er strömte einen scharfen Geruch aus, und ich grauste mich, denn ich konnte ihm nicht ausweichen. Eingeklemmt zwischen Bruchsteinmauer zu meiner Linken und Schimmel zu meiner Rechten, suchte ich Tritt zu fassen auf dem vereisten Pflaster, neben mir atmete der Schimmel in tiefen Stößen, ihm erging es nicht anders als mir. Er war vor einen Wagen gespannt und hing schwer im Sielengeschirr. Der Wagen, hoch über den Kasten hinaus mit Kohlen beladen, ächzte in seinen Achsen und Rädern, er war an die äußerste Kante des Rinnsteins gerutscht, und die Bretter knarrten vom Druck der Last. Der Schimmel stand fest auf dem Kopfsteinpflaster, seine Hufeisen hatten die Eisglasur in winzige Splitter zerhackt, nur wenige Millimeter rutschten die Füße nach der Seite ab, faßten wieder Tritt und stampfen den Stein mit hellem Geklirr. Das Pferd hatte die Gurte stramm gespannt, alle Riemen waren gestrafft, die Schnallen und Schlaufen knirschten, in den Ringen schabte das Leder und klatschte gegen Hüfte und Hinterbacke. Das Pferd zog, doch es kam nicht von der Stelle, blähte die Nüstern und blies einen weißen Dampf in die Winterluft.

Ich stand zwischen Mauer und Tier und rührte mich nicht vom Fleck. Was ist aus dem schönen weißen Pferd geworden, dachte ich angstvoll, wie rein und weiß und frei von Zügel und Zaumzeug war es über die Wiese, durch meine Träume, in meinen Gedanken gegangen! Und nun stemmte es sich vergebens gegen eisglatten Boden, stöhnte und schwitzte und war auch nicht mehr so fleckenlos wie damals auf der Wiese im Hunsrück. Seine Flanken musterten graue Spritzer, in Mähne und Fesselhaar waren gelbe Strähnen gezogen. Ich schaute an ihm empor, sah Sehnen und Schwielen, sah dicke Adern und geschwungene Rippen, ein dampfendes Muskelgebirge. Schweißperlen blitzten, Eissplitter glitzerten, und die Kohlenstücke auf dem Wagen glänzten speckig in der Wintersonne. Hü! schrie ein Mann mit schwarzem Mantel und Hut und rief mich aus meinen Gedanken wieder zurück auf die Straße. Er stapfte hinter dem Wagen her, schwang eine Peitsche, die auf den Rücken des Pferdes niederfuhr, seine Hü-Rufe überschlugen sich und klangen wie Schreie eines verzweifelten Jodlers. Der Wagen stand, der Fuhrmann ging abwechselnd vom Kopf des Schimmels zum Rückbrett des Wagens, schwang die Zügel, drehte die Bremskurbel, mir kam es vor, als wisse er nicht, was er tun solle, einmal lockerte er die Bremsbacken und knallte mit der Peitsche, ein andermal rannte er nach vorn, riß an der Kinnkette, schnalzte und jauchzte, bis der Schimmel nur noch röchelte und in die Knie brach. Rasch klinkte der Fuhrmann den Zugstrang aus dem Sielscheit und zog dem niederbrechenden Pferd eine Decke unter die Brust.

Dieser Mann liebte sein Pferd, das konnte ich sehen und hören, denn aus dem Jodeln und Jauchzen wurde mehr und mehr ein verzagtes Schluchzen, der Schimmel kam nicht mehr auf die Beine, der Fuhrmann klopfte ihm wohlwollend auf die

Backe, lockerte die Kinnkette und wischte den Schaum von den Nüstern. Es war Herr Andes, der Fuhrmann aus dem Oberdorf, der im Winter Kohlen ausfuhr und mit Pferd und Wagen den weiten Weg von Grube Hirschbach in die höhergelegenen Straßen des Dorfes machen mußte. Nun stand er da, niedergebeugt über seinen Schimmel, und sprach mit ihm. Das Pferd lag auf allen vieren, es hielt den Kopf mühsam aufrecht, schüttelte die Mähne, atmete tief. Es hatte seine Augen weit aufgerissen, die Augenbälle quollen aus den Höhlen und schauten angstvoll auf Herrn Andes, der immer noch redete. Da aber der Schimmel keine Antwort geben konnte, stellte der Fuhrmann keine Fragen, sondern besänftigte ihn liebevoll. Leute gingen vorüber, blieben stehen, schauten auf den Schimmel und auf Herrn Andes und eilten weiter, als er begann, den Wagen zu entladen.

Mein Pegasus, von Fuhrmann Andes aus Zaumzeug und Sielengeschirr befreit, ist auf dem winterlichen Eis glimpflicher davongekommen als der gefesselte Pegasus im Kriegsdienst, der bis zum letzten Atemzug vor die Kanone gespannt bleibt. Es nutzte ihm nicht viel, denn am Ende mußte auch mein Pegasus den Weg zum Abdecker nehmen. Als ich eines Tages zu nahe an das eiserne Tor des Schlachthauses geraten war und sehen mußte, was ich nicht fassen konnte, war niemand da, der mich an die Hand genommen und es mir erklärt hätte. Das Tor war nur angelehnt, ich drückte dagegen, und es sprang vollends auf. Da sah ich den Schimmel vom Fuhrmann Andes an einen Ring gekettet, ein Mann in blau-weiß gestreiftem Kittel hielt dem Schimmel einen Bolzen an die Stirn, und als es nun plötzlich in dem Bolzen ein kurzes, trockenes, gar nicht so lautes Knacken gab, stürzte der Schimmel in sich zusammen, und ich hörte, wie die Knochen auf den Boden schlugen. Der Schimmel fiel über seine Beine, und es sah aus, wie wenn eine Marionette im Puppentheater plötzlich zusammenknickt. Ich stand wie angewurzelt da und sah mit an, wie der tote Schimmel an einer Winde hochgezogen und mit langen Messern ausgeweidet wurde. Herz und Nieren plumpsten in einen roten Eimer, die Därme quollen über den gekachelten Boden, die Metzger griffen tief in den Leib des Tieres und brachten immer neue Organe zum Vorschein. Als aber der Leib fast leer war und auch kein Blut mehr aus den Adern floß, klaffte der Kiefer des Schimmels auseinander, die großen gelben Zähne bleckten aus dem Maul, und der Kopf des Schimmels vom Fuhrmann Andes war mit einem Male in den Kopf des Hengstes Falada aus dem Märchen von der Gänsemagd verwandelt. Ich schaute auf die Nüstern, die sich blähten, und auf die gelben Zähne, die sich auftaten, und hörte, wie der Schimmel sagte: »Wenn das deine Mutter wüßte, das Herz tät' ihr zerspringen.« Ich habe meine ganze Kindheit dort am Schlachthaus verbracht, habe die Kühe und die Schafe von der Rampe oberhalb der Schutthalde aus den Güterwagen stolpern und durch das Hürdengatter in den Schlachthof eilen sehen, ich habe die Kühe brüllen, die Schafe blöken und die Schweine in ihrer Todesangst schreien gehört, aber erst, als ich den Hengst Falada des Fuhrmanns Andes sprechen gehört habe, war ich gerettet.

Falada, mein Pegasus, hatte zu mir gesprochen. Schon abgehauen vom Hals, hatte er seinen Kopf mir zugewandt, seinen Kummer um mein Wohlergehen vor mir ausgeschüttet und gesagt: »Wenn das deine Mutter wüßte, das Herz tät' ihr zerspringen.« Mutter durfte nicht erfahren, daß ich durch das Schlachthaustor getreten war, durfte nicht wissen, daß ich beim Schlachten eines Tieres zugeschaut und vielleicht Schaden an meiner Seele genommen hatte. Aus allen meinen Märchenbüchern starrte mich Faladas Kopf, das eine Mal neben, das andere Mal über das Stadttor genagelt, mit gebrochenen Augen an. Auf Eugen O. Sporers Holzschnitt der Büchergilde Gutenberg schaut das Auge erstaunt, auf Paul Heys Gemälde des Zigaretten-Bilderalbums schaut es erschreckt, auf Otto Ubbelohdes Zeichnung der Marburger Ausgabe schaut es hohl und leer. Max Slevogts Faladakopf in seinem von ihm gezeichneten Märchenbuch der Brüder Grimm ist kein Pferdekopf mehr. Er gleicht einem ausgezehrten Krokodilschädel und sieht dem Kopf des geschundenen Pegasus ähnlich. Er ist augenlos. Er ist blind. Doch er hat die Geschichte von der rechten und der falschen Braut im Gedächtnis behalten und bringt sie vor den König. Er kann noch sprechen. Nur noch Kopf, spricht er auch zu mir, mein Falada, mein Pegasus!

Mit seinem Huf schlug er einst die Quelle aus dem Fels, deren Wasser die Zunge des Dichters löste, zu Tode geschunden, geschlachtet, enthauptet, hält sein Kopf unaufhörlich Zwiesprache mit mir. Pegasus, in Falada verwandelt, erzählt mir vom Menschen, wie er der Kreatur die grausamsten Qualen, der Natur die gräßlichsten Verwüstungen zufügt. Max Slevogt hat beide gezeichnet, im Bild erzählt er von der äußersten Not des Gequälten, vom ärgsten Übel der Verwüsteten. Zwar spricht er von seiner »Bankrottserklärung als Kriegsmaler«, doch sein Bild vom Krieg ruft den Erzähler auf den Plan. Mich aber, der sich so weit eingelassen hat auf dieses Bild, kümmert nicht mehr das reine Bild in seiner Kunstgestalt – so wie es die Maler gern hätten: Für mich zählt nur das, was das Bild in mir selbst hervorruft und mich anregt, nach- und weiterzuerzählen, was das Bild mir erzählt hat. Ich lasse nicht nach, meinem Pegasus und meinem Falada frischen Atem einzuhauchen und erzähle meine eigene Geschichte vom Menschen. Slevogts Pegasus ist unerrettet geblieben. Mein Falada aber, wiederbelebt, ist errettet. Ich habe ihm seine verlorene Freiheit zurückgegeben und nehme dafür seine Einladung zu neuen Ufern an, schwinge mich auf seinen Rücken und lasse mich tragen, wohin er mich tragen will.

Liebe und Trompetenblasen

Kindheit in den dreißiger Jahren

Meine Eltern: Ein von allen Tücken und Ungereimtheiten des
Lebens irritierter Vater, an der Seite einer starken, selbstbe-
wußten Frau, meiner Mutter, die stets wußte, was zu tun war.
Tochter eines Bauernsohns vom Hunsrück, der kurz vor der
Jahrhundertwende ins Kohlenrevier nach Sulzbach gekommen
war, um als Bergmann ein besseres Leben zu finden, heiratete
sie 1924 den ältesten Sohn eines Handwerksmeisters. Schon
Vaters Großvater hatte 1864 ein Maler- und Anstreichergeschäft
gegründet, das heute, eine Firma für Karosserie-Instandset-
zung und Lackier-Center, vom ältesten Sohn meines Bruders
geführt wird. Mutter hatte die Mittelschule besucht, arbeitete
vor ihrer Ehe im Saarbrücker Fernmeldeamt und widmete
sich in den dreißiger Jahren mit aller Liebe und Strenge der
Erziehung ihrer beiden Söhne. Aus ihrer Mädchenzeit hinter-
ließ sie mir eine Reclamausgabe der Grimmschen Märchen
mit Illustrationen von Ludwig Richter und eine zweibändige
Ausgabe von Andersens Märchen mit Bildern von Fritz Peter-
sen. Mit diesen Märchen beginnt die Erinnerung an meine
Kindheit: Sie haben mein Denken und später mein Schreiben
beflügelt und lebenslang meinen Wirklichkeitssinn korrigiert.
Vielleicht habe ich sogar zu lange Märchen gehört und ge-
lesen: Albert Einsteins Erkenntnis »Zeit und Raum ver-
schwinden mit den Dingen« halte ich nach wie vor für einen
verborgenen Satz aus den Märchen der Brüder Grimm und

Rousseaus Bannspruch »Der Böse hat Angst vor sich selbst«
klingt mir wie eine Beschwörung des Ole Luk-Oie von An-
dersen.

Wenn ich als Kind mein Märchenbuch zuschlug, ein paar
Schritte durch unser Wohnzimmer ging und an das linke Fenster trat, da sah ich, hinter der gegenüberliegenden Häuser-
reihe und den Gärten mit den Obstbäumen und Gemüse-
beeten von Liebergallshaus, den Schlammweiher der Grube
Hirschbach mit seinen Holundergebüschen und halbzerfalle-
nen Staketenzäunen. Ich sah die Schlachthofstraße mit ihren
hochfenstrigen Häusern aus der späten Gründerzeit und
schaute auf den fensterlosen Giebel des Schlachthauses, ganz
im roten Klinker gemauert, dumpf und verschlossen, ein vik-
torianisches Kastell mit breiten Ecktürmen und kunstvoll
vergitterten Toren. Aber in meinem Kopf wußte ich, Mutters
Kusine Gertrud in ihrem Nähstübchen unter dem Mansar-
denfenster war die alte, vergessene Frau mit der Spindel, an
der Dornröschen sich gestochen hatte, und Herr Thome hinter seiner roten Klinkerfassade mit der krummen Tabakspfeife
im Mund war der König Drosselbart, nur viel älter und gran-
tiger. Über dem Eingangstor des Schlachthauses hing der Kopf
des Hengstes Falada an einem Nagel, und aus der Schilfecke
des Weihers tönte der Ruf der Unke.

Das viktorianische Kastell glänzte in der Sonne und war
von seltsamen metallischen Geräuschen erfüllt. Und über
dem verschilften Weiher brodelten die Nebel, und schauerlich
klangen die Unkenrufe. Es waren die Wörter der Märchen,
die mich verwandelten. Zu allen Tages- und Nachtzeiten üb-
ten sie ihren Zauber auf mich aus. Es waren die Wörter, die
meine Zeit bemaßen und mir eine Ahnung vom bevorste-
henden Leben gaben. Wie gern hätte ich den angenagelten
Pferdekopf befragt, um von ihm Rat und Vorbedeutung zu erfahren! Und wie gern hätte ich mit einer Unke vor unserer
Haustür gesessen und bei einer Milchsuppe die Merkwürdig-
keiten des Lebens besprochen! In meinem kindlichen Kopf
vermischten sich unvereinbar scheinende Droh- und Hoff-

nungsgebärden miteinander, Einreden von Erwachsenen, Mahnungen von Monstern, Schmatzlaute von Menschenfressern. Noch heute kann ich bei jemandes Unglück keine Schadenfreude empfinden, so eindringlich ist mir von Falada und der Unke ins Gewissen geredet worden – während ich mich andererseits gern auf Dichtersprüche berufe, weil sie so närrisch und widersprüchlich sind. Vielleicht höre ich meine Mutter reden und ihre Lebensregeln hersagen.

Mit Robinson begann die Zeit der Kopfjagden, der Kopfabenteuer, der Kopfschlachten, bei denen es allerdings keine blindwütigen Handgreiflichkeiten, sondern geplante Spiegelfechtereien gab, worin die Märchenfiguren zu einem zweiten Leben erwachten.

Doch was ich von meinem Schulkameraden René aus der ersten Klasse in meinem Roman Weh dem, der aus der Reihe tanzt erzählt habe, geht über alle Ereignisse meiner Kinder- und Märchenzeit weit hinaus. Renés Geschichte begann für mich mit dem Hänseln und Verstoßen des Außenseiters aus der Klassengemeinschaft; ich nahm sie erst wieder auf, nachdem er sich sechzig Jahre später zu erkennen gab – und setzte sie fort, als er mich bat, mit ihm das Grab seiner Mutter zu suchen, die bei Kriegsende in den Wirren der Euthanasie umgebracht worden ist.

In meiner Art zu erzählen schreibe ich auf, was ich sah und hörte. Und Renés Geschichte werde ich weitererzählen, solange wir beide leben.

I

Liebe und Trompetenblasen

Niemals habe ich mich um das Nützliche gekümmert, es sei denn um den Nutzen der Sprache, des Spiels, der Poesie. Als ich, ein Lehrer, ein Schriftsteller schon, Mitte der siebziger Jahre in Rousseaus Erziehungsroman *Emile* unter der Überschrift »Was nützt das?« den Satz las: »Das ist von nun an das geheiligte Wort, das zwischen ihm und mir über alles Tun in unserem Leben entscheidet«, und danach den schrecklichen Ausruf aus den Zeilen springen sah: »Ich hasse Bücher! Sie lehren nur, von dem zu reden, was man nicht weiß« – da dachte ich an das Gegenteil dessen, was uns dieses Buch lehren will. Ich dachte an meine erste Lektüre von Grimms Märchen, an Daumerlings abenteuerlichen Ritt auf der Nähnadel und an Hans im Glücks leichtsinnigen Umgang mit dem Goldklumpen, an Allerleirauhs Garderobe in der Nußschale und an des Jünglings Kegelspiel mit den Totenköpfen, lauter zweifelhafte Tätigkeiten und windige Geschäfte, die aber mit Zauberkraft auf mich einwirkten. Als ich dann gar von Rousseau erfuhr, daß er seinem Zögling Emile von all den hassenswerten Büchern nur eines zu lesen gebe – nicht Aristoteles oder Plinius, die alten Gelehrten, sondern *Robinson Crusoe* von Daniel Defoe, nämlich des Nutzens und der moralischen Belehrungen wegen, erinnerte ich mich an meine eigene Leseerfahrung mit diesem Buch: Ich habe es weder irgendeines Nutzens noch einer moralischen Belehrung wegen ein paarmal hintereinander verschlungen.

Emile solle das Verhalten seines Helden prüfen, rät Rousseau, »ob er etwas unterlassen hat oder etwas hätte besser machen können, damit er sich die Fehler merkt und daraus lernt, sie in ähnlicher Lage zu vermeiden«, und schließt: Er möchte eben alles wissen, was nützlich ist, und nur das! Ich war kein Emile, kein folgsamer Zögling, dem die Nützlichkeit als Erziehungsziel anempfohlen war, und viel später begriff ich aus Sympathie mit ihm Nicolai Hartmanns Klage, daß der Mensch sich zum Sklaven der Nützlichkeit mache, doch nicht mehr wisse, wem zu Nutzen alles geschehe: »Er hat die Fühlung verloren mit dem Wert, der dahinterstand und allem einen Sinn gibt.«

Vor mehr als sechzig Jahren – ich war damals noch nicht zehn Jahre alt – lernte ich *Robinson* kennen, mein erstes Kinderbuch nach den Märchen der Brüder Grimm. Es war schon Vaters Kinderbuch gewesen, ein dicker, bleischwerer Band mit schwarzweißen Illustrationen und ganzseitigen Farbtafeln, eine davon schmückt den Einband: Robinson, in braunes Lamafell gekleidet, mit Fellhut auf dem Kopf und Steinspieß in der Hand, Bogen, Beil und Ledertasche umgehängt, setzt seinen Fuß auf den Nacken des vor ihm im Staube liegenden Freitag, der nichts als ein rotes Badehöschen trägt.

Dieser deutsche Robinson, der kein Schlosserwerkzeug, keine Gartengeräte, keine Setzlinge zur Hand hat wie der englische, sondern über nichts als seinen Kopf und seine Hände verfügt, war Vaters Lieblingsheld, und wenn wir sonntags morgens, das Buch vor uns aufgeschlagen, am Tisch saßen und die Bilder betrachteten, zündete Vater sich eine Zigarre an, und aus dem Rauch, den er über die Tischplatte blies, traten die Figuren des Romans heraus und glichen aufs Haar den Personen auf den Bildern. Da liegt Robinson, hingeworfen vor eine felsige Küste, mit blauen Strümpfen, weißem Hemd und rotem Jäckchen, blauweißrot, ist eher ein ausgesetzter französischer Revolutionär als ein deutscher Welteroberer, mit bravem Gesicht und kräftigen Händen, ein Schiffbrüchiger, der eben jede Hoffnung und alles Gottvertrauen hat fahrenlassen wollen, doch dann einen Seefalken sieht, der mit einem gefangenen Fisch im Schnabel durch die Luft fliegt. In diesem Augenblick geschieht das nicht mehr Erwartete, das Unglaubliche, das schier Wunderbare: Robinson springt auf, läuft am Strand entlang, klettert die Felsen hinauf und wieder hinab und findet Austern. Robinson, im Sand von Juan Fernandez, bricht Austernschalen auf, sinkt auf die Knie nieder und singt das evangelische Kirchenlied »Wer nur den lieben Gott läßt walten«. Robinson ist gerettet. Mit eigenen Händen hat er die Austern von den Bänken gepflückt, und mit eigenem Kopf hat er den Choral in der Stille der Insel aufgesagt, ja, mit nichts als mit den Händen und dem Kopf.

Joachim Heinrich Campe, Reformpädagoge der Goethezeit, ist der Erzähler dieses *Robinson* – frei, ja rechtschaffen freimütig und freizügig nach Defoe. Ich las damals das für Kinder absichtlich altersgerecht geschriebene Buch eines Sprachforschers, Sprachreinigers, Spracherziehers, der zu meiner Kinderzeit schon als Langweiler und Moralapostel galt – und merkte es nicht einmal. War ich zu unbedarft, Leselust und Lernpflicht auseinanderzuhalten, zu unerfahren, Unterhaltung von Belehrung zu trennen? Ich las Campes *Robinson* mit glühenden Ohren, lebte und litt lesend mit dem tapferen Abenteurer: Beim Entdecken von Menschenspuren auf der unbewohnten Insel schlugen auch mir die Pulse, beim Festmahl der Menschenfresser kroch auch mir eine Gänsehaut über den Rücken, und schon bei Robinsons Versinken im Meer schnappte ich selbst nach Luft. Ich las in jeder freien Minute, hatte das schwere Buch vor mir auf dem Tisch liegen, schlug Seite um Seite um, betrachtete aufmerksam die Bilder –, sogar bei den scheinbar langweiligen Stellen blätterte ich nicht ungeduldig weiter, las die Tiraden über Menschenfleiß und Gottesfurcht, die Unterweisungen über den gesitteten Europäer und den barbarischen Kannibalen, als seien es unentbehrliche Teile der Erzählung, das Ganze zu verstehen. Wie sollte ich, bei meiner Bindung an die Märchen der Brüder

Grimm, plötzlich das Unnütze leid werden und Geschmack am Nützlichen finden? Als Kind konnte ich noch nicht wissen, daß nicht all jene das Nützliche hervorbringen, von denen der Geschichtenerzähler es behauptet, sondern daß es der Erzähler selbst ist, der das Nützliche tut: Er erzählt, und das Erzählen ist das Nützliche. Robinsons Geschichten erzählend, überträgt Joachim Heinrich Campe seine Vorstellungen von Mensch und Welt in seine ihm eigene Sprache – wie schon hundert Jahre vor ihm Daniel Defoe die ihm gemäße gesprochen hat. Pädagogisches und Moralisches sind in die Sprache der Robinsongeschichte übersetzt. Denn nicht die Geschichte allein, sondern erst ihr Auftreten in besonderer sprachlicher Gestalt verhilft zu ihrer Wirkkraft, die sie später in zahlreichen Neuauflagen durch Umarbeitung verloren hat. In Defoes presbyterianischem und in Campes philanthropischem Ton spricht Robinson seine ihm gemäße Sprache.

»Freitag bewies sich immer mehr und mehr als ein gutherziger, treuer junger Mensch, in dem kein Falsch war, und schien seinem Herrn mit der aufrichtigsten Liebe zugetan zu sein. Daher gewann ihn dieser auch von Tag zu Tag lieber und trug nach einiger Zeit gar kein Bedenken mehr, ihn neben sich in seiner Höhle schlafen zu lassen.« Er suchte seinem schwarzen Freund die frommsten Empfindungen der Dankbarkeit einzuflößen; bevor sie sich schlafen legten, sangen sie »mit gerührtem Herzen« evangelische Kirchenlieder, lauschten den Trompeten der himmlischen Heerscharen und nahmen sich bei diesen seraphischen Klängen vor, lauter nützliche Dinge zu tun: ein Butterfaß zu konstruieren, ein Floß zu bauen, eine von einem gescheiterten Schiff hervorgeholte Kanone in Stellung zu bringen. »Liebe und Trompetenblasen nützen zu viel guten Dingen«, singt auch der Trompeter von Säckingen und kehrt seine umstürzlerische Spielfreude gegen den Nützlichkeitswahn hervor. Malerei, Dichtung, Musik: Die Kunst, immer schon als nutz- und zweck- und wirkungslos verschrien, erweist sich am Ende als heilende, als rettende Kraft. In dem Film *Jenseits von Afrika* führt Robert Redford ein Grammophon vor und sagt zu Meryl Streep: »Sehen Sie, endlich hat man eine nützliche Maschine erfunden« – und als die Schimpansen sich des Apparats bemächtigen, fügt er hinzu: »Nie ein menschliches Geräusch gehört, und dann Mozart.«

Obwohl Joachim Heinrich Campe behauptet: »Das Verdienst desjenigen, welcher den Kartoffelbau bei uns eingeführt hat, ist größer, als das des Dichters der Ilias und Odyssee« – und damit Rousseaus Schmährede gegen das »unnütze« Buch fortsetzt, kann und mag er nicht auf die Poesie verzichten. Mit erzieherischer Absicht hat er den Kindern seiner Zeit erzählen wollen, wie fleißig und erfindungsreich und voller Gottvertrauen Robinson und Freitag ihre abgeschiedene Zweisamkeit genutzt, eine Raspel aus Korallen und ein Messer aus Muschelschale, eine Feile aus der Haut eines Fisches und einen Meißel aus dem Armknochen eines Menschenskeletts angefertigt haben, doch Raspel und Messer, Feile und Meißel sind keine toten Gegenstände. Sie klingen, wenn sie benutzt werden, in Campes menschenfreundlicher Sprache, worin Liebe und Trompetenblasen mitschwingen auf ihre Weise.

II

Unser Erna, ohne Gänsefüßchen

Meine Tante Erna war, solange ich denken kann, »unser Erna«. Tante Erna, »es« Erna, wie man bei uns im Saarland sagt, war Mutters jüngste Schwester, und sie lebt noch, als einzige der drei Schwestern. Es Luwwis, es Lene, es Erna, dazu ihre Kusinen, es Gertrud, es Lotte, lebten alle in einem Haus. Das Haus in der Sulzbacher Schlachthofstraße war ein Fünfmädelhaus, ein Haus voller weiblicher Wesen mit Oma und Tante Trautchen obendrein, obwohl »es«, das saarländische Geschlechtswort für weibliche Geschöpfe, auf sächliches Geschlecht hindeutet. Doch das saarländische »Es« will aus Frauen und Mädchen nicht Sachen machen, nein, nein: jedes weibliche Wesen aus einfachen saarländischen Verhältnissen scheint zwischen den Lippen des Märchenerzählers entsprungen zu sein – wie Gretel und Aschenputtel, wie Rapunzel und Rosenrot, die ja alle vom zärtlichen »das« liebkost sind und diesen sächlichen Artikel zum schönen Schein vor ihren Namen tragen. So ist »es Erna« folglich nicht »unsere«, sondern »unser Erna«.

Eines Tages kam mein Vater von der Arbeit nach Hause, aufgeregter als sonst, er hatte bei Simons geschafft, dem Eisenwarenhändler in der Hauptstraße. Vater sagte: »Jetzt hört mal zu, was ich heute gelernt habe. Herr Simon sprach mit seinem Schwager über seine Frau, und jedesmal, wenn er auf ihren Namen kam, nannte er sie ›meine Olly‹. Stellt euch vor, der sagte ›die Olly‹, als sei seine Frau etwas Wildfremdes, der sagte ›meine Olly‹, als hätte er sie auf dem Markt gekauft. Meine Olly, die Olly: wie vornehm müssen diese Leute sein.« Vater hatte es gelernt, und ich hatte es auch gelernt: es gab zweierlei Menschen im Dorf, die feinen Menschen wie »die Olly« des Eisenwarenhändlers und die einfachen Menschen wie »unser Erna«, es gab die hohen Tiere und die niederen Wesen, die großen Herren und die kleinen Leute, die, die den Ton angaben, und die, die nach der Pfeife tanzten.

In seinem Aufsatz *Die ›Einfachheit‹ der ›kleinen‹ Leute und ihre mögliche Größe* schreibt Heinrich Böll: »Wenn ich ... ›Einfachheit‹ und ›klein‹ in Gänsefüßchen setze, so entspricht das meiner Erkenntnis, daß es ›einfache‹ Menschen nicht gibt: Ich bin jedenfalls noch keinem ›einfachen‹ Menschen begegnet; und das Adjektiv ›klein‹ wird ja wie das Adjektiv ›einfach‹ mit leichtfertiger Herablassung als Klassenmerkmal benutzt; es assoziiert Armut, Unbildung, Ohnmacht oder Machtlosigkeit; die ›kleinen‹, ›einfachen‹ Menschen sind gewöhnlich die Unterworfenen oder die stummen Untertanen.«

Heinrich Böll hat Gänsefüßchen gesetzt, und beim Lesen seines Aufsatzes kann man diese Gänsefüßchen sehen. Ich aber spreche zu Ihnen, beim Hören meiner kleinen Rede können Sie die Gänsefüßchen, die ich in meinen Text gesetzt habe, gar nicht sehen. Habe ich eigentlich Gänsefüßchen gesetzt wie Heinrich Böll, oder komme ich ohne diese Gänsefüßchen aus, innerhalb deren ja das Angeführte, das Herausgehobene, das Ausgestellte besonders groß und bemerkenswert wird? Steht also »unser Erna« in Gänsefüßchen? Es müßte wohl so sein, aus zweierlei Gründen: einmal aus den Gründen, die Heinrich Böll angibt, es gebe nämlich keine einfachen Menschen, keine kleinen Leute, und das müßte herausgehoben werden; und zum anderen wohl, weil niemand in unserer Familie so häufig im Munde geführt worden ist wie »unser Erna«, und auch das müßte ja kenntlich gemacht werden.

Warum aber wurde »unser Erna« so häufig genannt, wenn von den kleinen Leuten gesprochen wurde? Tante Erna mußte für alles mögliche herhalten, es schien so, als drehe sich unsere kleine Welt nur um sie herum, Tante Erna hie, Tante Erna da, Tante Erna bei Tag, Tante Erna bei Nacht, und immer drehte es sich auch ums Geld. Anfang der dreißiger Jahre fuhr zum erstenmal eine Dame mit einem Auto durchs Dorf. Das Verdeck des Wagens war zurückgeklappt, die Dame trug eine Lederkappe auf dem Kopf und eine Schutzbrille vor den Augen. Es war ein schöner Anblick, jeder blieb stehen, als der Wagen vorbeifuhr, und alle schauten wir der sportlichen Dame nach. Opa sagte: »Das ist eine feine Sache. Doch wo soll unser Erna das Geld für so etwas hernehmen?«

In Saarbrücken gab es ein Café, darin saßen in der Stunde vor Mittag nur Herren mit Schlips und Kragen, die tranken braune Aperitifs und grüne Liköre, und wenn die Schule aus war, kamen Gymnasiasten mit bunten Mützen herein, die hockten herum und diskutierten über den eben erschienenen Band des *Neuen Universum*; mein Vetter Willi hat es mir erzählt, der war auf dem Gymnasium und besaß alle Bände davon. Als ich einmal über die Schwelle dieses Cafés trat, sah ich die jungen Leute mit ihren hübschen Freundinnen und hörte ein paar Wörter, die sie miteinander sprachen, die ich aber nicht verstand. Oma sagte: »Unser Erna hat da nix verloren«, und ich fragte mich, was das mit Tante Erna zu tun hätte.

Ich erinnere mich an einen Abend im Sommer. Wir waren noch kleine Jungen; als es auf der Normaluhr im Schwimmbad sechs Uhr war und der Bademeister auf der Trillerpfeife pfiff, war von uns Halbwüchsigen im Nu keiner mehr im Wasser. Doch spätabends, als es schon dunkel war, tummelten sich ein paar Mädchen von »Glaube und Schönheit« splitternackt im Wasser herum. Es waren die Töchter der Parteiführer, eine war die Tochter eines Arztes, eine andere die Tochter eines Bergwerkdirektors. Wäre das für uns Jungen nicht ein wunderbarer Anblick gewesen, diese nackten Töchter aus höheren Kreisen zu bewundern! Anderntags war das Ereignis in aller Munde. Mutter war entsetzt und sagte: »Ich möchte einmal hören, was alles erzählt wird, wenn sich unser Erna so etwas herausnehmen würde?«

Ein Auto zu fahren, im Café zu sitzen, nackt zu baden: das war also nichts für uns einfache Menschen, uns kleine Leute? Heinrich Böll sagte, diese Adjektive ›klein‹ und ›einfach‹ assoziierten Armut, Unbildung, Ohnmacht, doch um ihren falschen Gebrauch hervorzuheben, setze er sie in Gänsefüßchen. Wir waren ›einfache‹ Menschen, wir waren ›kleine‹ Leute; waren wir arm? Waren wir ungebildet? Waren wir ohnmächtig? Anstelle eines Automobils benutzten wir unsere Beine; Vater schwang den Spazierstock, Mutter schob den Kinderwagen mit Hermann im Sitz, Opa und Oma wechselten sich im Tragen des Proviantkorbes ab. Wir wanderten durch den Schnappacher Wald nach »Schürer Hütte«, setzten uns in die Gastwirtschaft, aßen unsere Brote, tranken Klickerwasser und sahen zu, wie hin und wieder mit Töfftöff und Getöse ein Automobil auf der Landstraße vorbeifuhr. Waren wir arm?

Anstatt in jenes herrschaftliche Café ging Tante Erna mit uns ins »Eins-zwei-drei«, das war eine Schnellgaststätte unterhalb des Saarbrücker Hauptbahnhofs, darin gab es einen Automaten, der drehte sich dergestalt, daß man, wenn man ein unter Glas sichtbares belegtes Brötchen ausgewählt und per Knopfdruck geordert hatte, durch Einwurf eines Geldstücks das gewünschte Brötchen aus der Klappe fiel. Wir studierten und begriffen nach und nach die Abläufe dieses Mechanismus, das Ineinandergreifen der Züge und Kettchen, das Zusammenspiel der Rädchen, ohne das *Neue Universum* zu besitzen. Waren wir ungebildet? Waren wir es?

Und wie war es mit dem nackten Baden? Hatten wir nicht das Recht, nicht den Mut, nicht die Macht, uns den Gepflogenheiten unserer häuslichen Moral zu widersetzen und es den kessen Mädchen gleichzutun? Was mußten wir befürchten? *Wir* mußten wohl das allerschlimmste befürchten bei unserer hausbackenen Tugendhaftigkeit, doch nicht Tante Erna! In meinen Augen war Tante Erna etwas Besonderes. Sie war anders als Mutter und Tante Luise, ihre Schwestern. Tante Erna war flotter gekleidet, roch nach Parfüm, schmeckte nach Odol und war nicht verheiratet. Sie arbeitete in Saarbrücken bei der Deutschen Bank, sie sprach Hochdeutsch, oder fast; sie hüpfte über die Treppe, wenn sie ins Haus kam, samstags brachte sie die neuesten Illustrierten mit, und einmal im Jahr fuhr sie in Urlaub. Mutter hüpfte nicht, sie kaufte keine illustrierten Zeitungen, und Urlaub gab es für sie auch keinen. Nein, nein, Tante Erna konnte kein lebendes Exempel der ›einfachen‹ Menschen, kein Modell der ›kleinen‹ Leute sein. Ich hätte es ihr sogar zugetraut, wenn sie ihre Ersparnisse in ein Kabriolett gesteckt und ihre Nachmittage in diesem Saarbrücker Café zugebracht hätte; ja, ich kleiner Junge wäre am wenigsten in der Familie verwundert gewesen, wenn es eines Tages geheißen hätte, unser Erna hat in aller Öffentlichkeit nackt gebadet.

Wie ist das nun mit Tante Erna? Verdient sie die Gänsefüßchen nicht, oder führt gerade sie diese Gänsefüßchen Heinrich Bölls zu Recht als Musterbild ›einfacher‹ Menschen, als Urbild der ›kleinen‹ Leute, weil sie bei jeder Gelegenheit als Beispiel für diese herangeführt wurde? Nein, da war etwas anderes im Spiel. Tante Erna konnte auf die Dauer nicht als Prototyp dienen, und eines Tages begriff ich, warum nicht. »Unser Erna« war gar nicht Tante Erna, »unser Erna« war ein Hörfehler. Opa und Oma und Mutter hatten gar nicht »unser Erna«, sie hatten »unsereiner« gesagt, was in unserer Mundart »unseränner« heißt und noch mehr als »unsereiner« nach »unser Erna« klingt. Unsereiner, das war nicht Tante Erna, unsereiner, das waren wir, das waren Vater und Mutter, Opa und Oma, das war jedermann, das waren die kleinen Leute, die nicht nach Garmisch in Urlaub fuhren, um Ernst Bayer und Maxie Herber im Olympiastadion eislaufen zu sehen.

Ich war verwirrt. Ich war überrumpelt vom Doppelspiel der Ähnlichkeiten, vom Widersinn der Duplizitäten, vom

Charme des Homonymen. Das war ein Schock, und er war heilsam. Ich hatte etwas gelernt, ich hatte etwas erkannt, und am Anfang dieser Erkenntnis steht der Irrtum: eine gute Lehre. Es ist mir im Leben nicht mehr aus dem Sinn gegangen, daß alles auch anders sein kann, als es erscheint, daß alles auch sein Gegenteil, alles dasselbe sein kann. Und doch: für mich ist »unser Erna« als »unsereiner« zum Musterbeispiel der kleinen Leute mit Anspruch, mit Zuversicht, mit Selbstbewußtsein geworden. Auch mein Vater war unsereiner, der sich nicht, wie Mutter, mit den Gegebenheiten abgefunden, mit freiwilliger Bescheidung, mit dem Verbergen seiner besten Kräfte begnügt hat.

Doch hätte er die Gänsefüßchen akzeptiert? Wäre es ihm lieb gewesen, als ›einfacher‹ Mensch, als ›kleiner Mann‹ angeführt, herausgehoben, ausgestellt zu werden, um aller Welt deutlich vorzuführen, daß es diesen einfachen Menschen, diesen kleinen Mann gar nicht gibt? Vater hätte Heinrich Böll widersprochen, er hätte nicht so großartig und bemerkenswert apostrophiert sein mögen. Doch hätte er Wörter gefunden, es Heinrich Böll zu erklären? Es wäre ihm schwergefallen. Heinrich Böll schreibt in seinem zitierten Aufsatz: »Ein verhängnisvoller Irrtum: gerade ›einfache‹ Menschen … sind gewöhnlich sensibler und verletzlicher als die, die gebildet und geübt genug sind, sich flink zu artikulieren, und aus ihrer Zunge ihre Klinge machen können.«

Was bedeuten aber die Gänsefüßchen, wenn man die Kehrseite der ›einfachen‹ Menschen, der ›kleinen‹ Leute, wenn man sie von hinten betrachtet, wo sie zumeist mit dem Rükken zur Wand stehen? Wie oft schlägt da nicht das Selbstbewußtsein in Selbstgerechtigkeit um und es kommt zu Maximen, mit denen ich mich hier vor Ihnen nicht brüsten könnte. Im Gegenteil. Von hier aus führt der Weg in die Abgründe von unsereinem, in den Dünkel der kleinen Leute, ins gefährliche Zwielicht des gesunden Menschenverstands.

Eine kleine Welt der kleinen Leute. Die Literatur wird sie im Gedächtnis aufbewahren. Wenn niemand mehr etwas von

Tante Erna wissen wird, wenn es vergessen ist, wer sie war und wie sie war, so wird es doch jedermann, der dies gelesen hat, in Erinnerung bleiben, daß sie unser Erna, daß sie unsereiner war. Wenn jeder Leser von Literatur diese kleine Welt der kleinen Leute und sich selbst in ihr wiedererkannt hat, dann wird sich die Armut, die Unbildung, die Ohnmacht in Reichtum, in Weisheit, in Größe verwandelt haben, ohne daß das Geld im Beutel klingt, daß das Hirn vor Bildung platzt, daß der kleine Mann auf das Podest erhoben wird, und dann braucht es auch keine Gänsefüßchen mehr zu geben.

III

Mein Gutenberg

Mit dem Kaleidoskop meiner Kinderzeit begann mein Besessensein für Verwandlungsspiele. Wunderbare, zauberhafte Welt in einer einzigen Röhre! Bei jeder Bewegung veränderte der Mosaikstern seine Gestalt und Farbenanordnung in unerschöpflicher Mannigfaltigkeit. Es war wunderbar, schöne Bilder zu schauen, ich konnte mich nicht satt sehen an diesem Wechselspiel der Formen und Farben. Was mich aber am meisten beeindruckte, war die stets neu entstehende Strahlensymmetrie, die bei der geringsten Erschütterung wieder zerfiel, um einer anderen Platz zu machen.

Ich kam in die Schule; an die Stelle des Kaleidoskops trat der Druckkasten, den Tante Erna mir zum Geburtstag schenkte. Mit den hölzernen Stäben, deren Oberseite zu einem Griff geformt, die Unterseite mit den Gummibuchstaben des Alphabets beklebt waren, schuf ich mir eine zweite Welt, eine Welt aus Wörtern. Jeden Buchstaben gab es einzeln, kein Buchstabe des Alphabets fehlte, doch es waren mehr e als u, mehr r als k, es waren mehr als sechsundzwanzig, aber nur ein einziges y in dem Kasten. Ich suchte mir Buchstaben für ein Wort zusammen, tränkte sie auf einem Stempelkissen mit Druckerschwärze und setzte sie nebeneinander auf ein Blatt Papier. So wie ich zuvor im Kaleidoskop die einzelnen Glassplitter zu immer neuen symmetrischen Bildern zusammenfallen ließ, fügte ich nun die einzelnen Buchstaben zu immer neuen Wörtern zusammen. Jetzt aber herrschte nicht mehr der Zufall, jetzt regierte das planvolle Spiel.

Aus schon fix und fertigen konnte ich immer wieder neue Wörter bilden, ich zerlegte die zusammengefügten, brauchte die Buchstaben nur untereinander zu vertauschen und neu zu ordnen: Aus der Welt der Buchstaben entstand eine Welt aus Wörtern! Ich setzte einem Wort einen Buchstaben voran, aus Eis wurde Reis, aus Reis wurde Greis, ich nahm einem Wort einen Buchstaben weg, aus Kleid wurde Leid, aus Leid wurde Eid. Ich änderte die Reihenfolge der Buchstaben im Wort, aus dem Rind wurde eine Dirn, aus dem Siegel wurden Gleise, aus der Ehre wurde das Heer, aus dem Heer wurden Rehe. Zuletzt drehte ich die Reihenfolge der Buchstaben um, aus Regen wurde Neger, aus Gras wurde Sarg. So fabrizierte ich, ohne es zu wissen, überraschende Anagramme und Palindrome, doch Anna blieb Anna, und Otto blieb Otto. Mit den Buchstaben aus einem Spielzeugkasten konnte ich das ganze Universum beschreiben und Weltgeschichten erzählen, wie es mir gefiel.

Dabei ist es nicht geblieben. Jahre später heiratete Tante Erna einen Sohn des Sulzbacher Buchdruckereibesitzers, der auch einen Zeitungsverlag besaß. Onkel Kurt kannte sich in den feinsten Kunstgriffen seines Berufs aus, er arbeitete am Setzkasten, besorgte den Bürstenabzug, paßte die Bildstöcke ein und umbrach eigenhändig die Druckfahnen. Wenn dann die Druckmaschine auf allen Touren lief, die Zylinder rotierten, die Zahnräder ineinandergriffen, wenn das Papier von der Rolle raste, zwischen Druckform und Druckzylinder hindurch zum Falzwerk hinüberschoß, stand Onkel Kurt mit wachsamen Augen daneben, schaute durch die Zwischenräume der Maschinenteile, beobachtete und prüfte den reibungslosen Gang der Maschine.

Das sei beim allerersten Buchdruck Mitte des 15. Jahrhunderts noch ganz anders abgelaufen, erzählte er und erklärte mir die Idee des Mainzers Johannes Gutenberg, der zum erstenmal einzelne Lettern goß, sie zu immer neuen und anderen Wörtern zusammenfügte, bevor der Text einer ganzen Buchseite unter die Druckmaschine geriet. Diese Maschine sei aber ein handbetriebenes Gerät gewesen und habe mit ihren Eisenzinken mehr einer Egge ähnlich gesehen als einer Druckpresse. Gutenberg habe darüber nachgegrübelt und ausgebrütet, wie er diese groben Eggen verfeinern und vervollkommnen könnte – und wer weiß, welcher Teufel mich ritt, diese Wörter aus Onkel Kurts Mund, diese komischen »Brut-Eggen« in ihre einzelnen Buchstaben zu zerlegen, um sie zu dem Namen Gutenberg zusammenzusetzen. Ich erinnere mich, wie Onkel Kurt mir lobend über die Haare strich, als ich die Prägestäbchen des Namens Gutenberg der Reihe nach in das Kissen mit der Druckerschwärze drückte und das Wort auf ein großes Blatt Papier stempelte. Der kleine Junge hatte sein Kaleidoskop vor den Augen gedreht und die unbeabsichtigte Ordnung hergestellt, hatte die Lettern seines Druckkastens zusammengesetzt und die vorsätzliche Ordnung geschaffen. Er hatte über den Umweg des Bilderspiels für sich selbst den Buchdruck erfunden.

Fünfzig Jahre später, als Mainzer Stadtschreiber, begegnete ich Gutenberg Tag für Tag, sooft ich die Eingangshalle des »Römischen Kaisers« betrat. Unter üppig stuckierter Barockdecke steht er, in Stein gehauen von Joseph Schöll. Er steht dort auf solidem Postament, auf festen Beinen. Sein rechtes ist sein Stand-, sein linkes sein Spielbein: Er spielt nur wenig, das Knie ist leicht gekrümmt, Gutenberg ist nicht einer der ideologisch bewegten Revolutionäre, unter denen es so viele mit unbeherrschten Spielbeinen gibt. Gutenberg trägt Pumphosen, Pantoffelschuhe, einen pelzverbrämten Mantel, dessen ondulierte Kragenhaare sich im Gekräusel seines Bartes, im Gelock seines Kopfhaars wiederholen. Das Erregende sind die Lettern, die weltbewegenden Buchstaben. In der Rechten hält Gutenberg die Rolle mit dem Plan der Presse, zu seinen Füßen liegt die Bibel, mit der Linken zeigt er ein Täfelchen, das die lebensentscheidenden Zeichen vorweist. Auf dem Täfelchen ist zu lesen, in erhabenen Lettern: ABC.

Wer mit Büchern zu tun hat, kann es nicht verbergen. Dabei braucht jemand nicht auf dem Treppchen zu stehen wie der Bücherwurm von Spitzweg, ein Buch zwischen die Knie gepreßt, ein Buch unter den Ellbogen geklemmt, eins in der linken, eins in der rechten Hand, so daß jedermann sieht, worauf es ankommt. Ein Büchermensch ist kein auffälliges Wesen mit einem Buch in der Hand, er weist sich ganz anders aus. Wenn man auch zum Beispiel Herrn Kaufmann vom Gutenberg-Museum nicht ansieht, daß er Buchkundler ist, so ist doch jede Bewegung seiner Hand, jedes Blitzen seines Auges eine leibliche Äußerung, die das Buch aus ihm hervorgebracht hat. Wenn Herr Kaufmann »Handgießgerät« sagt, dann klingt es, als gieße seine Sprache die Legierung aus; wenn er »Wiegendrucke« sagt, dann wiegen seine Hände unsichtbare Inkunabeln im Rhythmus dieser Silben.

Herr Kaufmann führte uns durch das Gutenberg-Museum. Wir sahen die Druckpressen aus Eichenholz, die Druckerballen aus Hundehaut, die Maschinen aus Gußstahl. Herr Kaufmann zeigte uns die Kolbenspritze und den Klischographen, »doch die Linotype-Setzmaschine«, sagte er, »ist das Nonplusultra«. In Vitrinen liegen Messer, Stichel, Rädel, Stanzen; von Schabeklingen und Glättzähnen kamen wir zu Punktiereisen und Beschneidehobeln, doch nichts ist schöner als das gedruckte Buch. So führte uns Herr Kaufmann in den Tresorraum, in dem die Bibel liegt, die Gutenberg gedruckt hat, Altes und Neues Testament. Weit standen die Tresortore auf, Herr Kaufmann wußte, daß auch wir Buchmenschen sind, keine Kleptomanen.

Als ich zu Beginn meiner Stadtschreibertätigkeit ein Schlüsselbund mit Haustür- und Zimmertürschlüsseln bekam, hing auch der Tresortürschlüssel im Bund: Ich bin nicht in den Tresorraum eingedrungen, habe Gutenbergs Bibel nicht angetastet, nicht gestohlen, nicht verkauft. Doch als der Hausmeister das Schlüsselbund mit dem Tresorraumschlüssel in meiner Hand sah, standen ihm die Haare zu Berg. Er ist wohl kein Büchermensch wie Herr Kaufmann, der die Wie-

gendrucke mit arglosem Auge betrachtet und nichts Unred-
liches im Sinn hat mit Stahlstichen und Lithographien. Herr
Kaufmann führte uns treppauf bis unters Dach und geleitete
uns wieder treppab in den Kellerraum, um uns noch einmal
das große Ganze fühlen zu lassen: die bewegliche Letter, den
flanierenden Buchstaben, der sich spielerisch die ganze Welt
erobert.

IV

Der Wiedergeborene

»Mehr als fünfzig Jahre habe ich nicht an den kleinen René gedacht. Mit dem ersten Schultag fing sein Unglück an, wie habe ich es vergessen können! Sein Unglück ist nicht zu meinem Glück umgeschlagen, wie man damals hätte denken können; was ich ihm angetan habe, ist nicht wiedergutzumachen.« Dies sind die Anfangssätze meines Romans *Weh dem, der aus der Reihe tanzt.*

Nun sind es schon mehr als sechzig Jahre her, seit wir Erstkläßler den kleinen Mitschüler bis aufs Blut gepeinigt haben, nur weil wir ihn seines Aussehens und seines Namens wegen für einen Franzosen hielten! Jahrzehntelang habe ich ihn in die hinterste Ecke meines Kopfes abgeschoben, mundtot gemacht, auf Eis gelegt. Die Vernunft schwieg, die Erinnerung schwieg, das Gewissen schwieg. Plötzlich aber ist das Eis gebrochen: Ich habe René wiedergefunden. Ein junger Historiker, dem er die Suche nach seiner Mutter anvertraut hat, nannte ihm meinen Namen und verriet ihm, daß ich die Geschichte seiner ersten Schuljahre in einem Buch erzählt hätte. Drei Tage später schrieb mir René: »Ich würde mich sehr freuen, wenn wir uns treffen könnten. Ich muß viel für Fehler meiner Eltern bezahlen, habe Sachen erlebt, die es normalerweise gar nicht gibt. Mußte viel Leid ertragen, das ich in meinem Leben nicht vergessen werde. Habe viel zu erzählen.«

Auf dem Weg zu dem kleinen Dorf an der Blies, wo René

heute mit seiner Frau in ein paar Dachkämmerchen wohnt, erinnerte ich mich noch einmal an die fast vergessenen Kindheitserlebnisse mit ihm und an all das, was ich darüber geschrieben habe, erinnerte mich an das schmale, spitze Kerlchen im bunten Kittel, das uns stets von unten her anschaute. Und beim Fahren schoß mir durch den Kopf, wie mag er heute aussehen, der kleine angstschlotternde René von einst?

Es öffnet mir ein großer, schwerer Mann mit starker Nase und starkem Kinn, ergraut und braungebrannt. Seine dunklen Augen, aus denen es wetterleuchtet, taxieren mich vom Scheitel bis zur Sohle. Es ist René. Er reicht mir die Hand, drückt sie fest, bittet mich ins Haus: Ich bin aufgenommen. »Alles stimmt, was du geschrieben hast«, sagt er nach einer Weile stummer Musterung meines Aussehens, »auch das, was ganz anders, aber doch so war, als hätte es sein können, wie du es dir vorgestellt hast.« Er versucht, das Unerklärbare zu erklären und behauptet, was ich falsch im Gedächtnis behalten hätte, glaube er lieber als die wirkliche Geschichte, was ich verwechselt hätte, freue ihn mehr als die Wahrheit. René amüsiert sich über meine extravaganten Erinnerungsbilder und sagt: »Nicht *ich* habe ja dieses bunte Kleidchen und die Schnallenschuhe getragen, es war meine Mutter. Fast das ganze Jahr über hatte sie einen roten Mantel mit breitem Gürtel und einer viel zu großen Schnalle an, auch ihr Giftring war rot, irgendein falscher Granat oder Rubin, der in der Sonne geglänzt hat wie Feuerschein, und natürlich auch ihre Schuhe. Ich weiß noch, die breiten Schnallen hat sie jeden Morgen mit einem Schuhknöpfer zugemacht.« René lächelt, er hebt den Kopf, schaut mich dennoch von unten her an und meint: »Du hast dich gut erinnert. Mir gefällt deine Geschichte, auch wenn du aus einem Mantel ein Auto und aus meiner Mutter mich selbst gemacht hast. In deinem Kopf ist hängengeblieben, daß an meiner Mutter und mir immer etwas Auffälliges war. Und ein Auto ist sehenswerter als ein Mantel, ein Franzosenkleidchen interessanter als ein Armeleutekittel!«

Daß sein Vater kein Franzose, sondern ein ortsansässiger Stellwerksbeamter gewesen sei, der seine Mutter wohl habe schwängern, nicht aber heiraten wollen, hätten wir ja nicht wissen können, erzählt er weiter, doch warum die Mutter ihn mit seinem dritten, dem französischen, Vornamen gerufen habe, und wie sie überhaupt auf die Idee gekommen sei, ihm diesen Namen zu geben, bleibe ihm ein Rätsel. »Mein Familienname ist Hoffmann, wie der Name meiner Mutter und meines Großvaters, den ich Aba gerufen habe, ein kräftiger Mann mit einem breiten Schnurrbart und geschickten Händen, ein guter Mensch, den ich noch mehr geliebt habe als meine Mutter. Mein Vater hat sich ja nicht um uns gekümmert. Er hieß Zimmermann, Willi Zimmermann, hatte einen genauso gewöhnlichen Namen wie meine Mutter. Seine Saufkumpane im Dorf haben ihn Dr. Schaller genannt, weiß der Teufel warum. Vielleicht wollte er sich so interessant machen wie meine Mutter und sich mit dem erfundenen Doktortitel von den anderen Leuten im Dorf unterscheiden, wie meine Mutter mit ihrem roten Mantel.«

René Hoffmann hat sich fast in einen Rausch geredet. Wer weiß, wie lange es her ist, seit ihn jemand zum Sprechen ermuntert, ihm zugehört und ihn nicht unterbrochen hat. René erzählt von der schlimmen Zeit seines Lebens, er braucht seine Erinnerungen aber nicht aus der Tiefe des Unbewußten auszugraben, sie liegen dicht unter der Oberfläche seines Bewußtseins. So überanstrengt er sich ablenken möchte mit freundlicheren Dingen, das Unheil drängt aus ihm heraus. Er zeigt mir eine Schnupftabaksdose in Form eines kleinen Hobels, ein Zigarettenetui in Form eines aufklappbaren Büchleins mit hellen Intarsien im Deckel und spricht von seinem Großvater, der Schreiner gewesen sei und diese niedlichen Sachen in Holz gearbeitet habe, zeigt mir eine kunstvoll fabrizierte Wanduhr und ruft mit einem Anflug von Verzweiflung in der Stimme: »Das alles hat mein Aba gemacht, aber was ist draus geworden? Nach dem Krieg lag die Uhr unter dem Bett meiner Tante, weil sie nicht mehr ging; da hab' ich das Uhrwerk mit Waschbenzin gereinigt und fachgerecht eingebaut, und jetzt läuft sie wieder.«

Er faßt sich an den Kopf, und plötzlich bricht es aus ihm hervor: »Was erzähl' ich denn für ein überflüssiges Zeug von Tabaksdosen und Zigarettenetuis und geflickten Uhren, anstatt auf die Ereignisse des Tags zu kommen, an dem alle Uhren kaputtgingen und nicht mehr zu reparieren waren! Es war der 25. Januar 1935, ein naßkalter Freitag, da standen für mich mit einem Schlag die Räder still.« Die Mutter, im Dorf als Geistesgestörte verschrien, hatte eine Vorladung aufs Bürgermeisteramt erhalten. Sie erschien Punkt acht, im roten Mantel mit breitem Gürtel, an der Hand den kleinen René mit langen schwarzen Strümpfen an den Beinen und dem Schulranzen auf dem Rücken. Ein Polizist tritt auf sie zu, ergreift mit beiden Händen die Mutter, reißt sie von dem Jungen los, drängt sie in eine Arrestzelle und schlägt, verwirrt, ja entsetzt von beider Gegenwehr und Geschrei, die mit Eisenplatten beschlagene Tür energisch hinter der Mutter ins Schloß. Dann packt er den Jungen, schleppt ihn nebenan in die Schule, wo ihn am gleichen Vormittag noch ein Automobil abholt und nach Holz ins Waisenhaus bringt. Mutter und Sohn haben sich nie wiedergesehen. Nur in Alpträumen hat René die Szenerie im Sulzbacher Bürgermeisteramt noch viele Male wiedererlebt, und an entscheidender Stelle trat immer auch der Polizist in seiner grünen Uniform auf, der sich vor Entsetzen nicht halten konnte und das Schauspiel mit Gewalt zu Ende brachte.

René war damals siebeneinhalb, von diesem Tag an hat er keine Einzelheit, keine noch so belanglos scheinende Bagatelle, kein Datum, keinen Wochentag seiner Kindheit und Jugend mehr vergessen: weder die Stockschläge morgens, mittags und abends im Waisenhaus von Holz noch die Prügel mit der Peitsche in der Scheune von Altlay. »Zwei Jahre und fünfundvierzig Tage war ich in Holz, wo mich Schwester Erika bis aufs Blut mißhandelt hat, drei Jahre und zehn Tage war ich in Altlay im Hunsrück, wo mich mein Pflegevater totgeschlagen hätte, wäre nicht der Pfleger aus dem Waisenhaus von Wolf gewesen, der hin und wieder nach Altlay kam und nach dem Rechten schaute.« Vom Waisenhaus im saarländischen Holz war René ins Waisenhaus nach Wolf an die Mosel gekommen: Hier blieben ihm endlich die Vorwürfe erspart, die Schwester Erika gegen ihn erhoben hatte. Mit einem Jungen aus Luxemburg wäre er übers Dach des Waisenhauses ins Schlafzimmer der Mädchen geklettert, in einer Aschengrube gegenüber der Schule hätte er mit ihnen anstößige Spiele getrieben! »Alles Quatsch!« sagt René, »Neunjährige, Zehnjährige mit solchen Sachen zu verdächtigen! Meine Erinnerungen sind haarscharf, die kann man auf Tag und Stunde nachprüfen.« Schwester Erika und Bauer Klippel lassen sich nicht mehr befragen, sie sind beide tot: Otto Klippel ist gestorben, und Schwester Erika wurde bei Kriegsende von Russen erschlagen.

Nur er selbst kennt sein ganzes Leben, und nur er selbst kann darüber Auskunft geben. Die Anstaltschroniken sind lückenhaft, die Gerichtsakten ausgesondert. Erst eine Bäckerlehre in Cochem, eine Grenadierausbildung in Kaiserslautern, ein Kriegseinsatz an der Saar machen ihn frei. »Fünf Mark Lohn die Woche und das Brot nachgewogen, das ich gegessen habe – aber keine Stockschläge mehr! Hinlegen und Sprung auf, marsch, marsch – aber keine Prügel mit der Peitsche! Granatsplitterverwundung, Feldlazarett und Gefangenschaft – das alles war ein Zuckerschlecken gegenüber den Mißhandlungen im Fürsorgeheim und bei den Pflegeeltern auf dem Hunsrück. Ich war frei, da habt ihr alle noch gejammert, wie arg die Knobelbecher drücken und wie beschissen es wär', wenn man in der Reihe stehen und das Maul halten müßt'.«

Renés Frau hat Kaffee gekocht. Sie stellt die Tassen vor uns auf den Tisch, lächelt freundlich, schaut mit einem langen, zufriedenen Blick auf René und nimmt wieder ihren Platz auf der geblümten Couch ein, wo sie die ganze Zeit über aufgerichtet gesessen und Renés Erzählungen Wort für Wort gefolgt war. Ich sitze reglos auf dem Stuhl, René gegenüber, und erkenne, wie mit jedem Wort ein anderer René vor mir ersteht als der, den ich von damals im Gedächtnis habe, ahne schon voraus, wie seinen wiederbelebten Erinnerungen ein unaufhörliches Erzählen und Wiedererzählen meinerseits folgen und daraus ein neuer Mensch Glied für Glied wiederauferstehen wird. »Als der Krieg zu Ende war, erfuhr ich eines Tages, daß meine Mutter am 1. September 1939 von der Merziger Nervenklinik in eine Anstalt zur Tötung von Geisteskranken gebracht wurde«, fährt René in seiner Erzählung fort, »da war's mit einemmal, als würde mir der Boden weggezogen, den ich gerade unter die Füße bekommen hatte.«

Er zeigt mir einen Artikel über Euthanasiemaßnahmen, den er aus der *Saarbrücker Zeitung* ausgeschnitten hat: Es ist ein ausführlicher Vierspalter mit Hinweisen auf Transporte saarländischer Patienten aus den psychiatrischen Anstalten von Homburg und Merzig nach Weilmünster, Idstein, Scheuern und in die Gaskammer nach Hadamar – und schon am übernächsten Tag breche ich auf, eine Spur von Renés Mutter zu finden, vielleicht nur die Idee einer Fährte, der ich vor vielen Jahren schon einmal vergebens gefolgt war.

Ich fahre nach Hadamar, gehe dem Wegweiser zur Gedenkstätte für die Opfer der NS-Euthanasie auf dem Mönchsberg nach – und stehe schließlich vor dem prächtigen Klinikum der Jahrhundertwende, halb Gründerarchitektur, halb Jugendstil, »zur Zeit des Irrenbooms gebaut«, wie mir der junge Mann erklärt, der mich führt. Die Psychiatrie war gerade entdeckt, Professor Pinel hatte den Geisteskranken die Ketten abgenommen, nun legten sie sich auf die Couch, sonnten sich auf den Veranden, spazierten durch die Parks. »Die Irren wohnen in Palästen«, spotteten die Leute, bis Wilhelm Schallmayer seine preisgekrönte Studie über *Vererbung und Auslese in ihrer soziologischen und politischen Bedeutung* veröffentlichte, Karl Binding und Alfred Hoche ihre Schrift *Die Freigabe der Vernichtung lebensunwerten Lebens* folgen ließen: Sie stellten den Nazis den Freibrief zur Euthanasie aus.

Von Weilmünster und auch von Idstein, wo ich als Schüler einer nationalsozialistischen Lehrerbildungsanstalt schon im Frühsommer 1941 mit einem Klassenkameraden am Zaun des Kalmenhofs das gespenstische Schauspiel des Zusammentriebs und Verladens geisteskranker Patienten beobachtet hatte, kamen die grauen, verhängten Autobusse mit den Kranken den gleichen Weg heraufgefahren, den ich nun genommen habe, die Todesspur von Renés Mutter zu finden.

Immer vorwärts geht's in den Feuerofen, da gibt's kein Zurück mehr, kein Innehalten im Hinterhof, wo die Busse in die grob gebretterte Garage einfuhren, kein Stocken an der Hauswand, wo das Hilfspersonal die Patienten in den Schleusengang trieb, keinen überflüssigen Aufenthalt im Wachraum, wo die Todgeweihten ihre Kleider ablegen, in ausgediente Militärmäntel schlüpfen und in den Ordinationsraum von Dr. Gorgass hintreten mußten, den flüchtigen Blicken des Arztes zur Erfindung einer Todesursache für die Sterbeurkunde ausgesetzt. Ich steige die Kellertreppe hinunter, aus dem Gewölbelabyrinth schlägt mir ein feuchter Dunst entgegen. Sobald ich die Augen schließe, sehe ich die vor Angst zitternden Menschen in der stockfleckigen Vorkammer stehen, sich über die Haare streichend, dann mit den Händen schamhaft das Geschlecht verbergend. Bis zu sechzig zwängten sich in den engen, mit beigefarbenen Wandplättchen gefliesten Raum: Sie sahen die Duschköpfe an der Decke, das Abflußventil im Boden, die Rohre in Hüfthöhe an der Wand entlanglaufen, nicht aber die Bohrlöcher an ihrer Unterseite, durch die das Gas unsichtbar und geruchlos in die Kammer strömte.

Auch ich sehe Duschköpfe und Abflußventil, die schäbige, mit Draht vergitterte Kellerlampe an der Decke und die breite Betonrinne im Fußboden, sehe die notdürftig vergipsten Dübellöcher und unsachgemäß abgesägten Schellen, die die Gasrohre hielten. Erst nach dem Massaker floß Wasser aus der Dusche und spülte Kot und Pisse und Erbrochenes in die betonierte Rinne: Das Ausgußventil war als Attrappe konstruiert. Noch gibt es den winzigen Nebenraum mit den beiden Rohren, zwischen denen die Gasflaschen eingeklemmt waren, woran Dr. Gorgass den Gashahn betätigte, gibt es den düsteren Obduktionsraum mit dem gemauerten Seziertisch, worauf den Toten die Goldzähne ausgebrochen und die Gehirne entnommen, in Formalin gelegt und in die Universitätslaboratorien nach Frankfurt und Würzburg geschickt wurden: Dort liegen sie noch heute, wird mir erzählt, und noch in den siebziger Jahren seien auf dem Betontisch Leichen verstorbener Geisteskranker seziert worden.

Als die Tötungen im August 1941 plötzlich eingestellt, die Gasrohre abmontiert, die Lorenbahn zerlegt, die beiden Verbrennungsöfen abgebaut und nach Maidanek verschickt worden seien, habe Renés Mutter noch gelebt, bestätigt mir ein Angestellter des Hauses, der die Papiere führt. Aus seinen Akten gehe hervor, daß Frau Hoffmann in Weilmünster verblieben und bis zum 21. August 1941 nicht auf der Todesliste erschienen sei: »Sagen Sie Herrn Hoffmann, das Landeswohlfahrtsamt Hessen könne ihm die zuverlässigste Auskunft geben.«

Berta Hoffmann ist hier nicht in Rauch aufgegangen, sie starb am 16. Mai 1944 in Weilmünster, als dort die *wilde Euthanasie* mit Luminal und Morphium im Gange war.

So führt Spurensuche nicht immer ans richtige Ziel, manchmal geht sie in die Irre und ist doch nicht vergebens gewesen. »Den Weg hättest du dir sparen können«, sagt René zu mir, »auch deine Nachforschungen in Idstein«, und zeigt mir ein Schreiben des hessischen Landeswohlfahrtsamtes aus Kassel, worin es heißt: »Im Sterbebuch ist neben der Diagnose Imbecillität jedoch die Todesursache Herz- und Kreislaufschwäche genannt. Inwieweit die in Weilmünster zu dieser Zeit herrschenden schlechten Lebensbedingungen, ja eine bewußte Unterernährung der Patienten zu ihrem frühen Tod beigetragen haben, muß aufgrund unseres derzeitigen Wissens offenbleiben.« René schaut mich an, von unten her, wie er es seit Kindertagen nicht anders gewohnt ist, hebt den

Kopf und sagt, mit verzagter Häme in der Stimme: »Imbecillität oder wie das Fremdwort immer heißt, und an Herzschwäche gestorben! Ich hab' den Brief unserem Doktor gezeigt. Der hat nur mit dem Kopf geschüttelt.« Auch René schüttelt den Kopf, schluckt ein paarmal, fährt sich durch sein weißes Haar, und als drückten die noch nicht ausgesprochenen Wörter fortweg gegen seine Stimmbänder, würgt er hervor: »Ich hab's dir ja in einem Brief geschrieben, daß ich Sachen erleben mußte, die es normalerweise gar nicht gibt. Das fing mit meiner unehelichen Geburt an und hörte mit dem jämmerlichen Tod meiner Mutter und meiner beiden Großväter auf. Mein Aba starb am 10. Januar 1944 mutterseelenallein in seinem Haus am Sulzbacher Grubenpfad, der Vater meines Vaters erschlug am 1. Dezember 1946 seine Haushälterin mit dem Nachttopf und drehte den Gashahn auf. Das ist keine erfundene Geschichte, von der die einen eine Gänsehaut kriegen und über die sich die anderen totlachen, das ist alles wahr, so wie ich hier vor dir am Tisch sitze. Das hat damals auch in der *Saarbrücker Zeitung* gestanden. Wenn du da mal hinkommst, laß dir die Zeitungen von Anfang Dezember geben, such' dir den richtigen Tag aus und lies nach!«

Was Vermutung war, ist Gewißheit geworden. René ist aus einem Leben zurückgekehrt, das schon verloren schien. »Mir ist alles entgangen, was andere bekommen haben«, sagt er, »nicht einmal eine Frau hat mir meine Familie gegönnt. Ich heiratete Anfang der fünfziger Jahre eine Kriegerswitwe mit zwei Kindern, da sagte meine Tante zu mir: ›Man heiratet ein Rind, du Dummkopf, keine Kuh mit zwei Kälbern.‹« Frau Hoffmann räkelt sich auf der Couch, sie lächelt wieder und sagt zu mir: »Ich bin mehr als vierzig Jahre glücklich mit René verheiratet. Wir küssen uns heute noch.«

René lebt. Er ist wiedergeboren, wie sein französischer Name es verheißt. Ich habe ihn endlich gefunden, und nun, da er mir die Hand auf die Schulter legt und zu mir sagt: »Weißt du, jetzt hab' ich auf einmal sogar die Hoffnung, daß meine Mutter ihren roten Mantel bis zu ihrem Tod hat behalten dürfen und ihn wintersüber im Krankenhausgarten von Weilmünster getragen hat«, ist sein verlorenes Leben kein verlorenes Leben mehr, sondern ein neu gewonnenes. Er führt mich von der Wohnstube in eine Kammer, wo er unter der Dachschräge seine elektrische Eisenbahn installiert hat. Vor meinen Augen fahren Züge, kreuzen ihre Bahnen, rattern auf den Geraden, rasseln in den Kurven, passieren Weichen und Signale und rauschen aneinander vorbei, wie René es vorausbestimmt hat. Sie fahren alle im Kreis, jeder seine wohlkalkulierte Bahn. Sie fahren nicht ins Blaue an sommerliche Badestrände oder zum winterlichen Après-Ski, stürzen aber auch nicht in unvorhersehbare Katastrophen.

V

Die Kiste der Erinnerung

René, mein Schulkamerad aus der ersten Klasse, bringt beim Telefonieren ebensowenig die Zähne auseinander wie ich. Mühsam, als sei ihm ein Gedankenaustausch ohne ein leibhaftiges Gegenüber nicht möglich, ringt er nach Worten – und um mich ist es nicht besser bestellt. Wenn es um Wesentliches geht, sind wir beide am Telefon verloren: Hilflos schweigen wir vor uns hin.

René, das ist der kleine René, verspottet und verprügelt von uns sechsjährigen Mitschülern, nur weil er einen fremdländischen Namen trug und es hieß, sein Vater sei ein Franzose und seine Mutter, die auch werktags mit einem breiten Gürtel und einer viel zu großen Schnalle daran herumlaufe, eine Geistesgestörte. René bittet mich um einen Gefallen: Er möchte, fast sechzig Jahre nach ihrem Tod, das Grab seiner Mutter in Weilmünster besuchen, und ich solle ihn mit dem Auto hinbringen. So nehme ich zum drittenmal Renés Lebensfaden auf – in der Hoffnung, ihm aus einer Ungewißheit einen Schritt weiter ins Kenntlichwerden seines Lebens zu verhelfen. Als Kind gewaltsam von seiner Mutter getrennt, er in einem Waisenhaus fast verkommen, sie in einer Euthanasieanstalt zu Tode gebracht, sucht er heute nach ihrem Grab.

Unsere Autofahrt über Idstein nach Weilmünster, wo Renés Mutter am 16. Mai 1944 in der ehemaligen Landesheil- und Pflegeanstalt gestorben ist, beginnt nicht, wie von mir erhofft, mit dem Austauch von Geschichten fast vergessener Naziverbrechen. Völlig überraschend, erst unerklärlich für mich, doch geheimnisvoll bleibend, gerät René auf ein abwegiges Feld: Schwadronierend verliert er sich ins Uferlose, ohne Punkt und Komma wirft er mit Begriffen aus der Elektrizität um sich. Bei seiner Betonung von Gleichstrom und Wechselstrom, von Spannung und Widerstand fällt kein Wort über die Sache, die uns nach Weilmünster führt. Unter Renés Worten verändert sogar die vorüberfliegende Landschaft ihr Gesicht: Er sieht nur die Bahnlinien mit ihren Freileitungen und Umspannstationen, gegitterten Stahlmasten mit Schaltkästen und Isolatoren, die unsere Fahrtstrecke begleiten und kreuzen. René kennt alle elektrotechnischen Namen, jongliert lustvoll mit hin- und herschwingenden Ladungen und fließenden Kreisströmen und verblüfft mich mit Spezialbegriffen, die sich in offene Bedeutungen fortsetzen und umgewandelt in meinem Kopf ankommen.

Was ist los mit ihm? Seit er seine Wohnung aufgelöst hat und ins Altenheim umgezogen ist, fehlt ihm der Platz für seine elektrische Eisenbahn: Sie ist in einem Speicher abgestellt und kann nicht mehr über Weichen hinweg und an Signalen vorbei ihre von René vorausbestimmte Strecke fahren – wie früher, als die Züge unter der Dachschräge einer eigens für sie zurechtgezimmerten Kammer ihre wohlkalkulierte Bahn ziehen konnten. Ich spüre förmlich, wie die Erinnerung an sein Erwachsenenspiel sich seiner mehr und mehr bemächtigt und wie er, sich ablenkend, die vorgenommene Trauerarbeit in seine Lieblingsbeschäftigung umspringen läßt. Seine Stimmung ist hochgeschwungen wie der Starkstrom in den Leitungen beiderseits der Autobahn.

Vor der Idsteiner Nervenklinik, unserer ersten Station, scheint er sich endlich von seiner fixen Idee abzuwenden. Doch nach kurzem Verweilen vor dem Zaun des Kalmenhofs kehrt er sich wieder den Bahnlinien zu und fragt: »Ist das hier die Stelle, von wo du im Herbst 1941 das Beladen der Busse mit Frauen in grauen Kitteln beobachtet hast?« Er faßt energisch mit beiden Händen nach dem Zaun, ergreift zwei Stäbe, wartet aber keine Antwort ab und fährt fort: »Das war also damals ein hoher Staketenzaun, wo man nicht einfach daran vorbei und durch ein Tor in den Park gehen konnte, so wie wir das heute tun können, ohne viel zu fragen, ob wir's dürfen.« Unter einer blühenden Magnolie bleibt er stehen und liest halblaut die Namen der Gebäude auf einer weißen Tafel: »Sozialpädagogisches Zentrum Kalmenhof, Altes Haus, Buchenhaus, Rosenhaus, Sternensaal, Werkstätten.« Er schüttelt den Kopf, als suche er vergeblich nach einer Erklärung für diese Namen, die weder in meinem Roman noch in seinen Papieren vorkommen.

Nach ein paar Sekunden unbeweglichen Verharrens kehrt er sich von mir ab und ruft mit unterdrücktem Abscheu: »In Viehwaggons haben sie damals die Kranken aus dem Saarland hierher nach Idstein geschafft. Wenn meine Mutter nicht schon zwei Jahre vorher nach Weilmünster transportiert worden wäre, hättest du sie damals als Schüler der Idsteiner Lehrerbildungsanstalt hier in einem der Busse verschwinden sehen können.« Alles laufe hier schön parallel zueinander, erläutert er die Lage, ganz oben die Autobahn, darunter die neue ICE-Trasse, am Ortsrand die alte Bahnlinie mit der Verladerampe. Alles parallel und praktisch, und alles in Richtung Hadamar, wo der Gasofen stand. Und was für ein herrliches Leben der Doktor Großmann sicherlich gehabt hat! Er könne sich's gut vorstellen: Nach getaner Arbeit zieht er den Arztkittel aus und marschiert gestiefelt und gespornt zum Abendessen in seine Villa. »Das Haus hier aus rotem Klinker mit der geschwungenen Fassadenverzierung ist doch vermutlich seine Villa gewesen, oder was denkst du?«

Durch die Rödergasse schlendern wir zum Rathaus, steigen die massive Freitreppe hinauf, durchqueren das alte, gemauerte Tor und stehen in der Schloßgasse. René sieht das Schloß, in dem ich meine Schulzeit verbracht habe, er sieht die Brücke, über die wir täglich gingen, sieht hinunter in den Tiergarten auf die Ruhebänke und am Hexenturm hinauf zu den Dohlen, die um das Schieferdach kreisen. Es sind viele Jahrzehnte vergangen, immer noch, flockig behaart, blüht Schöllkraut zwischen den Felsbrocken, immer noch, krumm und malerisch, verlocken die Fachwerkhäuser zum Aquarellieren. René zupft mich am Ärmel und zeigt auf die steinerne Gedenktafel mit den Namen der in Idstein verbrannten Hexen. Eine Frau hieß Zeitlose, eine andere Apollonia mit Vornamen, es gibt eine Anna Katharina Moises und eine Elisabeth Hoffmann. »Sie hatte meinen Namen und den Namen meiner Mutter«, sagt René, auch wenn es nichts zu bedeuten habe und er weiß Gott keine ausgefallenen Mutmaßungen anstellen wolle – doch in ihm wecke dieses alte, idyllische Städtchen andere Empfindungen als in mir, »hier in Idstein wurden Prozesse gemacht, über zweihundert Jahre hinweg Hexenprozesse und später dann kurze Prozesse mit Geistesgestörten. Du hast hier mitten im Krieg unter einer Glasglocke gesessen, hast die Trommel geschlagen und Gedichte geschrieben, und die Partei hat die schützende Hand über euch gehalten.«

René schwatzt. René schweigt. Wenn er schwatzt, habe ich das Gefühl, er würde lieber schweigen, doch sein Schweigen ist ein quälender Wörterstau, der sich im Schwatzen entlädt. Auch wenn wir uns den ganzen Nachmittag auf Spurensuche begäben, ich, um die Jugendzeit heraufzubeschwören, René, um einen Anknüpfungspunkt in sie zu finden: Von Renés Mutter fänden wir in diesem lauschigen Städtchen allenfalls einen flüchtigen Fußabdruck. Womöglich hat Berta Hoffmann nur ein paar Stunden im Kalmenhof zugebracht, ist in einen der schwarzen, fensterlosen Busse verladen und nach Weilmünster verfrachtet worden, wo sie, unerreichbar für ihren Vater, unauffindbar für ihren Sohn, in der Anstalt für Geisteskranke verschwand.

In einem Gasthaus vor Weilmünster zieht René einen älteren Mann ins Gespräch. Der Mann, Anfang Sechzig, anscheinend ein Dauergast, bis zu diesem Moment alle paar Minuten mit einer weiteren Zigarette, einem frischen Bier, einer neuen

Seite der *Bild-Zeitung* beschäftigt, geht sofort auf René ein. »Meine Mutter hat als junges Mädchen dort in der Anstalt gearbeitet«, beginnt er ohne weitere Umstände, und wortreich, als warte er Tag für Tag darauf, eintretenden Gästen seine Herkunft zu erklären: »Sie war Tschechin, zwangsverpflichtet, mußte in der Küche und in der Waschküche schuften. Nach Kriegsende ist sie in Weilmünster geblieben; aus der Tschechei kamen schlimme Nachrichten über heimgekehrte Zwangsarbeiter: Sie wurden verdächtigt, mit den Nazis zusammengearbeitet zu haben. Was sollte sie machen? Sie hat einen Hiesigen geheiratet und gehofft, entschädigt zu werden für all das Elend, in das sie geraten war. Dabei hatte sie es nicht einmal schlecht getroffen. Mein Vater stammt aus Laubuseschbach, das ist ein Kaff hier in der Nähe; er hat im Wald gearbeitet, bis ihm ein Baum auf den Kopf gefallen ist und er ins Gras beißen mußte. Sie bekam eine Rente, die nicht von schlechten Eltern war, denn mein Vater hatte eine Gefahrenzulage auf dem Lohn.«

Der Mann redet in einem fort, zieht eine nächste Zigarette aus der Schachtel, bestellt ein nächstes Bier, schlägt die nächste Seite der Zeitung auf, ohne einen Blick hineinzuwerfen – und schlußfolgernd philosophiert er über den Widersinn des Lebens: »Der Mensch ist, wie er ist, er richtet sich ein, wie es eben geht – und er hofft, daß es besser wird. Das Hoffen ist aber das schlimmste, es kommt nämlich immer anders, als man gehofft hat, und dann fängt man an, in die andere Richtung zu hoffen. Was ist das für ein Unsinn, zu behaupten: Die Hoffnung stirbt am letzten! Was für ein Quatsch, mit solchen Sprüchen falsche Hoffnungen zu wecken! Wenn ich Sie recht verstanden habe, hoffen Sie, das Grab Ihrer Mutter zu finden. Das wird aber schwer sein, wenn sie schon im Krieg hier umgekommen ist. Der alte Anstaltsacker ist längst umgepflügt, es gibt nur noch die Gräber der Soldaten, die hier in den letzten Kriegstagen gestorben sind, als die Klinik Reservelazarett war. Da lagen bis Ende der vierziger Jahre die toten Soldaten neben den armen Kranken, die ja nicht einfach gestorben sind, sondern gestorben worden sind.«

Hals über Kopf hatte ich mich mit René in ein Abenteuer gestürzt. Vor unserer Abreise hatte ich mich nur um die gegenwärtigen Notwendigkeiten gekümmert, hatte vollgetankt, die nötigen Straßenkarten zurechtgelegt, René um die amtlichen Papiere gebeten, die uns für die Nachforschungen unentbehrlich waren – nun aber wurde mir bewußt, welche Ausflüge in die Vergangenheit notwendig sein würden, uns unserem Ziel zu nähern: Kopfreisen mit Begegnungen, Gedankenfahrten in die Erinnerung. Und prompt fiel mir bei der Erzählung des Mannes im Gasthaus ein Gespräch mit dem serbischen Schriftsteller Aleksandar Tišma ein, das mich drei Jahre zuvor einige Zeit lang in Atem gehalten hatte. Tišma war nach Saarbrücken gekommen, um zur Gedenkveranstaltung für die Opfer des Nationalsozialismus im Saarländischen Landtag aus seinem Buch *Kapo* zu lesen. Er war kämpferisch gesonnen, kompromißlos gegen sich selbst. Tags zuvor hatte er mit Burkhard Baltzer von der *Saarbrücker Zeitung* ein Gespräch geführt, in dem die gleichen Worte über die menschliche Dummheit, sich in Hoffnungen zu stürzen, gefallen waren wie aus dem Mund des Wirtshausgastes in Weilmünster.

Nach der Gedenkveranstaltung saß Tišma mit mir bei Reinhard Klimmt in dessen Dienstzimmer im Landtag – und unser Gespräch nahm einen ähnlichen Verlauf. »Die Menschen sind, wie sie sind«, sagte auch Tišma, und im Fortgang seiner Erzählungen aus dem eigenen Leben kamen mir die philosophischen Ideengespinste vom richtigen Leben im falschen und vom falschen im richtigen Leben wie realitätsferne deutsche Wortspiele vor. »Wir können uns unser Leben nicht aussuchen«, sagte er, »jedes Leben, so wie es sich in der von uns persönlich nicht beeinflußbaren Geschichte abspielt, ist ein gutes und böses, ein richtiges und falsches Leben zugleich, je nach dem Gebrauch, den wir und den die herrschenden Kräfte der Gesellschaft davon machen. Es ist dummes Zeug zu glauben, wenn ein Regime sich ändere, dann änderten sich auch die Menschen. Nichts ändert sich und niemand ändert sich, der von sich selbst aus anders ist als andere. Der Andersartige ist immer des Menschen Feind. Die Wahrheit besteht darin, daß man Menschen tötet, weil sie anders sind. In meinen Romanen gibt es Leute, die schwach sind, weil sie anders sein wollen als die Gemeinschaft. Andere versuchen, sich durch ihr Anderssein zu retten. Dann gibt es diese unbestimmten Personen, zu denen ich als Mischling auch gehöre. Ich versuche, durch das Erzählen meine Eigenheiten und Schwächen zu erklären.«

Tišma, der Erzähler, saß mir gegenüber und lächelte. Reinhard Klimmt schenkte jedem ein Glas Wein ein, wir stießen an, tranken einen Schluck und fuhren uns mit dem Handrücken über den Mund, als hätten wir vereinbart, in jedem Augenblick das gleiche zu tun. Klimmt schaute vom einen zum anderen und zog verwundert die Augenbrauen hoch: Da saß er mit zwei Schriftstellern an einem Tisch, die sich nie zuvor getroffen hatten, sich aber zueinander verhielten wie zwei Komplizen, die sich seit ewigen Zeiten kennen: gleiche Gedanken, gleiche Wörter, gleiche Brüder, gleiche Kappen. »Was hätten wir beide aus unserem Leben machen können, wäre der Nationalsozialismus nicht gewesen?« fragte Tišma und resümierte: »Sie sind als junger Deutscher ein Nazi, ich bin als Jude ein von den Nazis Verfolgter gewesen. Heute sind wir Schriftsteller. Sie haben Ihre Kindheit und Jugend im Nationalsozialismus erzählt, genau wie ich, Sie von der Täter-, ich von der Opferseite her. Würde es uns beide nicht geben, die davon geschrieben haben und jetzt hier freundschaftlich beieinandersitzen und darüber sprechen können, wäre die *Kiste der Erinnerung* verschlossen geblieben.« Tišma hob das Glas, trank wieder einen Schluck Wein und meinte, er halte nicht soviel von der Literatur, daß er behaupten könne, sie hätte einen Sinn. Das habe er vorgestern schon dem jungen Mann von der Zeitung gesagt und extra hinzugefügt, er finde die Literatur geeignet für den Dialog, aber verändern könne sie nichts.

»Der Sinn ist, daß man schreibt«, sagte er, »für sich, für mich, damit ich mich mit Erscheinungen konfrontiere. Und dann gibt es ja die Leser!« Und nach einem letzten Schluck Wein wischte er sich wieder über den Mund und schloß lächelnd: »Jetzt ist die *Kiste der Erinnerung* geleert. Es ist nichts mehr drin.«

Bei der Auffahrt zur Klinik von Weilmünster, das herrschaftliche Verwaltungsgebäude vor Augen, atmet René tief auf. Nie und nimmer hätte er gedacht, daß dieses Weilmünster so weit von aller Welt entfernt im hintersten Taunus versteckt liege: Da wären die Verwandten der Insassen lange unterwegs gewesen, ihre Patienten zu besuchen. Er probiere, sich seinen Großvater vorzustellen, seine Tanten und Vettern, sonntags mit der Bahn auf dem Weg nach Weilmünster, doch dann bricht er den Versuch ab und sagt: »Obwohl es schon so lange her ist, manchmal habe ich das Gefühl, es platzt mir der Kopf, wenn ich anfange, mir all die Dinge auszudenken, die darin vorgehen, und immer noch gibt es kein Ende.« Nein, Renés *Kiste der Erinnerung* ist nicht leer, sie springt auf, wenn er es am wenigsten erwartet.

Auf dem Büro für den Publikumsverkehr legt er die sorgfältig gehüteten Papiere seiner Mutter vor, Geburtsurkunde, Sterbeurkunde, den Bescheid des hessischen Wohlfahrtsverbandes aus Kassel vom 8. Juni 1996. Leider gebe es keine Krankenakte, heißt es darin, doch neben der Diagnose Imbecillität sei als Todesursache Herz- und Kreislaufschwäche genannt, wozu allerdings die zu dieser Zeit in Weilmünster herrschenden schlechten Lebensbedingungen, ja eine bewußte Unterernährung beigetragen haben könnten – was aufgrund des derzeitigen Wissens andererseits natürlich offenbleiben müsse.

René spricht ohne Pause. Beharrlich predigt er in eigener Sprache, die in den Ohren der Beamtin wie eine Fremdsprache klingen muß. Kein fragender Augenaufschlag kann seinen Redeschwall bremsen, kein Runzeln der Stirn seinen Sprachgebrauch ändern. In saarländischer Mundart erzählt

er die Geschichte seiner Mutter, in die er seine eigene Lebensgeschichte unentwirrbar hineinwirkt. Es ist eine Geschichte
mit präzisen Daten und Wochentagen, die er seit seiner Kindheit nicht vergessen hat: Am 25. Januar 1935, einem Freitag,
sei die Mutter von Sulzbach nach Merzig, am 1. September
1939, ebenfalls einem Freitag, sei sie von Merzig über Idstein
nach Weilmünster transportiert worden, berichtet er, mit spe-
zieller Betonung der Daten und Wochentage die Glaubwür-
digkeit der Tatsachen beschwörend. Er zeigt Fotos, die er
wortreich kommentiert: seine Mutter mit dem Knäblein auf
dem Arm vor einem Kabriolett der Firma Sänger; der Dreijährige im ärmellosen Pullover, selbstgestrickt von der Mutter, am Schlammweiher der Grube Mellin; der Sechsjährige,
von dem man nur die Nasenspitze sieht, zwischen seinen
Klassenkameraden versteckt, hinter dem Sulzbacher Schulhaus.

René predigt tauben Ohren. In der Sprache seiner Erklärungen erweisen sich die Papiere als Geheimschriften, die Fotos als unentschlüsselbare Bilderrätsel. Erst meine Frage nach
dem Grab seiner Mutter entwirrt die verstörte Beamtin.
»Ach, Sie suchen das Grab«, sagt sie, eilt ins Nebenzimmer,
heftet Lagepläne aus einem Ordner, ruft nach dem Gärtner
im Obergeschoß und bittet ihn, uns auf den Friedhof zu begleiten. Auch ihm erzählt René seine Geschichte, er holt weit
aus, ihm sein Schicksal begreiflich zu machen, doch ein Zusammenhang will sich nicht herstellen. Jetzt, nachdem alles
seit mehr als fünfzig Jahren vorbei sei und er nach Begründungen und Urteilen frage, werde er abgespeist mit Fremd-
wörtern, die er nicht verstehe.

René braucht Hannah Arendts Bücher über die Ursprünge
und Auswirkungen der Zwangsherrschaft in Deutschland
nicht zu lesen: Er weiß aus eigener Erfahrung, daß auch sein
Schicksal jedes Verständnis übersteigt. Nein, man könne es
nicht erklären, man könne es verschweigen oder zu erzählen
versuchen, hatte Tišma entschieden, mehr könne man nicht
tun. »Du hast es gut«, sagte René zu mir, »du nimmst den Stift

in die Hand, hörst dir meine Geschichte an und schreibst sie auf.« Er könne es mit seinen Worten nicht unter die Leute bringen, er sei schon froh, wenn ihm mal ein einziger zuhöre. Auf einmal steht er zwischen Tišma und mir, das wahre Opfer zwischen den Seelenfängern, die, zusammen in einem Boot sitzend, das Glück des Erzählens genießen.

Steil am Hang, einige hundert Meter rechter Hand der Kliniken, liegt der Anstaltsfriedhof in einem aufgeforsteten Waldstück. Die Bäume seien später gepflanzt worden, erzählt der Gärtner, noch lang nach dem Krieg habe das Gelände ratzekahl dagelegen, »jetzt hat man wenigstens mal den Friedhof eingezäunt«. Der Gärtner faltet seinen Lageplan auseinander; horizontal und vertikal verschränkte Nummernreihen kennzeichnen die einander zugeordneten Gräberfelder mit den einzelnen Gräbern. Er hebt den Kopf, schaut zwischen den Baumstämmen hindurch bergauf ins Unterholz, wo sich der Wald etwas lichtet, blickt wieder vor sich auf den Plan und zuckt mit den Achseln. »Das Grab Ihrer Mutter wird längst eingeebnet sein, weil es so lange her ist, seit sie hier begraben wurde«, sagt er zu René, »unwahrscheinlich auch, daß sich ein Gedenkstein findet. Ob es überhaupt Gräber für diese Patienten gegeben hat, ist zweifelhaft, möglicherweise gab es nur einen Holzpfahl mit einer Nummer drauf.«

Unter Tannen und Lärchen geht der Gärtner weit hinauf, erreicht die schmale Lichtung, macht zwanzig Schritte nach rechts, zwanzig Schritte nach links, schaut sich um, kommt wieder zurück. »Da ist sicher nix mehr zu finden«, meint René, doch der Gärtner gibt nicht auf, geht hin und her, steigt auf und ab, bückt sich und scharrt im Boden. Zu uns zurückgekehrt, steht er eine Weile mit dem Rücken zur Leichenhalle und sagt: »Dort oben muß das Grab gewesen sein, in der Verlängerung von diesem Gräberfeld« – und zeigt mit ausgestreckter Hand bergauf ins Ungewisse. »Nein, ich glaube nicht, daß meine Mutter je einen Grabstein gesetzt bekommen hat«, beharrt René, und ich spüre insgeheim, daß es ihm vielleicht sogar lieber wäre, die Knochen seiner Mutter bei den Überresten mitleidender und mitsterbender Patienten in einem Massengrab zu wissen anstatt unter einem numerierten Holzpfahl: »Schau dir die Soldatengräber an, da kann man auf dem Gedenkstein lesen, daß sie alle zusammen die ewige Ruhe haben.«

Der kleine Judenfriedhof gebenüber der Kapelle ist eingezäunt, das vergitterte Tor fest zugesperrt. Auch die Gräber der Juden liegen kahl und unberührt im abschüssigen Gelände. Nur auf dem Grab eines Abraham Klausner blühen ein paar weiße Osterglocken in einer Vase. René steht abseits von Kapelle und Judenfriedhof auf dem frisch geharkten Querpfad. Die Arme in die Hüften gestützt, liest er die Inschrift auf dem dreieckigen Gedenkstein unterhalb des Gräberfeldes: »Wir gedenken der hilflosen Kranken, die hier 1933–1945 Opfer des Nationalsozialismus wurden. Ihr Leiden und Tod sind uns ständige Mahnung.« Ich sehe René vor dem mannshohen Granitblock stehen, die Augen gesenkt, die Lippen geschlossen: Ich weiß nicht, was in ihm vorgeht. Erst nachdem ich mich vom Zaun des Judenfriedhofs abkehre und mich ihm zuwende, öffnet er den Mund. Ich höre und begreife, aus welchen Tiefen des Verletztseins er mit trockener Stimme das Erlebte, seine Gedanken hervorholt, sie sinnvoll in eine Reihe zu bringen: »Zuerst in einer Gefängniszelle eingesperrt, dann in Viehwaggons geladen, mit dem schwarzen Bus abgeholt, im Irrenhaus untergebracht, von einem Nazidoktor abgespritzt und im Wald verscharrt. Übrig bleibt ein Holzpfosten mit einer Nummer. Und nicht einmal das. Die Knochen sind verwest, die Pfosten verfault. Ein paar Blumen blühen, wo ein Grab sein sollte. Da sieht man, was der Mensch wert ist. Nur wer eine gute Lobby und clevere Anwälte hat, wie die Juden und die Zigeuner, kriegt etwas von dem Batzen ab, der zusammengebettelt, nein, zusammenprozessiert worden ist. Blaue Lappen oder nur ein paar Groschen, je nachdem, wie geschäftstüchtig die Mittelsmänner sind. Unsereiner, der ganz allein dasteht, wird totgeteilt und muß in die Röhre gucken.«

Heillos verstrickt in deutschen Ordnungssinn, läßt ihm sein Leben keinen Ausweg ins Freie. Penible Gesetzestreue und strikter Beamtengehorsam ließen von Anfang an keine Großherzigkeit, keine humane Ausnahme zu: Von der Möglichkeit einer Entschädigung erfuhr René erst, nachdem alle Antragstermine verjährt waren. Jedes Anrennen gegen juristische Barrieren mußte scheitern – und scheiterte auch. Renés Ruf nach Gerechtigkeit verhallt im deutschen Prinzipienwald. Nur hier, in der Friedhofsruhe von Weilmünster, ist er noch zu hören. Doch René hat keine Worte, mit Politikern und Theologen, mit Juristen und Pädagogen über die schöne Geistigkeit dieser Tugend zu philosophieren, er benutzt den Begriff, wie er ihm in der Schule und im Waisenhaus eingebleut worden ist. Sein Verständnis von Gerechtigkeit schließt auch die Frage des Ethikers aus, ob wir heutzutage überhaupt noch ihre platonische Vorzugsstellung begreifen könnten, ob wir sie auch von uns aus einleuchtend, ja überzeugend zu begründen imstande wären. René schaut mich an, von unten her, wie er es sein Leben lang getan hat, und mitten in mein Nachsinnen sagt er: »Ich bin zum erstenmal hier auf diesem Friedhof. Du weißt ja, es sind sechsundsechzig Jahre her, seit ich meine Mutter zum letztenmal gesehen habe. Ihr Tod geht mir jetzt doch sehr nach.«

Auch René hat das Recht, zu vergessen. Auch er darf sich vor den Furien der Erinnerung in Sicherheit bringen. »Auch wenn die *Kiste der Erinnerung* – wie ihr Geschichtenerzähler so abschätzig das gute Gedächtnis bezeichnet – nicht leer ist, mir muß man zugestehen, daß auch ich mal was anderes mache und nicht bis an mein Lebensende Tag für Tag in dieser Kiste rumzukramen brauche. Ich bin froh, wenn ich hin und wieder meiner Lieblingsbeschäftigung nachgehen kann.« René übt die Kunst des Vergessens. Jahrelang fuhr er mit seiner elektrischen Eisenbahn die nach seinen Plänen aufgebaute Rundstrecke unter der Dachschräge seiner Wohnkammer. Seine Züge waren keine Geisterzüge zur Verladerampe einer Endstation, seine Züge umkreisten Berge und durchquerten

Tunnels und fuhren in die Freiheit, auch wenn sie immer wieder an den selben Haltestellen vorbeikamen. Seit er im Altenheim wohnt, besteigt er in seinen Vorstellungen vom Fahren den Wildwest-Expreß und die Bagdad-Bahn, aber auch die verwunschene Müglitztalbahn. Er reist, Erholung im Vergessen suchend, durch die ganze Fernsehserie *Eisenbahn-Romantik*. Keiner kennt wie er die Krümmungen und Steigungen der seltensten Bahntrassen, die Spurweiten ihrer Schienenstränge, das Schotterkorn ihrer Bettung.

»Ich bin gern für mich allein«, gesteht er, »beim ungestörten Lernen all dessen vergesse ich die übrige Welt um mich herum. Und doch muß ich sagen: Am besten kann ich vergessen, wenn ich unter Leuten bin.« Bei der Rückfahrt im Auto erinnert er mich an unser Klassentreffen vor einem halben Jahr: »Es war ein wunderbarer Abend; obwohl ich außer dir seit 1935 keinen mehr gesehen habe, hatte ich das Gefühl, es wäre nur ein einziger Tag vergangen, und es wurde mir ganz warm im Bauch.« Vorigen Sonntag, bei der Feier seiner diamantenen Konfirmation, sei ihm für einen Moment seine Erstkonfirmation vor sechzig Jahren eingefallen: Bauer Klippel, sein Pflegevater vom Hunsrück, habe damals vor dem Kirchgang einen Konfirmationsanzug für ihn aus dem Schrank geholt, einen funkelnagelneuen Anzug, der aber nach dem Konfirmationsims auf Nimmerwiedersehen im Schrank verschwunden sei. »Beim Abendmahl vorigen Sonntag hatte ich nur ganz kurz daran gedacht. Was für ein Glück! Es war ein Abendmahl, wie es schöner und feierlicher nicht sein kann! Was die Weibsleut' sind, sie haben die Hostie in den Wein getunkt und dann auf der Zunge zergehen lassen. Wir Männer haben sie runtergeschluckt und dann den Wein hinterhergekippt. So muß es sein auf der Welt: Jedem das Seine, und daß man dabei auch etwas zu lachen hat!«

Das Maß des Möglichen

Schulzeit im Dritten Reich

Mit Beginn des Zweiten Weltkriegs ging die Kindheit mit ihren Räuber-und-Gendarm-Spielen jäh zu Ende. Die Älteren und Erfahreneren, politisch zurückhaltende, doch gewitzte Mitläufer, zu denen wir Kinder emporschauten, brachten andere Spiele auf: Spiele des Überlebens, die wir lernten, ohne sie zu begreifen. Vater, Lehrer und Pfarrer waren zwar keine eingefleischten Nazis, doch von Krieg und patriotischer Gesinnung geprägte, deutschnational gesinnte Männer. Ihr Einfluß auf meine kindliche Lern- und Wißbegier hatte eigenartige Folgen: Hin- und hergerissen zwischen den tröstlichen Märchen mit gutem Ausgang und den schrecklichen Kriegsgeschichten mit ihrem schlechten Ende geriet ich in eine widersprüchliche Lage. Mitten in der Gewaltherrschaft des Nationalsozialismus verlebte ich mit meinem Bruder eine wohlgeordnete, von Vater und Mutter streng geregelte Kindheit und Jugend, die ich, vielleicht ihrer zielgerichteten, problemlosen Erziehung wegen, als eine sorglose, eine glückliche Zeit erinnere.

Wir besuchten die Volksschule, dienten im Jungvolk, bejubelten den Krieg. Zehn- und zwölfjährig empfanden wir uns in einem Spiel, das feste Regeln hat, Arbeiter und Soldaten braucht, Sieger und Verlierer kennt. Die Aufregungen der Politik spielten in unserer Familie keine Rolle. Ich habe weder Vater noch Mutter je von Führer, Volk und Vaterland sprechen gehört; nur Mutters Vater, der Bauernsproß vom Hunsrück, lief wie wir Kinder in Uniform herum, über die wir uns ihres zusammengestoppelten Aussehens wegen lustig machten. *Und doch ist unsere zu Ende gehende Kindheit von den Schrecknissen des Ersten Weltkriegs nicht verschont geblieben. Bücher lesend und Bilder betrachtend erschloß sich uns das von Gewalt beherrschte Zeitgeschehen, das wir für unvermeidlich hielten.* Weder Vaters zweibändige Prachtausgabe Der große Krieg *noch sein Zigarettenbilderalbum* Ruhmesblätter Deutscher Geschichte *verstörten mich: Erst viel später, lange nach dem Zweiten Weltkrieg, den ich mit all seinen Schrecknissen erlebte, hat mir ein Kunstwerk die Augen geöffnet: die Radierung* »Pegasus im Kriegsdienst« *des Malers Max Slevogt.*

Von 1941 an Schüler einer nationalsozialistischen Lehrerbildungsanstalt, geriet ich mehr und mehr in den Sog dieser menschenverachtenden Ideologie des aus den völkischen Wurzeln begründeten Mythus des 20. Jahrhunderts. *Den äußersten Gipfel meiner Verführtheit bildet ein Referat, das ich als Sechzehnjähriger über die* Rassenkunde des deutschen Volkes *von Hans F. K. Günther gehalten habe.*

Je tiefer ich eindrang in die Geheimnisse von Auslese und Ausmerze, von Abmendelungen und Zerkreuzungen, je schärfer sich mir die Blutlinien im Hirn abzeichneten, um so unerschütterlicher glaubte ich an meine Fähigkeit der Unterscheidung ... Schließlich: Was war nun zu tun? Dr. Günther hatte als Leithammel einer Idee die Antwort gegeben: Nur die klare Scheidung der Juden von den Nichtjuden ist eine würdige Lösung der Judenfrage. Dr. Günthers »würdige Lösung« entpuppte sich als »Endlösung« und führte zu millionenfachem Mord. Der Professor wurde nach dem Krieg suspendiert und als Minderbelasteter drei Jahre lang interniert, durfte aber danach schriftstellerisch tätig sein.

Fünfzehn-, sechzehn-, siebzehnjährig, verführt von den primitiven Parolen der Naziideologie, außerstande, vorurteilsfrei wahrgenommene oder eingebildete Zustände zu unterscheiden, gar zu beschreiben, berührte mich eine folgenreiche Aussage meines Lehrers Otto Zülicke. Sowohl im Biologie- wie im Deutschunterricht zitierte er des öfteren einen

Satz des Philosophen Ludwig Büchner, dem Bruder des Dichters Georg: »Kein Stoff ohne Kraft! Keine Kraft ohne Stoff!« Beim Begreifen dieses Ineinandertauschs körperlicher und geistiger Potenz dämmerte es mir zum erstenmal, daß freies Spiel der Gegensätze mehr sei als eine vergnügliche Betätigung ohne Zweck und Ziel.

Am Ende meiner Schulzeit im Dritten Reich, am Tag der Befreiung, lag ich langausgestreckt im Gras und erlebte den Beginn einer neuen Zeit. Wie Emile, der Zögling in Jean-Jacques Rousseaus Erziehungsroman, vertraute auch ich von diesem Neubeginn an meiner Einbildungskraft. Mit ihrer Hilfe weitete ich das »Maß der Möglichkeiten« aus, meine Wünsche durch die Hoffnung nährend, sie zu befriedigen. Davon erzähle ich in meinem Roman Wer mit den Wölfen heult, wird Wolf.

I

Zusammenreißen, auseinanderreißen

Mein Opa, der Vater meiner Mutter, hieß Wilhelm Kirst. Er war noch vor der Jahrhundertwende vom Hunsrück nach Sulzbach ins Kohlenrevier gekommen, arbeitete als Bergmann, zog drei Töchter groß, baute ein Haus in der Schlachthofstraße, das 1935, als das Saargebiet wieder dem Deutschen Reich angegliedert wurde, im vollen Ornat das Dritten Reiches prangte: Hakenkreuzfahnen auf den Balkonen, unter den Fenstersimsen Hakenkreuzstandarten, zwischen den Fenstersimsen Hakenkreuzwimpel, auf den Fenstersimsen Hindenburglichtchen, hinter den Fensterscheiben Hakenkreuzfähnchen. Opa sagte: »Jetzt ist der Hitler am Ruder«, und wir bekamen ein neues Lesebuch. Auf Seite 3 hieß es, in gotischer Fraktur gedruckt: »Durch deutsche Eltern gab uns Gott das Leben. Vom deutschen Boden schenkt er uns Brot. So sind Blut und Erde, Volk und Heimat die Hände Gottes, aus denen wir alles haben, was wir sind. Nie wollen wir diese Hände loslassen. Wir wollen festhalten an der deutschen Heimat und eins sein mit unserem deutschen Volke. Heil Hitler!« Die kernigen Sätze besiegelten eine Signatur von kräftiger Hand, ich zeigte sie meinen Schulkameraden und sagte: »Das heißt Kirst: Das ist die Unterschrift des Ministers, und das ist mein Opa.«

Nun lautete die Unterschrift nicht Kirst, sondern Rust, war aber eher für Kirst als für Rust zu halten, und wenn ich mich recht erinnere, glaubten mir einige Schulkameraden noch bis in die großen Ferien hinein meine Geschichte, denn Opa, in seiner PL-Uniform, marschierte so stramm durchs Dorf, ließ seine Rechte so pfeilgerade emporschnellen, als sei er tatsächlich der leibhaftige Reichsminister, und untermalte unabsichtlich meine Behauptung. Ich hatte einen Anlaß gebraucht, um erzählen zu können, ich brauchte immer einen Anlaß zum Fabulieren. Schon als Kind konnte ich nicht an mich halten, aus jedem Vorfall eine Legende zu machen, und das ist mir bis heute geblieben. Das spielerische Verwandeln ist mein Lebensthema geworden, und wenn ich an meine Schulzeit zurückdenke, als ich mir aus Alpträumen immer wieder das andere, das Heitere, das Komische hervorzukehren versucht habe, fällt mir der kleine Goethe ein, wie er Schüsseln und Pfannen aus dem Fenster wirft und sich für zerbrochenes Geschirr eine lustige Geschichte einhandelt. Schönfärberei, Fluchtverhalten, Verdrängungsexzesse: ich kenne die Vorwürfe; doch facht mich stets von neuem die Verwandlungslust des Simplicius an, das Leben im Schabernack zu retten.

Mit zehn trug ich die Uniform des Jungvolks, machte Karriere als Hordenführer, als Oberhordenführer, als Jungenschaftsführer, schlug die Trommel im Spielmannszug, bediente den Kompaß beim Geländespiel, sammelte mit der Blechbüchse für WHW und NSV. Alles war Spiel. Aus unverhüllten Metaphern stieg ein gottgleicher Führer hervor, ein entrückter Herzog des Reiches, der Herzog genannt wurde, weil er vor dem Heer herzog. Ich begriff nicht das Lächerliche dieser volksetymologischen Poesie, ich hörte den Lehrer zwar von Pflicht und Ehre, den Jungvolkführer von Treue und Verantwortung sprechen, doch als es hieß, das deutsche Volk müsse in Waffen stehn, weil neidische Feinde es von außen bedrohten, und es sei nötig, Alteisen zu sammeln, damit es umgeschmolzen werde zu Panzern und Kanonen, fuhren wir mit dem Handwägelchen von hinten an die Rampe des Altwarenhändlers, klauten Staketenzäune und ausrangierte Heizkörper, fuhren von vorne an die Waage heran, kas-

sierten die erschlichenen Groschen und stellten uns sonntags
vor dem Kino in die Schlange, um einen Film zu sehen, der
für Jugendliche unter vierzehn verboten war.

Zur Konfirmation bekam mein Vetter Friedrich einen
blauen Anzug, der war so schön und blau, daß ich voller Neid
hinsah, als er im feierlichen Zug über die Schwelle der Kirche
trat, obwohl eine Hitlerkluft höher im Ansehen stand als ein
noch so blauer und schöner Anzug. Ich trug die Uniform, der
Pfarrer war Deutscher Christ wie Opa, auf meinem Konfir-
mationsbild sind Dürers *Ritter, Tod und Teufel* zu sehen.
Draußen lebte ich in der Horde, im Haus verbarg ich mich
hinter den Büchern, es war ein doppeltes Leben, ein uniform-
iertes Gleichsein mit den andern, ein ziviles Anderssein mit
mir selbst, ich konnte beides mühelos verbinden. Ja, alles war
Spiel, doch als ich dann, nach Pfingsten 1941, in die Lehrerbildungsanstalt eintrat, dachte ich in meiner Kindlichkeit nicht
daran, wieviel Witz nötig sein würde, die Fährnisse der nächsten Jahre zu überstehen.

Es war Pfingstdienstag, Vater brachte mich nach Idstein ins
Schloß, dort standen die Klassen schon angetreten auf dem
Schloßhof, Jungen aus Hessen, Jungen aus Nassau. Wir ka-
men durchs Tor angerückt, mit Koffern in der Hand, einige in
Zivil, andere in Uniform, 32 Vierzehnjährige aus dem Saargebiet. Als wir in Linie zu drei Gliedern antraten und es hieß:
»Richt' euch!« und wir das eingeübte Trippelspiel mit den
Fußspitzen zum besten gaben, nach rechts und nach links,
nach vorne und nach hinten rückten und Willibald Scherer
aus Von der Heydt mit der Hacke seines Schuhs gegen die
Kalkbütte stieß, die dort auf dem Hof stand, das Gleichge-
wicht verlor und mit voller Montur in den Kalkspeis stürzte,
schnürten sich unsere Kehlen zusammen, stockte das Blut in
den Adern.

Willibald wäre am liebsten gleich nach Hause zurückgekehrt, und so erging es auch in den ersten Wochen den Katholiken aus St. Ingbert und von der unteren Saar. Sonntags
besuchten sie die Messe, doch zur gleichen Stunde war auch

Dienst angesetzt. Heftige Zweifel quälten die Jungen, sie eilten in die Frühmesse, richteten sich auf irgendwelche Vespergottesdienste ein: es nutzte nichts, der Dienstplan machte alle gleich. Bald hatten wir vergessen, wer Protestant, wer Katholik war, ein wilder Trotz hatte die Katholiken zu noch fanatischeren Hitlerjungen werden lassen. Bei einer Kundgebung in Limburg an der Lahn grölten wir »Die Glocken stürmten vom Bernwardsturm«, und Adolf Fries, der am schwersten mit seinen Zweifeln rang, schrie am lautesten: »Der Papst sitzt in Rom auf seidenem Thron, es hocken bei uns seine Pfaffen. Was hat einer deutschen Mutter Sohn mit Papst und mit Pfaffen zu schaffen.«

Toni Pieroth, kommissarischer Schulführer, ein ernster, unnahbarer Mann mit Locken und starkem Kinn, hatte sich diese 32 Vierzehnjährigen im Auslager von Tholey herausgesucht; heute denke ich mir, er wollte uns junge Burschen als seine ganz persönlichen Zöglinge ansehen, sie mit dem nationalsozialistischen Geist erfüllen, ihnen die Härte des Kruppstahls, die Zähigkeit des Leders, die Flinkheit der Windhunde geben, aus ihnen die Lehrer der neuen Zeit heranbilden, wie er es sich vorstellte. Er war beseelt von den Idealen der Jugendbewegung, ergriffen vom Wahn des neuen Mythos: in der Uniform des politischen Leiters demonstrierte er Zucht und Ordnung, in Knickerbockern und Sportsakko verwandelte er sich in den Zupfgeigenhansl. Er saß am Klavier, intonierte das Vorspiel, rief: »Hopp!«, und wir sangen: »Weiß mir ein Blümlein blaue«, er sprang auf den Drehschemel, schlug die Stimmgabel an, rief: »Hopp!«, und wir sangen: »Drei Laub auf einer Linden.« Im zweiten Jahr brach ich mir den Arm, ich rannte in der Turnhalle gegen den Tresen; Pieroth nahm mich in die Arme, er streichelte, er liebkoste mich: es war das erste Mal, daß er Rührung zeigte, das einzige Mal, daß sein bärbeißiges Kinn rund und menschenähnlich wurde.

Es ist viel darüber gesagt worden, wie leicht es damals gewesen sein soll, erwachsen zu werden. Ich bin ein Kindskopf geblieben, viel zu lange. Die Strenge des Unterrichts, die Härte des Dienstes, diese Unerbittlichkeit der täglichen Fron löste sich in phantastisches Martyrium auf: ich genoß es. Ich verspürte ein Wohlgefallen an der Überanstrengung, durchkostete die Wollust der Erschöpfung. Als Schulführer Blome uns vor der Südfront des Schlosses über den Exerzierplatz jagte, wir im Wechsel von Hinlegen und Sprung, auf, marsch, marsch den Staub des Sandplatzes schluckten und Unteroffiziere aus dem Reservelazarett, die dabeistanden und zusahen, die Köpfe schüttelten und zu murren begannen, lachten wir, strichen uns die Haare aus den Augen und riefen: »Gelobt sei, was hart macht!«

Waren wir eine Eliteschule? Waren wir eine Kaderschule des Nationalsozialismus? Wie sollten wir es erkennen? Ein Netz hielt uns gefangen, die Maschen waren eng geflochten, die Fäden straff gespannt; wie wollten wir sie auseinanderreißen, wenn wir sie gar nicht wahrnahmen? Es kamen Ritterkreuzträger und erzählten von ihren Heldentaten, es kamen Jugendoffiziere und warben Kriegsfreiwillige; wir meldeten uns alle. Wer schon Haare an den Beinen, einen Flaum auf der Oberlippe und die richtige Körpergröße hatte, meldete sich zur Waffen-SS, wir Kleinen waren als Panzergrenadiere vorgesehen. Aus dem Munde der Ritterkreuzträger hörten wir die Wörter Mut, Risiko, Disziplin, aus dem Munde der Jugendoffiziere die Wörter Ehre, Treue, Vaterland. Ja, es wäre wohl nötig gewesen, die Fäden auseinanderzureißen, doch der Mythos blies uns seinen Schaum ins Gesicht, wir waren berauscht, wir waren blind. Das Nazipathos blähte meine Backen, ich krähte die Parolen lauthals in alle Winde.

Einmal fuhren wir nach Wiesbaden, im Großen Haus traten wir als Rezitatoren auf: irgendeine Parteifeier hatte Hunderte von Menschen zum Staatsappell befohlen. Wir sagten Gedichte von Heinrich Anacker auf, lasen Texte von Kolbenheyer vor, zelebrierten Dialoge von Hanns Johst. Ein Streichorchester spielte das Largo von Händel, Professor Utz trak-

tierte die Orgel, Kurt Groth und Fritzchen Meiser bliesen
sinfonische Fanfarenrufe. Wir glaubten an die Macht der
Worte, wie sie aus unseren Hälsen, wir glaubten an die Macht
der Töne, wie sie aus den Trichtern der Fanfaren drangen. O
diese unverbildete Naturtrompete, ihr vertrauten Kurt Groth
und Fritzchen Meiser die innigsten Gefühle an, sie stiegen in
den Keller hinab, verkrochen sich im Schloßgarten, wanderten hinaus über die Felder und bliesen: sie bliesen den Frankfurter Marsch und den Darmstädter Ruf, bliesen sie nicht
auch das Signal aus *Aida*? Wenn wir, eingeschworen auf die
Parteilinie, vor feierlicher Fahnenkulisse standen und das
Lied »Nur der Freiheit gehört unser Leben« sangen, setzten
Kurt und Fritzchen beim Refrain ihre Fanfaren an, und bei
den Worten »Freiheit ist das Feuer« erschallte eine polyphone
Stimme, umspielte die Melodie des Liedes und verklang in
den Lüften über dem Hexenturm. Die Quinten und die
Quarten, das war Max Bischofs Musik, er hatte Lieder komponiert, die wir im Chor sangen, bei ihm lernten wir zwar,
was Quintenzirkel und Quartsextakkord sind, doch nichts
ging ihm über das Singen in Feierstunden, wir sangen: »Soldaten ist der Tod kein Schreck, ihr Sterben ist ein leichts. Sie
haben auch kein schwer Gepäck, doch für den Hügel reichts.
Und so wolln wir denn marschieren, wohin der Tod uns
ruft«, und schämten uns kein bißchen. Wir hielten uns an den
Händen, schlugen die Augen auf und plärrten, doch abends
dann im Arbeitsraum sangen wir »Die kleine Stadt will schlafen gehn« und glaubten, »Heimat, deine Sterne« würde einst
ein Volkslied werden. So jemand wie wir sollte imstande gewesen sein, das Netz auseinanderzureißen, in das wir verflochten waren?

Pieroth erhielt seinen Gestellungsbefehl, er rückte ein, er
fiel in Griechenland. Schulführer Blome, der auf Urlaub war,
rief uns in den Rittersaal, wir sangen den Kanon »Jede Kugel,
ja, die trifft nicht«, doch Pieroth hatte eine Kugel getroffen, er
hatte sein kleines Gepäck nicht über den Hügel gebracht,
nicht den Lorbeer gepflückt, nicht den Kelch des Siegers ge-

leert. Ob ihm das Sterben ein leichtes war? Abends saßen wir beim Bucheckerpulen in Blomes Wohnzimmer, Frau Blome, mit Haarknödel und Kletterweste, schritt an den hohen Fenstern entlang, den Kopf erhoben, die Knie durchgedrückt, wir sangen »Kein schöner Land in dieser Zeit«, und Karl Blome erzählte vom Feldzug in Rußland. Seine Berichte waren von Mal zu Mal pessimistischer geworden, hatte er ein halbes Jahr zuvor noch den besten Feldherrn aller Zeiten gepriesen, unseren Führer, der das Heer vor dem Zusammenbruch vor Moskau gerettet habe, sprach er nun vom Verzweiflungskampf in Rußlands Steppen, die Winterrunde gehe an den Russen, sagte er, doch die Sommerrunde gehe an uns Deutsche, und es werde sicher ein Sommer sein, in dem die Fahnen flattern und die Siegesfanfaren schmettern würden. Der Russe, sagte er, sei ein tapferer Soldat, doch unsere Landser seien ihm überlegen kraft ihres Glaubens an Deutschland. Immer noch lag Blome auf der Schirach-Linie, mochte nicht auf die Himmler-Linie einschwenken.

Für uns Sechzehnjährige stand die Tür einen Spaltbreit offen, wir schauten hindurch und sahen dahinter die toten Leiber auf der Schwelle liegen: Deutsche und Russen, von Granaten zerfetzt, von Panzern zermalmt, da lagen Väter und Brüder, Burschen aus der Nachbarschaft, Kameraden aus dem Dorf; da lag auch Toni Pieroth, der uns in eine prächtigere Zukunft führen wollte, sein Gebein bleichte auf dem Peloponnes. Nicht zu gerechtem Siege war ihm der Stahl gereicht worden, wie Hölderlin es gerne gesehen hätte, es glühte ihm nicht mehr die goldgelockte Schläfe. Es zerfiel der Same, die Saat ging nicht auf. Es verfiel das Haus, die Türen gingen aus den Angeln. Fortan ließen wir einen Fuß im Spalt. Es waren die Totenfeiern, die unseren Argwohn weckten. Argwohn, Zweifel, Bedenken: das ist für meine Person sicher zuviel gesagt. Ein Hauch von Mißtrauen flog mich an, irgendein feiner Instinkt weckte die spielerischen Kräfte, diesem Gehabe mit Witz zu begegnen. Die Feierstunden waren Clownerien: sonntags, bei den Auftritten vor den Kriegerdenkmälern auf dem Lande, stand ich, als Kleinster, im dritten Glied versteckt hinter den Rücken meiner Vordermänner, wieder schepperten die Fanfaren, wieder grollten die Trommeln, wieder sprangen die schalen Metaphern von meinen Lippen, daß den Angehörigen der Gefallenen die Schauer des Entsetzens über den Rücken liefen. Nun spürte ich, daß ich nicht beseelt war: alles war Auftritt, alles war Schau, alles war Spiel; nichts rührte mich. Ja, mich reizte die Rolle des Eulenspiegel, die Parolen wörtlich zu nehmen, einmal beugte ich mich als einziger tief zur Erde nieder, als der Parteiredner sagte: »Wir verneigen uns vor unseren Toten.« Im nächsten Zeugnis hieß es: »Manchmal müßte er sich mehr zusammenreißen«, und: »Er muß ernster sein.« Es war kein Aufruhr, kein Widerstand, es war nichts als das Schnippchen, das der Schalksnarr dem Herrschenden schlägt, und der Herrschende ist nicht gerade ein Schlächter, der den Narren einen Kopf kürzer macht.

Natürlich hatten wir Unterricht. Die Lehrer waren entweder Uniformierte oder Zivilisten, und so war auch der Unterricht. Die Herren in Zivil trugen die Fliege unterm Kinn oder den offenen Schillerkragen, sie schoben entweder die eine Schulter vor oder hüpften in Sprüngen über das Pflaster, schon an ihrer Gangart waren sie als Zivilisten zu erkennen. Herrn Graben, unserem ersten Klassenlehrer, paßten weder die Breecheshosen noch die Gamaschen, und die Hakenkreuzbinde saß ihm so stramm am Arm, daß das Braunhemd Falten schlug. Hatte er aber sein Leinenjöppchen an, sah er wie jeder andere aus; er ging durch die Tischreihen und guckte uns beim Schreiben zu, er diktierte balkanesische Texte, »Die Türken von Belgrad« und »Rosenfelder bei Kasanlük«; irgendein bulgarisches oder albanisches Weltgefühl bewegte sein biederes Herz, und ich selbst schweifte ab in geheimnisvolle Leseabenteuer mit Karl May. Toni Hunsicker, ein Mitschüler aus unserem Nachbardorf, schrieb ein Drama, es hieß »Blutrache« und spielte in Albanien. Ein Groschenheft hatte ihm den Stoff geliefert, doch Toni ging weit über die Vorlage hinaus, der Rächer seines Dramas griff auf Sippenangehörige über, die die Groschengeschichte gar nicht kannte.

Otto Zülicke führte uns den Blutkreislauf an der Tafel vor, wir sahen die Schleifen, die das rote Blut vom Herzen aus durch die Arterien und das blaue zum Herzen hin durch die Venen schlug; er saß auch mit uns auf dem Felsen über der Reitbahn und las uns eine Geschichte vor, sie hieß »Der dümmste Sibiriak« und gehörte nicht zum Kanon der Schullektüre. Walter Henkel demonstrierte uns den Benzolring; wir sahen die sechs Kohlenstoffatome, wie sie im Kreis angeordnet sind und jedes ein Wasserstoffatom an der Hand hält; er saß auch mit Kurt Raabe, dem Freigeist und Einzelgänger, auf der Bank neben dem Rittersaal in leise Gespräche vertieft. Bei Kurt Kampf lernten wir den Konjunktiv. »Was hülf's dem Menschen, so er die ganze Welt gewönne und nähme doch Schaden an seiner Seele«, sagte er, hochpathetisch, zwinkerte aber mit seinen listigen Augen und gestikulierte mit seinen schmalen Fingern so vielbedeutend, daß es keinen Grund für uns gab, an diesen Worten zu zweifeln. Einmal, beim Fahnenappell, sprang er auf die Burgmauer, und vor den Augen aller Jungmannen stolzierte er im Storchenschritt die ganze Mauer entlang, die Hand vor das Auge gestellt, als müsse er sie schützen vor einer grellen Sonne, die vom Rosenhügel herab alle Köpfe versenge. Als der auf dem Gran Sasso gefangengesetzte Mussolini von deutschen Fallschirmtruppen im Fieseler Storch befreit wurde, spielte Kampf eine Pantomime. Er kam zu uns in den Arbeitsraum, warf sich rücklings auf einen Tisch, die Hände aneinandergepreßt, als seien sie gefesselt, und unter Ächzen und Stöhnen wand er den Körper zur Seite, strampelte mit den Beinen in der Luft, hob sein mächtiges Haupt empor und mimte dankbare Blicke. Da lag ein Lehrer vor unseren Augen auf Linealen und Winkelmessern, als liege er zwischen verrottetem Kriegsgerät, Kurt Kampf, ein kluger, aufrechter Mann, den wir verehrten, und nun ahnten wir, daß etwas nicht stimmen konnte mit dem allmächtigen Reich. Daran änderten auch die Uniformierten nichts mehr, die nur vom Siegen sprachen.

Sie rissen die Klassentüre auf, schnellten die Rechte zum Hitlergruß empor, schmissen ihre Bücher auf das Rednerpult, daß es nur so knallte. Sie setzten uns die Kausalität von Blut und Boden auseinander und spekulierten über neue, sagenumwobene Waffen: ihre Theorien knarrten wie ihr Stiefel- und Koppelleder. Dr. Gilbert, Physiker, trug anfangs eine NSKK-Uniform, an seinem Koppel baumelte ein Dolch. Dieser Dolch und die beiden Troddel, die an der Scheide befestigt waren, gaben Gilbert ein wunderliches, ja ein skurriles Aussehen: da stand er im Physiksaal, mit diesem exotischen Dolch an der Seite, machte uns mit seiner neuesten Entdeckung bekannt, daß nämlich der Körperform der Tiere eine mathematische Formel zugrunde liege, der Eidechse irgendein XY, dem Goldfasan ein YZ. Er fuchtelte mit den Armen, schwang die Kreide, und immerzu schaukelte der Dolch an seiner Hüfte, silberglänzend und griffbereit. Wenn Gilbert das Koppel ausgezogen und an eine Stuhllehne gehängt hatte, mußte man befürchten, er komme nicht rechtzeitig heran, die Waffe zu zücken, wenn plötzlich die Tür aufgehen und jemand hereinstürzen und ihm nach dem Leben trachten würde. Gilbert glaubte wohl, was er spielte, im Unterschied zu uns Grünschnäbeln, die sein tolldreistes Auftreten als Affentheater ansahen. Er war eine Witzfigur, er hatte sich verrannt in seine fixen Ideen, irrte herum in seiner physikalischen Besessenheit. Als er Walter Henn, den Klassenbesten, zur Ausbildung als Funker abkommandieren wollte, sagte dieser: »Ich habe absolut kein funkerisches Interesse.« Heute ist Walter Henn ein Vorstandsmitglied der Vereinigten Saar-Elektrizitätsgesellschaft.

Und Herr Krempel, der nationalsozialistische Pantheist vom Hunsrück! Beim Frühsport, in Sonne und Regen, bei Nebel und Schnee, liefen wir hinter ihm her wie die Küken hinter der Glucke, das sei der rechte Gottesdienst, sagte er, wir niesten und schnauften, nie wollte die rechte Andacht aufkommen, auch nicht im Unterricht, wenn Herr Krempel vor der Klasse stand und die deutsche Allmacht pries. Er sagte: »Zuerst kommen wir, und dann kommt lang, lang nix, dann kommen wir noch mal, und dann kommt wieder nix, und dann kommen erst die andern.« Doch er sagte es eher wie ein dümmlicher Altgescheit, und wenn er nicht jedesmal, sobald er den Mund wieder schloß, eine so abrupte Kehrtwendung gemacht hätte und so schneidig, daß ihm die Gamaschen um die Waden schlotterten, wir hätten es ihm womöglich geglaubt.

Alle hatten Spitznamen, außer Pieroth und Dr. Kampf, jene gegnerischen Großmimen, die das Lehrgebäude auf doppelten Boden gestellt hatten. Gilbert hieß erst Galvani, dann Leo, Krempel erst Cato, dann Opa, es gab den Quax und den Stur, es gab Bully und Gisli, Piet Strong und Okko ten Brooke, und jeder Name sagte mehr aus, als es eine seitenlange Charakterbeschreibung hätte tun können. Schulführer Blome, der meist im Felde weilte, hieß Karlchen, und ich hieß Fipps, konnte eine Grimasse schneiden wie Fipps der Affe von Wilhelm Busch und war auch sonst ein Ebenbild desselben, kein Tugendbold, kein Musterschüler. »Was ihm dagegen Wert verleiht, ist Rührig- und Betriebsamkeit«, heißt es bei Busch, und es kam eine Zeit, da drehte und wendete ich die Dinge tatsächlich nach meinen Launen. Das fing schon mit dem Beginn des Unterrichts an; ich führte das Klassenbuch, trug Versäumnisse und Verweise ein, gab mir dabei aber immer den Anschein, als hinderten widrige Umstände eine rasche Abwicklung, einmal war keine Tinte im Füllfederhalter, ein andermal flog das Fenster auf, und ein Windstoß wühlte in den Blättern. Stur, unser zweiter Klassenlehrer, dem es recht war, ließ mich gewähren, er setzte sich in die Ecke, gähnte und las den *Völkischen Beobachter*, doch wenn ich alle Hindernisse beseitigt und meine Eintragungen erledigt hatte, war die Stunde schon fast um, und Stur, dessen Augen längst übereinandergegangen waren, erwachte plötzlich aus dem Frühschlaf und sagte: »Es rentiert sich wohl nicht mehr, daß wir jetzt noch beginnen«, klemmte die Zeitung unter den Arm und verließ das Klassenzimmer.

Ich müsse ernster werden, müsse mich zusammenreißen, ließ er mich ins Klassenbuch und dann in mein Zeugnis schreiben: wohin waren wir gekommen? Sollte ich nicht vielmehr die Fäden auseinanderreißen, die um mich herum gesponnen waren, sollten wir nicht alle die Fäden zerreißen, das Netz zerfetzen! Zusammenreißen, auseinanderreißen, wir lernten allmählich, wir lernten von denen, die uns gewähren ließen. »Alle erziehen alle immer und überall«, hieß das Erziehungsziel eines Ernst Krieck, dessen Pädagogik damals galt; wir wandten sie auf unsere Weise an, inszenierten Zirkusnummern, vollführten Artistenstücke. An den bunten Abenden parodierten wir Cato und Galvani, spielten Scharaden auf Goebbels und Göring, sangen Potpourris der zwanziger Jahre; ich kratzte mit dem Jazzbesen auf der Landsknechtstrommel, trat mit dem Fuß den schrägen Takt. Kurt Groth, mein Freund, persiflierte das Kultlied »In den Ostwind hebt die Fahnen« und deklamierte: »Hebt die Fahnen in den Ostenwind, daß dort auch noch ein paar Fahnen sind« und zeigte mit dem Finger nach der Saalwand, wo das Führerbild über dem Stuhl von Galvani hing. Immer kamen wir von der Gestalt zum Gehalt, von der Form zur Sache, wir versuchten Zugänge in Bezirke zu finden, die fernab im Privaten lagen. Wir löckten wider den Stachel, das war kein ideologischer Protest; wir hatten die Idee auszubrechen, wir empfanden Gelüste, uns aufzumachen in diese Bezirke, in denen es auch Ungehöriges, Geschmähtes, Verbotenes gab.

Es waren keine Verschwörungen, keine Heldentaten, es waren einfach nur kleine Widersätzlichkeiten; damals erschienen sie mir verrucht und abenteuerlich. Was taten wir? Wir gingen grüppchenweise in den »Felsenkeller« und tranken Apfelwein; wir fuhren mit dem Rad nach Budenheim und klauten Sauerkirschen; wir zogen unsere Koppel aus, um zivil auszusehen, als wir mit der Fußballmannschaft von Camberg zurückkehrten. Andererseits waren wir geradezu versessen auf schöne Uniform. Wir trugen Litzen und Sterne, Schnüre und Schwalbennester, Sportabzeichen, Schießabzeichen, Skiabzeichen; nicht das Funken hat uns interessiert, sondern der Blitz am Ärmel. Alles war Spiel, alles war Theater, ein bunter Zirkus mit Tressen und Affenschaukel. Als wir, gegen alle Vorschrift und Erlaubnis, in einer Fahnenstickerei Achselklappen mit der Aufschrift LBA bestellten und beim abendlichen Fahnenappell dastanden, operettenhaft aufgeputzt, rasselte Galvani mit seinem Dolch und rief: »Wenn morgen früh die Achselklappen nicht weg sind, reiß' ich sie eigenhändig ab!« Die Achselklappen blieben dran, wir probierten aus, wie weit wir gehen konnten. Toni Hunsicker fuhr mit einem Koffer voll Zivilsachen nach Wiesbaden, kleidete sich in der Bahnhofstoilette um und ging mit Hut und Krawatte spazieren; Karlheinz Dietzen schüttelte beim Zapfenstreich das Horn so kräftig hin und her, daß ein jämmerliches Gewimmer über die Dächer der Stadt zog; bei einer Heimfahrt nach Saarbrücken kehrten wir im Café Kiefer ein, tranken ein Danziger Goldwasser und redeten laut und unverschämt. Ein Herr, der in der Ecke saß, sagte zu dem Kellner: »Und das wollen nun Hitlerjungen sein.«

Was war aus Pieroths Ethos geworden, wohin waren die Leitbilder gekommen? Wir hießen Jungmannen und sollten so sein, wie Pieroth sich Jungmannen gedacht hatte: gläubige junge Nazis, eingeschworen auf Führer, Volk und Vaterland, doch mehr und mehr löste sich das Ethos auf, schwanden die Werte dahin. Mit Pieroths Knochen faulte der Glaube an Deutschland, mit uns war kein Staat mehr zu machen. Und dennoch hielten wir auf eine dumpfe Weise an den Resten dieser Ideale fest. Dichter reisten an, Karl Bröger und Hermann Claudius, Anton Dörfler und Siegfried von Vegesack; sie lasen aus ihren Büchern vor. Anton Dörflers Geschichte erzählte von einem verwunschenen Garten, aus dem ein Ruf erscholl, der wie sanft wellender Atem durch ein Wäldchen aus sibirischen Tannen drang; Siegfried von Vegesack sprach vom Kampf um Verdun und von der Schmach von Versailles, doch er konnte das Wort Versailles nicht französisch aussprechen, immer sagte er »Versaasche«, und die Schülerclique von der Saar brach in Gelächter aus.

Ich las den *Zarathustra* und die *Undine*, trug Verse und Sinnsprüche in eine Kladde mit schwarzem Glanzdeckel ein und begann selbst zu schreiben: zwei chinesische Erzählungen und eine Ethik des Schwimmens. Einmal bekam ich ein Buch in die Hand, blaugrau der Schutzumschlag, weiß der Titel, darin erzählte ein Schriftsteller von einem Oberförster, der in seinen Villen gigantische Feste gab, mit einer fürchterlichen Jovialität dreinschaute, doch ein Würger und Bluthund war und gräßliche Ernte hielt in den Wäldern der Mauretania, »in denen Tod und Wollust tief verflochten sind«, wie es wörtlich heißt. Es war Ernst Jüngers Roman *Auf den Marmorklippen*; doch der Oberförster war Oberförster und nicht ein verkappter Hitler, Bruder Otho war Bruder Otho und kein Widerstandskämpfer. Ich erkannte den Oberförster nicht, und auch zur Enttarnung der zeitentrückten beiden Freunde, die sich in Geheimnissen des Tier- und Pflanzenlebens verlieren, fehlte mir der Schlüssel, und er fehlt mir heute noch. Leichter versetzte ich mich in eine Theaterrolle; wir spielten Laiendramen, in Wikinger- und Geusenstücken glänzte ich als Verräter, bei einer Freilichtveranstaltung auf der Loreley mimte ich den Teufel in *Ritter, Tod und Teufel*. In einer Leseaufführung von *Minna von Barnhelm* trat ich als spielsüchtiger Franzose Riccaut auf und hätte, wäre er dabeigewesen, Siegfried von Vegesack vorgesprochen, wie man den französischen Akzent setzt.

Während die Schöngeister Romane lasen, Gedichte schrieben, Theater spielten, operierten die naturwissenschaftlichen Köpfe mit handfesteren Mitteln. Die Radiobastler bauten Detektoren; sie werkelten mit Drosselspulen und Kondensatoren, setzten Widerstände und Antennen, und in fisseliger Kleinarbeit entbanden sie aus der strahlenden elektrischen Energie ein paar Laute menschlicher Sprache, die auf geheimnisvollen Wellen hereinschwangen, doch das genügte schon.

Eines Abends trugen die Wellen ganz absonderliche Wörter in unseren Schlafraum: Eduard Augustin, Toni Rupp und Hermann Sinwell hatten sie ihrem Detektor entlockt. Waren es die Abendnachrichten der BBC? Deutlicher klang das Klopfzeichen der Fünften von Beethoven aus dem alten Volksempfänger im Rittersaal, als Karlheinz Seitz und Heini Eckhardt in der Langeweile eines Nachmittags an den Knöpfen drehten. Es gab Zeugen, der Streich wurde verraten, ein Gerichtstag fand statt. Galvani trieb die Lehrer und Schüler im Physiksaal zusammen, alles war in Uniform. Einige Lehrer trugen zum erstenmal ein Braunhemd, eine Parteijacke, Stiefel an den Beinen: sie schienen für Statisten aus dem Operettenfundus ausgeliehen. Galvani trat auf, der Dolch an seiner Seite schwankte bedrohlich, wenn er nur etwas größer gewesen wäre! Galvani funkelte mit seinen Brillengläsern, blitzte mit seinen Goldzähnen, aus seinem Munde brach ein Sturzbach von großen Worten hervor. »Volksverräter!« plärrte er, »die Nation muß vor solcherlei Leuten geschützt werden!«, und Karlheinz Seitz und Heini Eckhardt saßen unter der Schalttafel wie Todesdelinquenten auf dem elektrischen Stuhl. Galvani triumphierte, es war seine Sternstunde, sein größter Auftritt, ein Theatercoup. Wenn nur der Dolch etwas größer gewesen wäre, dann hätte er als Damoklesschwert über unseren Köpfen schweben können.

Frankfurt fiel in Schutt und Asche. Auf Lastkraftwagen fuhren wir in halber Nacht aus Idstein hinaus und auf die Autobahn, rochen vor Hoechst schon den Trümmerdunst, gerieten hinter Rödelheim in den beizenden Rauch der Stadt. Es war ein klägliches Unterfangen, ein vergebliches Stochern im Schutt, dieses Räumen in Trümmern, in denen nichts heil geblieben war als nutzloser Plunder, eitler Kram. Mit den Füßen traten wir stehengebliebene Mauerstücke um, mit Betonbrocken schlugen wir auf stählerne Geldschränke ein, plünderten in halbverkohlten Bibliotheken, stahlen Briefe und Bücher. Nachmittags saßen wir in Vorstadtkinos und amüsierten uns in jugendverbotenen Filmen. Wir hätten uns nicht gescheut, das Kriegsverdienstkreuz anzunehmen und zu den Sportabzeichen an die Brust zu heften, damit die Uniform noch bunter, das Lametta noch prächtiger war. An einer Ecke sahen wir einen Juden stehen, es war ein alter Mann, mit Bart und Brille, er trug ein schwarzes Käppchen auf dem Kopf und an die Steppjacke aufgenäht den gelben Stern. Ich sah ihn an und wußte nicht, was ich denken sollte. Einer sagte zu Kurt Groth: »Du kannst hingehen und ihn anspucken, niemand wird dich daran hindern.« Kurt rührte sich nicht vom Fleck. Er schaute mich an, das Spiel setzte aus, für diesen einen Augenblick.

In meiner Bluse trug ich Ibsens *Gespenster*, ein Reclam-Bändchen, das ich aus einer angesengten Bücherkiste gestohlen hatte. Es ist ein Theaterstück, in dem ein junger Mann seiner Mutter gegenübersteht und zu ihr sagt: »Die Krankheit, welche ich als Erbteil bekommen habe, die sitzt hier«, zeigt auf seine Stirn und sagt, es brauche ja wohl nicht gleich tödlich zu enden, habe der Arzt gemeint, der es eine Art Weichheit im Hirn genannt habe. Die Bezeichnung klinge so hübsch, immer müsse er an kirschrote Draperien denken, an etwas, das zart und weich zu streicheln sei. Ich dachte nicht an Draperien, an Samt und Seide, ich dachte an kahle Zellen im Kalmenhof in Idstein, der Nervenklinik, wo wir die Kranken gesehen hatten, die in gestreiften Leinenanzügen über die Gänge schlurften. Der Leiter der Klinik war ein Goldfasan; seine Kragenspiegel schillerten in der Sonne, er hatte einen Gehfehler. Als wir zwischen der Bahnlinie und der Autobahn nach Brandplättchen suchten, die von amerikanischen Bombern abgeworfen worden waren, beobachteten wir ihn, wie er oberhalb der Wirtschaftsgebäude auf der Rampe stand, auf ein Bein gestützt wie Nosferatu: immer neue Transporte kamen an, doch das Haus wurde nicht voll. Am Rathaus lasen wir die amtlichen Mitteilungsblätter für Sterbefälle: die Liste der Toten aus dem Kalmenhof war immer seitenlang. Unter uns ging die Rede von gnädiger Einschläferung minderwertigen Lebens, wir sagten: »Aus denen ist Schwimmseife gemacht worden.«

Mein erster Schulweg, daheim in Sulzbach, führte am Schlachthaus, am Knappschaftslazarett, am Totenhäuschen vorbei; mein Idsteiner Schulweg endete in den Panzergräben am Westwall. Im Herbst 1944, als die älteren Schüler unserer Klasse zur Wehrmacht einrückten, zogen wir jüngeren zum Schanzen vor den Orscholzer Riegel. Noch einige letzte Male ließ uns Galvani großtun: wir bewaffneten uns mit Kleinkalibergewehren, besetzten die Schießscharten, simulierten die Verteidigung des Idsteiner Schlosses; wir statteten uns mit Knüppeln aus, rückten in den Tiergarten vor, fahndeten nach den entflohenen Gefangenen des Russenlagers; wir sangen ein letztes Mal »Auf hebt uns're Fahnen«, ließen die Fahne am Mast herunter, verstauten sie in einem Pappkarton. In Besseringen an der Saar bauten wir Panzerfallen, hoben Schützengräben aus, flochten Faschinen; amerikanische Jagdbomber flogen unsere Stellungen an und bestrichen sie mit Maschinengewehrsalven, hin und wieder fiel eine Bombe, explodierte eine Luftmine, platzten die Scheiben aus den Fensterrahmen unserer Unterkunft. Wir beobachteten die anfliegenden Maschinen, sprangen in die vertikalen, in die horizontalen Grabenstrecken, je nach Anflugwinkel des Jagdbombers. Es war ein Abenteuer, es war Sport, es war Spiel geblieben.

Abends, in der Jugendherberge von Draisbach, saßen wir am Boden, rings um die Wände des schon ausgeräumten Gemeinschaftsraums, gebläht von Erbsensuppe, gebläht von Heldentaten, gebläht von törichten Ideen eines Endsiegs. Stammführer Häusser, der Zaunkönig, unser Zeichenlehrer, rezitierte den *Cornet* von Rilke. »Mutter, ich trage die Fahne!« rief er, die Fahne war eine bewußtlose Frau, dann kam sie zu sich, auch sie blähte sich, sie blähte sich königlich auf, fing an zu schreien, fing an zu brennen und verlosch dann plötzlich. Häusser, der sonst vom Malen gesprochen hatte, »malt, malt, malt«, sagte er zu uns, »laßt Luft in die Farbe, laßt Licht in die Farbe, laßt die Farbe laufen, gebt euch keinen Zwang«, und wir empfanden es als Freiheit, als lustvolle

Selbstbestimmung, zu sehen, was am Ende dabei herauskam: nun sprach er von der Fahne, auch sie fing ja zu scheinen an, wurde groß und rot, doch tief drinnen in meinem Kopf weichte sie sich in eine kirschfarbene Draperie auf.

Im Dezember rückte ich mit den Jüngeren meines Jahrgangs in den Reichsarbeitsdienst ein, Ende Januar 1945 wurden wir entlassen. Wir gaben falsche Adressen an, reisten ins Innere des Reichs, kein Gestellungsbefehl erreichte uns mehr. Die Ratten, von denen schon Tiervater Brehm gesagt hatte, Verstand könne man ihnen wahrlich nicht absprechen und noch viel weniger berechnende List und eine gewisse Schlauheit, mit der sie sich den Gefahren der verschiedensten Art zu entziehen wüßten, verließen das sinkende Schiff. Auch der Steuermann, von dem Opa so stolz gesprochen hatte, ließ das Ruder fahren. Soldaten sind wir keine mehr geworden, Hitlerjungen waren wir bis zuletzt, trugen keck die Hakenkreuzbinde, strunzten mit den Fahrtenmessern, prahlten mit den falschen Achselstücken. Ich hatte mich nicht zusammen- und das fadenscheinige Netz auseinandergerissen, erst als die gigantische Armee Pattons an mir vorbeirollte, stürzte der Spielzeugladen ein. Ich stand mit dem Gesicht gegen eine Klostermauer im Pfaffenwinkel, kein Schuß fiel. Ich hielt die Arme ausgestreckt gegen die Mauer gepreßt. Ich tat alles, um am Leben zu bleiben.

II

Das Land, wo die Zitronen blühn

Ich war sechzehn. Nach den Sommerferien, im Oktober 1943, lasen wir in der Schule den *Taugenichts* von Eichendorff. Mein erster Blick auf das Titelblatt des Reclam-Heftchens verzauberte mich. Eine Kutsche fährt vorbei. Eben hat sie einen Wacholderbusch passiert, der Weg ist schmal und mit Schotter bedeckt, die Pferde streben einem fernen Horizont entgegen. Der Taugenichts streckt sich auf dem Rücksitz im Sonnenlicht, hält seine Geige im Arm, schaut nach Wiesen und Büschen, die bunt vorüberfliegen. Ich sehe die Kutsche schräg von hinten, die Pferde haben den Scheitelpunkt einer sanften Erhebung erreicht, hurtig eilt der Reisewagen davon. Was für ein Glück, daß es eine Zeichnung ist und kein Film; auf dem Bild bleibt das unaufhörliche Fahren, ein immerwährendes Reisen, ein ewiges Unterwegssein.

Lehrer Zülicke spazierte vor der Klasse auf und ab, rollte die Augen, schnalzte mit der Zunge und schwenkte das Büchlein hoch über unseren Köpfen, als schwinge er die Peitsche des Kutschers durch die Luft. »So zog ich zwischen den grünen Bergen und an lustigen Städten und Dörfern vorbei gen Italien hinunter«, rezitierte er, ahmte mit weit vorgeschobener Unterlippe eine Figur der Erzählung nach und pries mit den Worten des Dichters das Land, wo einem die Rosinen ins Maul wüchsen, wenn man sich nur entspannt auf den Rücken lege und in die Sonne blinzele. »Und wenn einen die

Tarantel beißt«, rief er aus, »so tanzt man mit ungemeiner Gelenkigkeit, wenn man auch sonst nicht tanzen gelernt hat.« Der Lehrer konnte, wenn er Schüler für Schüler weiterlesen ließ, die Stellen kaum abwarten, bei denen der Dichter etwas nach seinem Geschmack außerordentlich Schönes und Zutreffendes erzählt. Dann fiel er dem Vorlesenden ins Wort und las im Überschwang seiner Gefühle weiter: »Da bist du nun endlich in dem Lande, woher immer die kuriosen Leute zu unserm Herrn Pfarrer kamen mit Mausefallen und Barometern und Bildern. Was der Mensch doch nicht alles erfährt, wenn er sich einmal hinterm Ofen hervormacht.«

Ich war begeistert, ich war beglückt. Joseph von Eichendorff, der schlesische Dichter, führte uns an der Seite des Taugenichts über die Alpen nach Italien hinab. Der Dichter läßt den Postillion ins Horn stoßen, ich höre, wie es tönt; er läßt die Winzer in den Weinbergen singen, ich höre, wie es schallt; er läßt Herrn Guido die Zither schlagen, ich höre, wie sie klingt. An den Nachmittagen spazierte ich mit meinem Freund über die Wiesen, im Gehen lasen wir uns gegenseitig vor, wir blähten uns auf wie waschechte Italienfahrer, wähnten uns auf den Römerstraßen der Lombardei, in den Baumgärten der Toskana, unter dem blauen Himmel Umbriens; die Äpfel an den Chausseebäumen wurden uns zu Pomeranzen, und bei der Rückkehr am Abend lag das Schloß, das unser Wohnheim war, wie das Schloß der schönen Gräfin im blassen Mondschein. Auch unsere künstlichen Figuren von Buchsbaum waren nicht beschnitten und streckten wie Gespenster lange Nasen in die Luft, auch unsere Wasserkunst war ausgetrocknet, auch unsere Statuen waren zerbrochen, auch unser Garten war mit wildem Unkraut überwachsen. Mitten in Deutschland lebten wir in der italienischen Welt des Taugenichts. In Idstein im Taunus hatte ich so ein gewisses feuriges Auge bekommen wie der Taugenichts in Rom, sonst aber war ich noch gerade so ein Milchbart, wie ich zu Hause gewesen bin, nur auf der Oberlippe zeigten sich ein paar Flaumfedern – und ich wünschte, daß mir nicht eher ein Bart wüchse, als bis auch dem Taugenichts einer gesprossen wäre!

Italien sei das Traumland der Deutschen, erzählte unser Lehrer, nicht nur den Taugenichts habe es dorthin verschlagen. »Kennst du das Land, wo die Zitronen blühn?« frage das Mädchen Mignon in einem Gedicht von Goethe, und sogleich breche die Sehnsucht aus ihr hervor: »Dahin möcht ich mit dir, o mein Geliebter, ziehn.« Goethe und zahlreiche Künstler seien dem verlockenden Ruf aus dem Land der Zitronen gefolgt; des Lichtes, der Wärme, des leichteren Lebens wegen, erklärte der Lehrer; doch lange vor ihnen habe das Fernweh deutsche Könige und Ritter nach Italien getrieben, wo sie alle ihr Glück machen wollten. »Es ist seit alters eine Sehnsucht der Deutschen, über die Alpen zu ziehen«, sinnierte er und fuhr sich gedankenverloren über Augen und Stirn.

Nachts, wenn aus der Stille des Städtchens ein heiseres Hundegebell, aus der Tiefe des Tiergartens ein scharfer Käuzchenruf durch unser Schlafzimmerfenster hereindrangen und ich nicht einschlafen konnte, hörte ich aus dem Zimmer unseres Lehrers ein melodisches Gemurmel, so als läse er heimlich im *Taugenichts* weiter. »Laßt uns in unserer Lektüre fortfahren«, sagte er anderentags; »wer weiß, wie lange wir uns noch in Ruhe mit unserer Italiensehnsucht beschäftigen können.«

Es war Krieg. Am 9. September waren die Alliierten bei Salerno gelandet, hatten am 1. Oktober Neapel eingenommen, am 5. den Volturno überschritten und befanden sich auf dem Weg nach Monte Cassino. Mein Onkel Kurt, der zu Weihnachten ein paar Tage Urlaub bekommen hatte, erzählte uns, wie die Amerikaner aus ihren Landungsbooten auf den Strand gesetzt wurden. »Wir lagen den ganzen Sommer über in einem Dorf bei Paestum in der Nähe des Poseidontempels«, schwärmte er. »Dort lebten wir wie die Maden im Speck. Tagsüber drückten wir uns im Schatten herum, abends kehrten wir ins Wirtshaus ein, aßen wir die Fürsten, tranken mit den Dorfleuten Wein vom Vesuv und wurden fett wie die Ottern und faul wie die zahnlosen Hunde hinterm Ofen.« Corrado habe ihn der Lehrer des Ortes genannt, das sei der italienische Name für Kurt, was von Konrad herstamme, und Konrad hätten die deutschen Kaiser geheißen, die nach Italien gekommen seien.

Onkel Kurts Italienliebe war am Ende arg ramponiert. »Als die Amerikaner an Land gingen, war der ganze Strand in ein gleißendes Licht unserer Scheinwerfer getaucht«, erinnerte er sich; »vier Uhr nachts ist es gewesen, aus allen Rohren hat es gekracht, ich war mit meinen Kameraden gerade drei Stunden vorher aus der Wirtschaft in die Stellung zurückgekommen. Da war Schluß mit dem schönen Leben!« Ich lauschte mit heißen Ohren und schämte mich meiner Kumpanei mit dem Taugenichts, der nur »Tischlein deck dich!« zu sagen brauchte, und schon lagen Melonen und Parmesankäse vor ihm auf dem Teller.

Nach den Weihnachtsferien hatten wir nicht mehr viel zu lesen. Das römische Leben des Taugenichts neigte sich dem Ende zu, die Gitarren hatten ausgeklimpert, die Geige war verstummt. Eine verwickelte Liebesgeschichte hatte Gedanken und Gefühle des armen Taugenichts durcheinandergebracht, nun wußte er nicht mehr, was er in Italien anfangen sollte. Unser Lehrer wanderte durch die Bankreihen, das Reclam-Heftchen in der Jackentasche, räusperte sich und gestikulierte mit ausgestreckten Händen, als wäre er selbst der Taugenichts, der sein Mißgeschick mit lebhaften Gebärden erklären wolle. Plötzlich blieb er stehen, zog das Heftchen aus der Tasche, schlug es auf und las: »Da stand ich nun unter Gottes freiem Himmel wieder auf dem stillen Platze mutterseelenallein, wie ich gestern angekommen war. Die Wasserkunst, die mir vorhin im Mondscheine so lustig flimmerte, als wenn Engelein darin auf und nieder stiegen, rauschte noch fort wie damals, mir aber war unterdes alle Lust und Freude in den Brunnen gefallen. – Ich nahm mir nun fest vor, dem falschen Italien mit seinen verrückten Malern, Pomeranzen und Kammerjungfern auf ewig den Rücken zu kehren, und wanderte noch zur selbigen Stunde zum Tore hinaus.«

Mucksmäuschenstill saßen wir in unseren Bänken: wir waren enttäuscht. Fast schon entschlossen, dem Taugenichts nachzufolgen in Festgelage und Liebesabenteuer, erlebten wir nun seinen Katzenjammer, als wäre er unser eigener. Unter dem Wohlklang der berauschenden Sätze hatte ich Onkel Kurts Kriegsgeschichten fast vergessen, als ich mit einem Schlag wieder an ihn denken mußte und jählings begriff, daß nicht jedermann sein Glück in Italien machen kann, der nur drei Münzen in den Brunnen wirft und sich ein Tischlein-deckdich wünscht.

»Keine Bange«, rief unser Lehrer, der lieber der Geschichte vorausgriff als unser Unbehagen zu ertragen; »es wird sich alles aufklären.« Und wirklich, es klärt sich alles auf und wendet sich zum Guten. Wieder erhebt sich ein Spektakel von Pauken und Trompeten, Böller krachen, Mädchen tanzen, es rumpelt und pumpelt, denn ein Stein fällt vom Herzen. »Von fern schallte immerfort die Musik herüber, und Leuchtku-geln flogen vom Schloß durch die stille Nacht über die Gär-ten, und die Donau rauschte dazwischen herauf – und es war alles, alles gut!«

Am nächsten Morgen brachte unser Lehrer ein dickes Buch mit in die Klasse. Es war eine Sammlung der schönsten Er-zählungen aus dem vorigen Jahrhundert, herausgegeben und eingeleitet von Hugo von Hofmannsthal. Herr Zülicke war ernst und verlegen. Er strich sich wieder und wieder durch sein Haar, kniff die Augen zusammen und wußte nicht recht, wie er beginnen sollte. Schließlich sagte er: »Dem letzten Satz unserer Geschichte vom Taugenichts möchte ich einen Satz von Hofmannsthal hinzufügen: Er beleuchtet vielleicht am deutlichsten das Bild unseres romantischen Helden, den es so unwiderstehlich nach Italien gezogen hat.« Der Lehrer schlug das Buch auf, hielt es eine Weile aufgeblättert in der Hand, senkte dann seinen Blick auf die Buchseiten und las mit emphatischer Stimme, was Hugo von Hofmannsthal an

Eichendorff und seiner Dichtung rühmt: »... das Beglänzte, Traumüberhangene, das Schweifende, mit Lust Unmündige im deutschen Wesen, worin etwas Bezauberndes ist ...« – er hielt einen Augenblick inne und fuhr mit belegter Stimme fort: »... das aber ein Maß in sich haben muß, sonst wird es leer und abstoßend.«

Das Maß im Schweifenden, wie sollte so etwas möglich sein, dachte ich, und es zog mich in meinen Gedanken zu Onkel Kurt nach Italien. Sein schönes Leben unter dem ewig blauen Himmel ist zu Ende, nun liege ich neben ihm auf dem Monte Cassino, eingegraben in die Trümmer des Klosters, von fern schallt Geschützdonner herüber, Leuchtkugeln fliegen durch die Nacht, prasselnde Maschinengewehrgarben rauschen herauf, und es ist alles, alles verloren.

III

Das Maß des Möglichen

Schon als kleiner Junge von vier blickt er skeptisch in die Welt. Er trägt einen weißen Anzug mit hochgeschlossenem Kragen und kurzem Höschen, geknöpfte Schuhe zieren seine Füße, blondes Lockenhaar fällt ihm bis auf die Schultern. Sein geschwungener, leicht aufgeworfener Mund scheint zu lächeln, doch die Miene trügt: Die beiden sichtbaren oberen Schneidezähne, die sich über die Unterlippe wölben, täuschen ein Lächeln nur vor. Der kleine Junge blickt argwöhnisch drein, obwohl die Augen hinter den vorspringenden Lidern fast geschlossen wirken und den Eindruck erwecken, mehr zu blinzeln als zu schauen. Das Gesicht ist nicht von Angst, aber von Mißtrauen beherrscht, als frage es mit Augen, Mund und Ohren: Was ist alles möglich in dieser Welt?

Da steht er also, der kleine Georges-Arthur Goldschmidt, für immer auf eine Fotografie gebannt. Er kann Stand- und Spielbein bis in alle Ewigkeit nicht mehr bewegen, und auch das hölzerne Tier, irgendein Hund oder Hase mit Schiebstange und Rädchen, muß für alle Zeiten in seinen Händen verharren. Neben ihm sitzt die Mutter in einem Gartenstuhl, mit streng frisierten Haarwellen und längsgestreifter Schleifchenbluse, das Kleid fällt ihr weit über die Knie. Zu ihrer Rechten steht der ältere Bruder mit Ponyfrisur, dahinter der Vater mit Kavalierstuch im Jackentäschchen und die Schwester im weit ausgeschnittenen Sommerkleid: ein trügerisches

Familienidyll der frühen dreißiger Jahre in einem Garten in Deutschland, zu dem ein schönes gelbes Haus voller alter Möbel und Porzellangeschirr gehört.

Vielleicht ein Märchenschloß, in dem ein kleiner, goldgelockter Prinz, abweichend von eingespielten Ritualen, überall auffällig, aus Argwohn vor einer ihn verfolgenden Meute, von Salon zu Salon die Flügeltüren mit den rundköpfigen Knöpfen öffnet und wieder schließt, sich in den hintersten Winkeln versteckend. Fünfzig Jahre später erzählt er von den Alpträumen in diesem Haus. In drei autobiographischen Erzählungen spricht er von sich, aber er erzählt, als spreche er von einem anderen.

Wort für Wort die in Sprache gespiegelte Kehrseite meiner eigenen Welt nacherlebend, lese ich die Geschichte eines Preisgegebenen, eines Abgesonderten, eines Ausgesetzten: Es ist die Geschichte des verfolgten kleinen Jungen aus dem Reinbeker Garten, eine Gruselgeschichte, worin ich mich selbst als vorlauter Mitläufer in der Meute der Verfolger wiedererkenne. Georges-Arthur Goldschmidts Leben ist ein erzähltes Leben: In seinem Roman *Ein Garten in Deutschland*, den Eugen Helmlé ins Deutsche übersetzt hat, lesen wir, wie der kleine Georges-Arthur seiner Mutter einen Schneeball ins Gesicht schleudert, nur damit er sich zeitlebens daran erinnern und es erzählen könne, wie er ihr mit seinem Schuh ans Bein tritt, damit er das leise, dumpfe Geräusch in jedem Augenblick wiedererkenne, ohne es überhaupt zu hören.

Erinnern und erzählen: das wird sich zur Arbeit seines Lebens ausweiten: Er wird sich nicht scheuen, nicht schonen, wird sich bloßstellen und sogar noch das Allerbeschämendste erinnern. Und so wie er es erzählt, sehe ich den kleinen Georges-Arthur in der Pflegestation, wie er seinen weißen Anzug auszieht und sich ängstlich unter die Höhensonne legt: Lesend spüre ich, wie er mich mehr und mehr in sein Leben hineinzieht, schwimme in seinem Gedächtnisstrom mit und bin selbst ein kleiner Junge neben ihm auf dem Behandlungstisch, versuche wie er unter den Augen einer Diakonissin die Hand zwischen den Schenkeln zu verstecken, träume wie er die lüsternen Tagträume und spüre wie er den Boden unter dem Getrampel der Meute erzittern. Ich sehe mich neben ihm nackt an den Pfahl gefesselt, auch mich wird man auspeitschen, bevor ich gefoltert werde. Und mit ihm empfange ich die Prügel der Diakonissin. Sie kann gleichzeitig sprechen und schlagen, und kreischend tönt es durch den gekachelten Raum: »Ekelhafter Bengel, kleine Drecksau!« und nach kurzem Schweigen: »Du kleiner, kleiner Dreckjude!« Da springe ich vom Tisch herunter, denn ein Jude, soviel wußte ich damals schon als kleiner Junge, ein Jude will ich um alles in der Welt nicht sein – und auch kein Söhnchen feiner Leute!

Auf einmal, mitten im Lesen, wird mir bewußt: So tief lasse ich mich von Georges-Arthur nicht in sein Leben hineinziehen! Ich trug als Kind keinen weißen Anzug mit Pumphöschen und Spitzenmanschetten, meine Mutter saß nicht gravitätisch in einem Gartenstuhl, die Hände im Schoß, die Füße in eleganten Knöpfschuhen übereinandergeschlagen. Sein Vater war ein unnahbarer Herr mit steifem Kragen und Kavalierstuch in der Brusttasche, der nach Friedrichsruh fuhr, den alten Bismarck im Sachsenwald beim Spazierengehen zu beobachten. Dr. Arthur Goldschmidt, protestantisch getaufter Jude, Großbürger, liberaler Nationaler, Oberlandesgerichtsrat in Hamburg, glaubte an die Heilsbotschaft der Nation im Sinne von Geibels Vers: »Und es mag am deutschen Wesen/ einmal noch die Welt genesen.« Meinem Vater, Protestant, Kleinbürger, konservativer Nationaler, Anstreichermeister in Sulzbach, war das Wort Bismarcks eingetrichtert worden: »Nicht durch Reden werden die Fragen der Zeit entschieden, sondern durch Eisen und Blut.« Was der eine mit Feder und Tinte, tat der andere mit Sturmgewehr und Flammenwerfer. Dr. Goldschmidt aus Reinbek, mit der *Rosenbrille* des Optimisten auf der Nase, beugte sich über das deutsche Gesetzbuch und sprach Recht: doch zu wessen Rettung? Mein Vater, bleich wie ein Kalkbrocken, fuhr nach Forbach in die Garnison, marschierte nach Sedan ins Manöver, rückte aus nach

Estrées in die Sommeschlacht, zum Brennen, zum Löschen, zum Versumpfen.

Lesend wollte ich herausfinden, wie Georges-Arthur Goldschmidt seine Lebensgeschichte erzählt, habe dafür seine autobiographischen Romane, den Essay über das Sitzen auf zwei Stühlen und die Charakterstudie über seinen Vater gelesen, habe Fotografien betrachtet, Gespräche mit ihm im Kopf hin und her gewälzt, um, wo es nötig war, die Bilder seiner Alpträume zu enträtseln, meine Phantasie spielen zu lassen. Je weiter ich vordringe ins Gestrüpp dieser Kindheits- und Jugendgeschichte, um so tiefer gerate ich in meine eigene hinein. Auch wenn ich mich dagegen sträube, meine Lebensgeschichte mit der seinen zu verknüpfen: Es kann nicht bei Georges-Arthur Goldschmidts Geschichte bleiben! Unser beider Geschichten kommen im Erzählen zu einer Geschichte zusammen, zu der auch meine Fotografien das gleiche beitragen wie die seinen, obwohl es Bilder aus einer Gegenwelt sind.

Im Alter von neun marschiere ich, die Trommel vorgebunden, in Jungvolkuniform mit Schwalbennestern an den Hemdsärmeln zwischen Vierzehn- und Fünfzehnjährigen die Hauptstraße unseres Dorfs entlang: Hinter uns in der Kolonne wehen die schwarzen Wimpel mit der Siegrune, die uns ein Zeichen sein sollte für den Triumph über die Feinde des Reichs. In diesem Augenblick sah Georges-Arthur Goldschmidt zum erstenmal den Korbkoffer, der ihn auf seiner Flucht aus diesem vom Nazismus verblendeten Deutschland begleiten würde. »Es war noch nichts drin«, erzählt er, »mit einem Schlag warf er den Deckel über sich zu. Er konnte ihn leicht mit der Hand hochheben. Es herrschte ein etwas mattes, etwas gräuliches Licht; durch die Maschen des Stoffs hindurch erkannte man die Gegenstände, die sich in der Helligkeit abzeichneten. Man konnte transportiert werden ... In seinem Kopf eine hohle Kugel, deren Wände unaufhörlich etwas zurückstießen, es drückte von oben auf die Augen, eine Präsenz, die nicht ausgesprochen wurde und die sich zu

einem kleinen Wort zuspitzte, das mit der Zungenspitze aus-
gestoßen wurde: Jude. Dieses Wörtchen mußte mit dem
Korbkoffer in Verbindung stehen: es machte Angst, die Angst
stand dahinter: geschlossene Türen, man schaute, irgend jemand würde kommen und einen mitnehmen.«

An einem Frühlingstag des Jahres 1938, ein halbes Jahr vor
der *Reichskristallnacht*, setzte Dr. Goldschmidt seine beiden
Söhne in den Zug. Mit Pässen ohne das J, das wie der Davids-
stern später als Erkennungs-, als Brandmal zur Verfrachtung
in die Gasöfen von Auschwitz galt, fuhren die Söhne ins Ausland, zuerst nach Italien, dann nach Frankreich, nach Savoyen,
ins menschenarme Voralpenland. »In Chambéry waren sie
ausgestiegen«, erzählt Georges-Arthur Goldschmidt, »den
Namen hatten sie auswendig gelernt.« Georges-Arthurs Bruder war vierzehn, er selbst zehn Jahre alt: Sie waren gerettet.
Hier in einem katholischen Kinderheim, worin Georges-
Arthur den Krieg überlebt, beginnt für ihn die quälende Zeit
des Lernens, was ein Jude wäre, ein Mensch, der sich schuldig
fühlen muß, weil er Jude und anders als andere ist. Er sucht,
er irrt, er findet keine Erklärung dafür.

Erst viele Jahre später, unaufhörlich davon erzählend, legt
er Zeugnis ab von diesen vergeblichen Gefühls- und Gedan-
kenfluchten, »Zeugnis eines so ausgedehnten wie beengten
Traumwandelns«, schreibt Peter Handke in seinem Vorwort
zu der Erzählung *Die Absonderung*, »eines Traumwandelns
voll des Schreckens und des Staunens, der Raum- und Zeit-
sprünge, der fahlen Labyrinthwelt des ewigen Kriegs und der
weiträumigen Farbenwinkel eines episodischen Friedens«.
Georges-Arthur Goldschmidt erzählt, von quälenden Erinnerungen gepeinigt: »Er hatte in sich hinein gehorcht und es
hatte ihn gewundert, so etwas in sich zu haben, von dem er
nichts wußte und nichts fühlte, es war etwas, was den anderen
nicht vorgeworfen wurde, und hatte sofort verstanden, es war
das, was er abends im Bett machte, das war es, das Judesein:
das Schlimme ... Eines Abends, als beide zur Strafe ohne Essen zu Bett geschickt worden waren, hatte es ihm ein größerer

Mitschüler gezeigt und unter der Hand des anderen hatte er sich aufgebäumt, es war in ihm Ungeheures geschehen … Er konnte es mit heller Stimme noch so verneinen, noch so beschwören, auch noch, während die Ruten sich um seine Hüften legten, seine Unschuld so sehr herausschreien, daß man es ihm am Schluß glaubte, er hatte aber doch an sich herum gespielt, es sogar immer mehr getrieben. Er hatte dann nur noch von Strafe zu Strafe gelebt. In Sachen Strafe kannte er sich aus, da wußte er Bescheid. Der beißende Uringeruch ließ ihn nicht mehr los, man stellte ihn unter die kalte Dusche, minutenlang, und er schrie noch mehr als unter der Rute, er schrie das ganze Haus zusammen … Schwarz gekleidet mit langen weißen Händen würde er sich den Henkern opfern und doch erschauerte er jedesmal, wenn er sich nackt zur Hinrichtung abgeführt vorstellte. Deshalb doch waren die Deutschen gekommen ihn mitzunehmen. Was er an sich begangen hatte, wußten sie.«

Jude sein, das hieß für Georges-Arthur Goldschmidt: etwas Verbotenes tun, die Hand zwischen den Schenkeln verstecken, an sich herumfummeln, sich selbst befriedigen. Jude sein hieß: dafür die Koffer packen, ins Ausland flüchten, sich verstecken müssen, damit man der Strafe entgeht. »Schuldig war er, erwiesen schuldig«, richtet Georges-Arthur Goldschmidt und fällt sein Urteil über den, der er selbst ist: »Er gehörte weggeschafft.«

Zur gleichen Zeit dröhnten in Deutschland die Pauken- und Trompetenstöße der Sondermeldungen aus dem Radio, und wir bekamen zu hören, SS- und Polizeiführer Jürgen Stroop habe am 16. Mai 1943 General Krüger nach Krakau gemeldet, mit der Sprengung der Synagoge sei die Großaktion in Warschau um 20.25 Uhr beendet worden, die Gesamtzahl der erfaßten und nachweislich vernichteten Juden betrage insgesamt 56065, und somit bestehe das ehemalige jüdische Wohnviertel Warschaus nicht mehr. Da war die Judenfrage, wie es in der Sprache der Parteikanzlei hieß, auch in den Lehrplänen der Schulen angekommen. Als Schüler einer nationalsozialistischen Lehrerbildungsanstalt studierte ich die *Rassenkunde des jüdischen Volkes* von Hans F. K. Günther, denn ich sollte ein Referat darüber halten. Ob ich mich damals freiwillig gemeldet habe oder der Biologielehrer einen zwingenden Anlaß hatte, mich mit dieser Frage auseinandersetzen zu lassen, habe ich vergessen, nicht aber all das, was daraus folgte. Ich lernte die Begriffe *Volksgesundheit* und *Rassenhygiene* und las den Satz: »Nur die klare Scheidung der Juden von den Nichtjuden ist eine würdige Lösung der Judenfrage.« Was hieß Scheidung? Und wie sollten die Juden von den Nichtjuden geschieden werden? Sollten sie geschieden werden wie die Spreu vom Weizen, die Böcke von den Schafen? Sollten sie getrennt werden wie Schmarotzer von den Wirten, die Dutzendmenschen von den Auserwählten? Geschieden von Bett und Tisch? Getrennt von Blut und Boden? Sollten sie das Land verlassen dürfen, verlassen müssen? In die Fremde ziehen nach Amerika, heimkehren nach Palästina? Am Tag meines Referats hörte ich das Wort, das wie ein Gifthauch durch die Luft schwebte: es war das Wort *Endlösung*, und Soldaten aus dem Reservelazarett erzählten uns, im Osten könne man hören von Juden-Verarbeitungs- und -Verbrennungsfabriken, und die Juden seien geliefert mit Haut und Haaren.

Was für ein Abgrund zwischen Georges-Arthur Goldschmidt und meiner Welt! Zwei Gleichaltrige, die sich nicht kannten – er war damals fünfzehn, ich sechzehn Jahre alt –, begegneten sich im unwirklichen Raum der Täuschungen: Während er, von bigotten Nonnen geschunden, in den Irrglauben verfiel, seine von ihm selbst erweckte sexuelle Befriedigung für das Merkmal des Judeseins zu halten, sich dafür schuldig fühlte und immer wieder, wie im Fieber, vom *Wegschaffen*, vom *Abschaffen* faselte, gehörte ich, von falschen Propheten einer menschenverachtenden Ideologie verführt, zu denen, die Georges-Arthur Goldschmidt weggeschafft, abgeschafft hätten, wären wir seiner habhaft geworden. Oder klang in uns, mitten in dieser Zeit des Tötens, ein sanfter Hall des fünften Gebotes nach, glomm ein Fünkchen Gewissen auf, als wir eines Tages ein Judenbübchen in den Trümmern des Frankfurter Römers unbehelligt stehen ließen. Er trug ein weißes Blüschen und ein weißes Höschen wie Georges-Arthur Goldschmidt auf dem alten Foto: Es hätte Georges-Arthur sein können. Doch er, von Trieben gequält, von Ruten dafür gezüchtigt, blieb durch seine Peiniger vor den Deutschen geschützt. Mir blieb das Töten erspart, er ist dem Tod entronnen.

»Fast schon hinter dem Horizont sah man in der unheimlichen Stille der Entfernung, hinter den sich überschneidenden immer heller werdenden Felsenwänden der Talöffnung der Arve von Mont Salève. Es waren ihm öfters in Geographiebüchern davon Bilder gezeigt worden, einmal sogar im klaren Winterlicht hatte die Leiterin des Internats ihm den Berg gezeigt und gesagt: ›Das ist die Schweiz, da ist man frei, da gibt es die Deutschen nicht.‹«

Lieber noch wandte er sich seitwärts nach Südwesten, wo sich vor den Toren von Chambéry zwischen zwei Bergrücken ein schmales Tal hinzieht bis zur Höhe von *Les Charmettes*, dem Landgut der Frau von Warens. Zu ihr nach Annecy und mit ihr nach Chambéry und *Les Charmettes* war Jean-Jacques Rousseau von Italien zurückgekehrt, zu dieser Zeit siebzehnjährig, nur zwei Jahre älter als Georges-Arthur Goldschmidt bei Kriegsende. »Ich war aus Italien nicht ganz so, wie ich hingegangen war, zurückgekehrt, aber so, wie man vielleicht nie in meinem Alter von dort zurückgekehrt ist: J'en avois rapporté non ma virginité, mais mon pucelage.« – Ein Satz aus Rousseaus *Bekenntnissen*, worin Georges-Arthur Goldschmidt die Bedrängungen seiner eigenen Jugend wiederfindet, samt nützlicher Hilfen, sich endlich auch daraus zu befreien.

»Was habt ihr Deutschen jedoch aus dieser so klaren und einsichtigen Stelle gemacht?« sagte er zu mir, »einer übersetzt: ›Ich brachte zwar nicht meine Keuschheit, so doch aber meine Jungfernschaft mit mir‹, und ein anderer: ›Ich hatte zwar nicht meine geistige, wohl aber meine körperliche Jungfräulichkeit zurückgebracht.‹ Alles Mumpitz, deutsche Drückebergerei vor der Realität: Die Übersetzer haben mit schönen Formulierungen einen großen Bogen um die Wirklichkeit gemacht. Rousseau sagt nichts anderes als: ›Ich habe zwar mit keiner Frau geschlafen und doch die sexuelle Wollust und ihre Befriedigung kennengelernt‹ – und so wie er es sagt, versteht es jeder Franzose, der seine Sprache kennt, sogar der allereinfachste Mensch von der Straße.«

Georges-Arthur Goldschmidt, im Exil von Savoyen Franzose geworden, Bürger einer Nation, deren Sprache, deren Gesetze, deren Philosophie der aufgeklärten Vernunft er sich verpflichtet fühlt, hat wie Rousseau, einem Franzose gewordenen Schweizer, gelebt, empfunden, gedacht. Auch er hat in *seinen* Bekenntnissen, den beiden auf deutsch geschriebenen Erzählungen *Die Absonderung* und *Die Aussetzung*, die homoerotischen Neigungen zuerst als ein Laster beschrieben, dann zur Schuld erklärt, ganz wie es seiner protestantischen Herkunft und Erziehung entspricht. Sein Entschluß, aus all diesen kaum erträglichen Bedrückungen sein Leben erzählend neu zu erfinden, hat ihn zum Dichter gemacht. Denn dieses Laster, schreibt Rousseau, »das Scham und Schüchternheit so bequem finden, hat überdies noch einen großen Reiz für alle lebhaften Phantasien: Es gestattet ihnen sozusagen, nach eigenem Gefallen über das ganze Geschlecht zu verfügen und ihrer Lust diejenige Schönheit dienstbar zu machen, die sie am stärksten reizt, ohne erst ihre Einwilligung erringen zu müssen«.

Es geht letztendlich ums Schöpferische, einzig und allein darum. Die *lebhaften Phantasien*, das sind nicht mehr die krankhaften, die in sexuellen Abartigkeiten ausschweifenden Trugbilder und auch nicht die kapriziösen, doch flüchtigen Spiegelfechtereien sexueller Launen: *Les imaginations vives*, wie es wörtlich bei Rousseau heißt, sind von nun an für Georges-Arthur Goldschmidt die schöpferischen Einbildungen des Geistes, sinnlich wahrnehmbare Bilder, die aufglänzend im Kopf erscheinen, sich miteinander zu neuen Vorstellungen verknüpfend. Kraft seiner Phantasie erzählt Georges-Arthur Goldschmidt die Geschichte seiner Kindheit auf eine nie dagewesene Weise: In den Ängsten und Nöten des Allgemeinmenschlichen wandelt sich, in erzählender Sprache beschworen, der Jude zum Abgesonderten, zum Ausgesetzten schlechthin. Lesend treten wir, schamhaft abseits stehend, in ein scham- und schonungslos preisgegebenes Leben ein, nachdem die Sprache die Grenzen der Täuschungen gesprengt hat, im äußersten Maße dessen, was erzählend denk- und erreichbar ist. »Die Einbildungskraft weitet für uns, sei es im Guten oder Bösen, das *Maß des Möglichen* aus und erregt und nährt folglich die Wünsche durch die Hoffnung, sie auch zu befriedigen.« In seinem Erziehungsroman *Emile*, worin er Gründe des wahren Glücks und Unglücks untersucht, spricht Rousseau vom Maß des Möglichen, das sich bei Georges-Arthur Goldschmidt bis an die Grenze des Erträglichen ausweitet.

Aus dem Wirklichen hat er erzählend das Mögliche gemacht, in beiderlei Sinn der Bedeutung als Denkbares und Erreichbares. Im Erinnern und Erzählen fand er sein Maß des Möglichen und erfand seinem Leben als Jude einen neuen Sinn. Darüber schreibend und sprechend werde auch ich ein anderer Mensch. Vielleicht habe ich erst mit dem heutigen Tage damit angefangen.

Selig vor Glück

Die Nachkriegszeit

Ausheben von Panzergräben am Westwall, Kriegsausbildung im Reichsarbeitsdienst am Rhein, Rückzug und Gefangenschaft in Bayern: Das Kriegsende rief auch in mir wie bei allen Verführten meines Alters, das Gefühl einer unerklärbaren Leere hervor. Eingebildete Erleichterung verwechselte ich mit wirklicher Befreiung; von den undurchschaubaren Ereignissen dieses Zeitabschnitts erzähle ich in meinen autobiographischen Romanen. Ziemlich rasch begriff ich, daß die Erleichterung nicht eingebildet, sondern das wahrhaftige Glücksgefühl der Befreiung war.

Erste enthüllende Leseerfahrungen brachten mir zum Bewußtsein: Unsere Jugend war verdorben von hohler Feierlichkeit und phrasenhaftem Pathos. Nun suchte ich nach wahrhaftiger Dichtkunst; ich war heißhungrig auf die uns vorenthaltene Literatur eines halben Jahrhunderts. Noch waren mir die Bücher der von Schreib- und Veröffentlichungsverbot betroffenen Autoren unbekannt, bis mir die Romane und Erzählungen aus einer Kiste in die Finger fielen, die den ganzen Krieg über auf Großvaters Dachspeicher versteckt war. Nach Großvaters Tod hatte Tante Else, Vaters achtzehn Jahre jüngere Schwester, diese Holzkiste mit den Büchern eines zur Wehrmacht eingezogenen Arztes über den Krieg gerettet. »Es war ein unwirtlicher Nachsommer«, erzähle ich in meinem Roman Wer mit den Wölfen heult, wird Wolf, *»doch*

137

je länger ich in Großvaters Dachkammer zwischen den Bü-
chern lebte, um so wirtlicher wurden die Tage, und halbe
Nächte lang saß ich an meinem Tischchen, hatte ein Buch vor
mir aufgeschlagen, stützte den Kopf in die Hände und ver-
senkte mich in eine Geschichte.«

Nach Rilkes Aufzeichnungen des Malte Laurids Brigge,
1910 erschienen, entdeckte ich Gottfried Benns Gehirne, *1916,*
Hermann Hesses Steppenwolf, *1927 und Elias Canettis* Blen-
dung, *1936 erschienen. Ich achtete damals nicht auf die Er-*
scheinungsdaten, las die Bücher auch nicht in der Reihenfolge
ihrer Veröffentlichung, doch bezeichnend ist, daß ich diese
Lektüre von Romanen der Bücherkiste eines Arztes ver-
danke. Es wimmelte in ihnen nicht nur von Kranken und
Irren, von Nachtasylen und Militärlazaretten, auch die hoff-
nungslosen Stimmungen breiteten sich überfallartig aus. Heute
kommt es mir vor, als hätte es damals keine einzige Buchseite
gegeben, auf der nicht von Beklemmung und Bedrängnis, von
Angst und Entsetzen die Rede gewesen wäre.

Ich fragte mich, was mich zu einem Arzt namens Rönne
hinzog, der erlösungssüchtig auffliegen will wie ein Vogel aus
abgründiger Schlucht? Was fesselte mich an dem Außenseiter
Harry Haller, der im Irrglauben, Mensch und Wolf zu sein,
unrettbar gefangen ist? Und was hatte ein Psychiater namens
Georges Kien mit mir zu tun, ein irregewordener Irrenarzt,
der eine umstrittene Behandlung von Bewußtseinsspaltungen
anwendet? Erst heute, mehr als fünfzig Jahre später, erkenne
ich, was der zwischen Himmel und Erde schwebende Arzt
Rönne, der zwischen Mensch und Wolf hin und her gerissene
Außenseiter Harry Haller und der dialektisch operierende
Psychiater Kien gemeinsam haben: Sie betonen, ja bekräfti-
gen das Spielerische ihrer Interessen. Ihre Lebenskünste vor
Augen übte ich mich ins freie Fliegen ein, ins doppeldeutige
Denken, ins theorienbildende Experimentieren.

Zu jener Zeit lief im Kino Spellbound, *ein Film von Alfred*
Hitchcock. Es war der erste Film, der einen Fall von Psycho-
analyse zum Inhalt hat: Gebannt von traumatischen Ängsten

bewegen sich Ingrid Bergman und Gregory Peck in einer wunderbaren Traumsequenz von Salvador Dalí, bis Ingrid Bergman, Ärztin an einer psychiatrischen Klinik, sich mit den Alpträumen ihres schizophrenen Partners beschäftigt. Erst in spielerischer Deutung lösen sich die Träume auf. Thesen und Gegenthesen der Psychoanalyse griffen wechselseitig ineinander, und wie von einem Blitz aus heiterem Himmel getroffen, fiel mir der Titel des Buchs ein, in dem ich Wochen zuvor noch verständnislos geblättert hatte, um es dann wieder in die Bücherkiste zurückzulegen. Ich kramte in der Kiste nach und fand Sigmund Freuds Traumdeutung aus dem Jahr 1900. »Das Gelingen bleibt Sache des witzigen Einfalls, der unvermittelten Intuition«, las ich, »und darum konnte die Traumdeutung mittels Symbolik sich zu einer Kunstübung erheben, die an eine besondere Begabung gebunden schien«: Sinn für spielerische Freiheit.

Nach dreijähriger Lehrerseminarzeit von 1946 bis 1949 arbeitete ich ein Jahr lang als Assistant d'allemand am Collège Moderne in Lyon. Der enge wirtschaftliche und kulturelle Kontakt des Saarlandes zu Frankreich hatte es mir ermöglicht, ich nutzte meine Chance. Mit meinem Freund Roland Cazet las ich Saint-Exupérys Vol de Nuit und Vercors' Silence de la mer auf Französisch. Von Saint-Exupéry lernte ich eine neue Bedeutung des Zusammenhangs von Freiheit und Spiel. Und von Vercors lernte ich, daß ein gebrochenes Schweigen Zuversicht hervorruft wie Jonas' unverzagte Stimme aus dem Leib des Fisches. Es ist das Glück des Neuanfangs, das seine Wurzeln in der Bereitschaft hat, sich zu erneuern, aber auch im Unglück verfolgter und ermordeter Widerstandskämpfer, sich für dieses Glück des Neuanfangs zu opfern.

I

Stimmen aus dem Leib des Fisches

Am 8. Oktober 1949 kam ich als Assistant d'allemand ans
Collège Moderne nach Lyon. Als ich aus der Gare de Perrache
heraustrat und den Fuß auf das Pflaster der Cours de Verdun
setzte, sah ich vor mir die Straßenzüge einer großen, weiß-
grauen Stadt mit Plätzen und Häuserzeilen, die im Innern
eines Steinlabyrinths zusammentreffen. Nie zuvor hatte ich
eine größere Stadt gesehen, schon das massige Hotel mit
übergroßen Schriftzeichen auf dem Dach linker Hand des
Bahnhofs erregte meine Aufmerksamkeit: Damals konnte ich
nicht wissen, daß ein paar Jahre zuvor der deutsche SS-Ober-
sturmführer Barbie mit seiner Gestapo-Dienststelle in diesem Hotel Terminus Quartier bezogen hatte.

Meine ehemalige Schule an der Place des Minimes heißt
längst nicht mehr Collège Moderne, man hat ihren Namen
geändert. Sie ist jetzt nach Jean Moulin benannt, einer der
führenden Persönlichkeiten der Résistance, der 1943 im Hotel Terminus unter die Folter von Klaus Barbie kam. Moulin
hatte den französischen Widerstand organisiert, die Strategie
entworfen, die Taktik erprobt, in dem Dörfchen Calvire war
er an die Gestapo verraten worden. Immer noch frage ich
mich: Ist der Schuldirektor vom Collège sein Freund gewesen? Haben meine Kollegen von damals mit ihm im Maquis
gekämpft? Ich weiß es nicht. Unerklärbare Ahnungen be-
schleichen mich, wenn ich daran denke, wie geflissentlich sie

ihre Nase in ein Buch steckten, sobald ich das Lehrerzimmer betrat, doch ich frage mich, ob ein junger Deutscher von zweiundzwanzig nicht mit Mißtrauen rechnen mußte so kurz nach dem Krieg, da die Wunden längst nicht geschlossen, die Narben nicht verheilt waren?

Weniger aus Neugier als aus Naivität des Zweiundzwanzigjährigen, in einer fremden, weit von zu Hause entfernt liegenden Stadt noch nie Geschautes, Gehörtes, Gefühltes zu erleben, trieb es mich aus dem Fort St. Irénée, wo ich wohnte, tagtäglich hinunter in die engen Straßen der Stadt zwischen den zwei Strömen. In meiner Tasche trug ich eine Tornisterausgabe mit Hölderlins Gedichten, worin es an einer Stelle, die mit Bleistift angekreuzt ist, in schwärmerischen Versen über den Menschen heißt: »Herrlich ist sein Wort, er wandelt die Welt.« Das war eine Losung für mich, und bei meinem Vertrauen in das Dichterwort verbrachte ich die freie Zeit mit stundenlanger Spurensuche nach Lyoneser Dichtern.

Ich entdeckte die Rue de la Belle Cordière, die an Louise Labé erinnert, deren Sonette ich in Rilkes Übersetzung kannte, fand an einem Haus an der Place des Terreaux eine Gedenktafel für Marceline Desbordes-Valmore, von der ich das schwärmerische Liebesgedicht »Die Rosen von Saadi« selber übersetzte, und spürte in der Rue Peyrat das Geburtshaus von Saint-Exupéry auf, dessen Roman *Vol de Nuit* meine erste Lektüre in französischer Sprache gewesen ist. Nach den ausgedehnten Spaziergängen auf diesen Dichterspuren saß ich halbe Nächte hindurch an meinem langen Tisch im Fort, schrieb und übersetzte Gedichte und fühlte mich frei.

In der Schule gab es peinliche Situationen, und ich schrecke heute noch zusammen bei der Erinnerung an Verhaltensweisen meiner französischen Kollegen, die sich an ihren fünf Fingern abzählen konnten, daß auch ich als Hitlerjunge in die Schandtaten meiner Landsleute verstrickt gewesen sein mußte. Der Surveillant Général ließ mir die Strafkladde von einem Schüler aufs Pult legen, der Deutschlehrer richtete während des ganzen Jahres nicht ein einziges Mal das Wort an mich, der Direktor, ein großgewachsener, kräftiger Herr mit Bürstenhaar, wandte sich ab, sobald er mich über den Schulflur auf sich zukommen sah.

Nur Monsieur Botrand war anders. Er nahm mich auf dem Nachhauseweg an seine Seite, zeigte mir, da er in der Nähe des Forts wohnte, die Besonderheiten unseres Viertels, sprach mit mir in seinem breiten, ländlichen Tonfall. Er stammte aus dem Limousin, war klein und rund und trug eine Baskenmütze, die ihm viel zu groß war und nach der einen Seite bis übers Ohr, ja fast auf die Schulter reichte. Dem Limousin fehlten zwar die Naturwunder, die Kathedralen und die Heilbäder, hatte er einmal zu mir gesagt, doch wenn man eine Landkarte der Gastronomie seiner Gegend betrachte, dann fielen einem sogleich die Nüsse, die Krebse und die fetten Schweine auf, die in sie hineingezeichnet seien, und das sei ihm viel lieber als alle Klöster und Schlösser Frankreichs auf einmal. In der Rue de Trion blieb er urplötzlich vor dem Fischgeschäft stehen, wählte ein halbes Dutzend Austern aus dem Austernkorb, brach sie mit dem Taschenmesser auf und verzehrte sie im Stehen. Jedesmal, wenn er zu essen begann, bot er mir eine Auster an, rollte seine kugelrunden Augen, nickte mit dem Kopf und wollte mich zu einem Genuß verführen, den er für die erlauchteste Labsal hielt.

Monsieur Botrand war ein Franzose, wie er im Buch steht, ein bäuerlicher, menschenfreundlicher Typ mittleren Alters, dem man seine unerschrockene Natur auf den ersten Blick nicht ansah. Während der deutschen Besetzung war er Mitglied der französischen Widerstandsbewegung gewesen, er hatte am Fuß des Grand Veymont im Buschland gekämpft, als deutsche Fallschirmjäger im Juli 1944 über Vassieux absprangen und ins Maquis vordrangen. »Es war an einem Freitag, morgens um neun«, erzählte er mir, »wir hatten die ganze Woche über Himmel und Hölle in Bewegung gesetzt, Lebensmittel und Medikamente, die von Grenoble zu einer verabredeten Stelle an der Straße nach Sisteron gebracht wurden, über den Eselspfad zu unserem versteckten Hospital in der

Grotte von La Luire zu befördern. Die Sonne stand schon hoch und beleuchtete die fünfzig deutschen Gleitflugzeuge, die über Vassieux niedergingen. Wir sahen sie vom Berg aus, es waren geräumige Lastensegler, aus denen blutjunge deutsche Soldaten mit Waffen- und Munitionskisten kletterten. Bevor wir noch unsere Maschinengewehre in Stellung gebracht hatten, war alles schon vorbei.« Monsieur Botrand legte mir eine Hand auf den Arm, fuhr sich mit der anderen über die Stirn, als müsse er einen Schleier wegwischen, der ihm die Sicht trübte, und sagte dann: »Wir waren vollkommen überrascht und auch zu weit vom Geschehen entfernt, um überhaupt eingreifen zu können. Die Deutschen stürmten ins Dorf, und schon nach ein paar Minuten lagen Männer und Frauen, Kinder und alte Leute neben ihren Tieren tot hingestreckt vor den Häusern. Nachdem wir verzweifelt eingegriffen hatten, sahen wir bald auch die entsetzlich verstümmelten Leichen unserer eigenen Hundertschaft auf den Wegen und Wiesen liegen. Wer noch am Leben war, zog sich talabwärts zurück, doch schon drei Tage später kamen die Deutschen von Vassieux aus herunter nach La Chapelle.«

Es sind die gleichen Soldaten der deutschen Wehrmacht, die meisten tragen das Edelweiß der Alpenjäger an der Mütze. Sie rücken zügig ins Dorf ein, holen alle Einwohner aus den Häusern, scheuchen die jungen Männer auf den Kirchplatz, schließen Frauen und alte Leute im Schulhaus ein. Der Hauptmann befiehlt Plünderung, dann Zerstörung des Dorfs durch Brandbomben. Alles klappt wie ein gutgeölter Zünder, bei dem die Kontakte funktionieren und die Auslöser auf die Sekunde eingestellt sind. Monsieur Botrand putzt seine Geschichte nicht mit großen Worten heraus, er erzählt kurz und bündig, erklärt nicht, urteilt nicht, klagt nicht an. »Um zehn Uhr abends hören die im Schulhaus Eingeschlossenen eine Reihe von Schüssen, die in regelmäßigen Abständen fallen«, erzählt er, »sie sind hart und überlaut und kommen aus einem benachbarten Hof. Es sind die Schüsse, die die sechzehn jungen Männer exekutieren, die seit dem frühen Nachmittag auf ihre Hinrichtung warten. Auf den Mauersteinen können Sie heute noch die verkrusteten Blutflecken sehen. Aber vielleicht ist es besser, nicht hinzufahren und es anzuschauen. So kurz nach Kriegsende kann man nicht wissen, wie die Leute aus dem Dorf sich Fremden gegenüber verhalten.«

Ein halbes Jahr später, mit einem Freund und zwei jungen Mädchen auf dem Weg nach Alpe d'Huez in den Wintersport, passierten wir im Rhônetal den Eingang zu den Gorges d'Enghins, durch die man auf enger Serpentinenstraße hinaus ins Vercors gelangt. Wir stiegen für ein paar Minuten aus, fotografierten einen Wasserfall, der mit harten Schlägen auf den nackten Fels niedergeht – und wechselten ein paar überflüssige Bemerkungen über die Abgeschiedenheit der Gegend. Nachts lag ich wach im Zimmer des Berghotels, verließ das Bett und setzte mich bei offenem Fenster ins Erkereck. Am Himmel glänzten Sterne, das Mondlicht fiel in steile Schluchten und spiegelte sich an einem fernen Grat. Die Rückwand des Vercors-Massivs stand kalkweiß vor dem dunklen Horizont, gab aber meinen Blicken keine Einzelheiten seines Geheimnisses preis.

Vercors, hinter diesem Namen stecke mehr, als beim ersten Aussprechen zu erkennen sei, meinte Monsieur Botrand damals und zeigte mir ein Buch, worauf er als Name eines Schriftstellers zu lesen war. »Vercors, da scheiden sich sogar in Frankreich die Geister!« sagte er und gab mir *Das Schweigen des Meeres*, das dieser Schriftsteller Vercors schon 1941 geschrieben hatte. »Lesen Sie das Buch«, sagte Monsieur Botrand, »Sie werden begreifen, daß nicht alle Franzosen so abweisend sind, wie Sie es hier in Lyon am eigenen Leib erfahren.« Er hatte beobachtet, wie seine Kollegen sich mir entzogen, lächelte aber und meinte: »So sind nun einmal die Leute aus Lyon, calvinistisch verklemmt, mit einem Schlag ins Theosophische! Sie sitzen abends bei heruntergelassenen Läden in ihrer guten Stube, lesen sich gegenseitig die übergeschnappten Traktate von Swedenborg vor und bekommen dabei Lichterscheinungen aus der Geisterwelt. Die Fenster halten sie fest verschlossen, starren die vier Wände an und rücken vor dem Zubettgehen mit den Stühlen – in der Hoffnung, ein Engel käme aus dem neuen Jerusalem und brächte ihnen die Botschaft vom nahen Paradies.« Monsieur Botrand, der fröhliche Limousiner, bespöttelte die Lyoneser Muffköpfe, er war nicht menschenscheu und so zugeknöpft wie sie – auch nicht so verschwiegen wie der Onkel und seine Nichte in der Erzählung, die er mich zu lesen bat.

Ich weiß nicht, wie Monsieur Botrand in den Besitz einer deutschen Ausgabe von Vercors' *Schweigen des Meeres* gekommen ist. Das schmale Buch war eine Lizenzausgabe mit Copyright des Berliner Aufbau-Verlags für die französische Besatzungszone in Deutschland, erschienen 1946 in der Übersetzung von Kurt Stern bei der Verlagsbuchhandlung Prometheus, Lahr in Baden. Hatte Monsieur Botrand das Büchlein in Deutschland gekauft? Oder hatte es jemand nach Frankreich mitgebracht und ihm geschenkt? Ich griff danach und dankte ihm, auch für sein Vertrauen, mich nicht abweisend behandelt zu haben wie seine Schulkollegen.

Es ist ein Buch mit einem unscheinbaren grauen Umschlag, auf dem Riesenvögel über dem Arc de Triomphe kreisen. Der ursprüngliche Besitzer hat seinen Namen mit forschem Schriftzug unter den Innentitel gesetzt. Es ist ein deutscher Name, doch ich kann ihn nicht genau entziffern.

Noch am selben Abend hockte ich mich ans Fenster meines Zimmers und begann zu lesen. Schon bei den ersten Sätzen spürte ich, wie der Funke übersprang, den die Geschichte jählings zündet: Werner von Ebrennac, ein deutscher Besatzungsoffizier aus hugenottischem Geschlecht, gierig auf freundliche Berührung mit dem besiegten Feind, stößt auf hartnäckiges Schweigen. Der Erzähler und seine Nichte, von Ebrennacs Quartiersleute, verweigern sich der Absicht des Offiziers, sie in ein Gespräch über Frieden und Freundschaft zu locken. »Das Schweigen dauerte an«, erzählt Vercors, »es wurde immer dichter, wie Morgennebel«, den ich beim Lesen am eigenen Leibe empfand: Es war mir, als hätte sich der Wör-

ternebel aus dem Buch in den strengen Lyoneser November-
nebel verwandelt. Äußere Verhältnisse der Witterung und
innere Zustände meiner Empfindungen verschmolzen so eng
miteinander, daß ich mich auf Tage hinaus jeder Begegnung
mit Monsieur Botrand entzog. Denn kaum von seinen Geschichten aus dem französischen Widerstand erlöst, war ich
durch das Buch in Ereignisse verwickelt, die mich in die gleiche Verwirrung stürzten: Ich sah mich unerklärbaren Auseinandersetzungen dieses deutschen Offiziers mit seinen
Quartiersleuten gegenüber, in deren Verlauf es nicht einmal
zu einem Wortwechsel gekommen ist.

Ich las die Erzählung in einem Zug, gab sie zur Lektüre an
meine Freunde weiter und versuchte, mit ihnen darüber zu
sprechen. Ich bedrängte sie, doch hütete ich mich, sie zu Meinungen, gar zu Urteilen zu bewegen: Die Geschichte dieses
Offiziers und eines Mädchens erschien mir viel zu kompli-
ziert, rasche Erklärungen abzufordern – wäre nicht Corrado
Rossi gewesen, der italienische Assistent des Lycée Ampère,
ich hätte vielleicht zu lange, möglicherweise ohne zu einer
Lösung zu kommen, an ihrer Botschaft herumgerätselt.

Es ist eine vertrackte, eine aussichtslose Lage, in der sich die
drei Menschen befinden. Der Offizier, höflich, gebildet,
zurückhaltend in seinem Stolz, fürchtet zu stören. Er betritt
das Haus durch die Hintertür, verläßt es über die Hinter-
treppe, wendet sich nur selten an Onkel und Nichte und
wählt dann, selbstquälerische Bekenntnisse aussprechend,
seine Worte auf französisch. So hochherzig, ja pathetisch sie
klingen, es sind keine Floskeln, auch nicht sein Grußwort »Je
vous souhaite une bonne nuit«, mit dem er sich Abend für
Abend verabschiedet. Die Nichte starrt währenddessen ins
Leere, sie zuckt mit den Achseln, sie näht und strickt, ohne
ein einziges Mal aufzuschauen, und schweigt. Der Onkel
raucht seine Pfeife, er hüstelt, er sagt zu der Nichte, die es mit
Empörung quittiert: »Vielleicht ist es ja unmenschlich, ihm
das Almosen eines einzigen Wortes zu verwehren.«

Werner von Ebrennac ist Musiker im Zivilberuf, kein vortragender Künstler, kein Solist. Er komponiert. Das sei sein Leben, aus dem er die Zuversicht schöpfe, der Kunst könne es gelingen, die Feinde von einst zu versöhnen. Aus gegenseitiger Achtung und Liebe erwachse wahrhaft Großes für Deutschland und Frankreich, wie sein Vater glaube er, daß über Europa eine hellere Sonne leuchten werde. Eines Abends setzt er sich ans Harmonium und spielt Bach. »Es gibt nichts Größeres«, sagt er zu seinen Wirtsleuten und ereifert sich, die Musik Bachs einem Naturereignis gleichzusetzen, sie für eine Erscheinung unerforschlichen göttlichen Wesens zu erklären, außerhalb des Menschen, außerhalb seines Fleisches. Eine nichtmenschliche, eine unmenschliche Musik, sagt er – und sein Urteil begründend: »Bach ... Er konnte nur ein Deutscher sein.« Unser Land habe eben diesen Charakter, diesen nichtmenschlichen, diesen unmenschlichen Charakter. Einen Charakter nicht nach Menschenmaß, meine er, dem Menschen nicht angemessen. Unsere Erde habe diesen Charakter hervorgebracht, und das sei unser Schicksal.

Ich erschrak, ich war bestürzt. Was hatte ich in einer Schule, die weithin wegen der Gründlichkeit ihrer Musikkunde bekannt war, für mein Leben und meinen Beruf gelernt? Stand das Urteil einer Romanfigur nicht im krassesten Widerspruch zu dem meines Musiklehrers? Was galten auf einmal die Lehrsätze eines Mannes, der mit Inbrunst die tapfere Widersetzlichkeit der polyphonen Stimmführung gepriesen und uns auseinandergesetzt hatte: So wie Johann Sebastian Bach auf seine ernste, geistvolle, innige Weise Musik zum Klingen bringe, sei tiefgründig und seelenvoll. Jede Stimme rufe ihr Echo aus den fernsten Bezirken herbei und antworte auf die Melodie wie die respondierende Stimme im liturgischen Wechselgesang. Bach habe mit Tönen einen Dom errichtet, er selbst sei dieser Dom, und wer ihn betrete, bleibe nicht ungerührt von der Gewaltigkeit des Baus und der Erhabenheit der ihm innewohnenden Idee. Und nun kommt ein französischer Schriftsteller und erzählt die Geschichte eines deutschen Komponisten, in dessen Ohren die Musik Bachs wie die Gegenwart Gottes töne! Ja, mehr noch: Diese Musik sei in ihm wie der leibhaftige gegenwärtige Gott! Er liebe, er bewundere diese Musik, doch es sei nicht die seine. Die Musik, die ihm vorschwebe, beschwor der Offizier seine Quartiersleute, sei eine Musik nach *Menschenmaß*. Das sei sein Weg, die Wahrheit zu erreichen!

Ist es nicht genauso verstiegen, Johann Sebastian Bachs Musik für die Gegenwart Gottes zu halten, wie es närrisch ist, sie mit der Idee eines Doms zu vergleichen? Die Allmacht Gottes, die Erhabenheit einer Idee: Auch wenn ich es damals viel einfacher begriff und vielleicht nur im Unterbewußtsein wahrnahm, wie sich in einer Geschichte die großen Worte noch einmal aufblähen, bevor sie zerplatzen, das hohle Pathos und der überhöhte Vergleich hatten ihre Anziehungskraft verspielt. Die Kunst als höchster Gedanke Gottes: Dieser Lieblingsvorstellung deutscher Ideenbildner konnte ich fürderhin keinen Geschmack mehr abgewinnen, sie lag mir abgeschmackt auf der Zunge. Ich begann an den hochtönenden Worten zu zweifeln, und so gefiel es mir, mitten in diesem Wust von aufgeplusterten Wortbildern *Menschenmaß* zu lesen. Zwar legt der französische Erzähler es einem deutschen Musiker in den Mund, und auf französisch ausgesprochen klingt es sachlicher, weniger beschwörend, weniger beanspruchend als auf deutsch. Werner von Ebrennac sagt: »A la mesure de l'homme«, das klingt fast wissenschaftlich, es fehlt der Beigeschmack des Erpresserischen, der üble Leumund humanistischer Nötigung.

Wir debattierten, wir stritten darüber. Corrado Rossi, mit einer einmaligen Lesung dieser Stelle nicht zufrieden, bat mich, sie ein zweites Mal vorzulesen, und bedrängte mich, sie selbst noch einmal zu studieren. Er hatte keine Schwierigkeiten mit dem Deutschen, doch neben *Gott* und *Natur* ginge uns auch das Wort *Maß* zu leicht über unsere Lippen. Alle diese deutschen Schicksalswörter, auch wenn sie aus dem Französischen übersetzt seien, klängen ihm im deutschen Wortlaut zu bombastisch, auch hätte er sie während des Krieges oft genug in Italien gehört – und jetzt bliesen sich die Vertreter eines besseren Deutschland damit auf. »Aber was soll man überhaupt von einem sogenannten besseren Deutschland halten, wenn schon Bach eine unmenschliche Musik komponiert hat?« fragte er höhnisch und meinte: »Von Luther bis zu den Geschwistern Scholl, Bach und Beethoven, Goethe und Schiller und wie sie alle heißen: Sind das nicht Deutsche, wie jeder Deutsche ein Deutscher ist, mit deutscher Herkunft und deutscher Erziehung, mit allen euch angeborenen und erworbenen guten und bösen Eigenschaften? Mit eurer Sprache seid ihr alle an derselben Quelle genährt und aufgezogen worden, da gibt es keine schlechteren und keine besseren, da gibt's allenfalls solche, die diese deutschen Eigenschaften gut genug kennen und damit umzugehen gelernt haben. Ihr Deutschen seid eben weder gut noch böse geboren, wie jeder andere Mensch auch, doch ihr seid gut oder böse geworden durch die Verführungskraft deutscher Vorstellungen von der Welt und dem Menschen, der in ihr lebt.«

Wir saßen zu zweit, manchmal zu dritt, zu viert in meinem Zimmer im Fort und debattierten uns die Köpfe heiß. Anstatt uns um unsere täglichen Besorgungen zu kümmern, verbissen wir uns in das Außergewöhnliche einer Geschichte: Auch wenn es nur aus einem Buch stammte, dieses beispiellose Ereignis stachelte uns mehr auf als die Arbeit in der Schule, die manchmal unerquicklich, ja lästig war. Von allem Notwendigen hatten wir uns abgekehrt, wir vernachlässigten sogar Zimmer und Flure, die wir nach der Hausordnung des Studentenheimes hätten fegen und putzen müssen. Es waren ohnehin die reinsten Sauställe, die wir nur alle Jubeljahre einmal ausmisteten; in den Zimmern roch es nach abgestandenem Zigarettenrauch, in den Fluren nach Mief und Muff, und aus den Aborten drang der beizende Gestank von Pisse. An die Wand gegenüber dem Treppenaufgang hatte jemand mit Kreide einen Pfeil gezeichnet, der nach meinem Zimmer zeigte, und in dicken Buchstaben darüber geschrieben: »Sale Boche!« Corrado Rossi sagte: »Mach' dir nichts draus, wir sitzen bei dir, zwei Franzosen, Ben Allep aus dem Sudan und Tang Yin aus China und ein Italiener, und geben dem Schmierfinken unrecht.«

Corrado hatte sich in einen Rausch geredet. Obwohl wir, von Vercors' Geschichte überwältigt, gar nicht geneigt waren, Thesen und Gegenthesen auszutauschen und alles andere im Sinn hatten, als ihre Botschaft zu erklären: Er hielt uns bei der Stange, ließ nicht locker, uns auf seine Seite zu ziehen. Dabei habe er ja gar nicht das Recht, uns die tieferen Ursachen deutschen Denkens, deutschen Handelns, deutscher Schuld vorzuhalten, im Gegenteil. Er sei schließlich selbst ein halber, ein in der Wolle gefärbter Deutscher: Irgendein Urahn aus Neapel habe Konrad geheißen, wie die deutschen Kaiser, die im Mittelalter nach Italien gekommen seien – und Corrado sei der italienische Name für Konrad.

»Also«, sagte er, »welche sind nun die guten, welche die bösen Deutschen? Schlagt die Tagebücher und Arbeitshefte von Dürer, von Bach, von Goethe auf! Ihre Kunst ist aus denselben Tugenden hervorgegangen wie die erdachten Welten Kants und die Vernichtungsfabriken der Konzentrationslager: Ordnung, Fleiß und Sauberkeit! Über allem anderen ist es aber die Tugend der Ordnung, die euch Deutsche beseelt. Das Wort gibt es natürlich auch in anderen Sprachen, aber bei euch Deutschen tönt es gebieterisch und angsteinflößend, sogar in den menschenfreundlich gemeinten Gedichten. Rilke rühmt die Ordnungen der Engel, und Hölderlin, der Sanfteste unter den Deutschen, spricht von den Ordnungen über allem!«

Es ging laut her auf meiner Stube. Durchs geschlossene Fenster drang Corrados Stimme ins Freie und verhallte irgendwo in den Grünanlagen des Festungsgürtels. Hätten Quellen gemurmelt, hätten Nachtigallen geflötet, man hätte es nicht gehört. Nur Corrados Organ bewegte die Luft der Herbstnacht, es schwängerte, es beherrschte sie, denn Corrado war ja nach eigener Auskunft ein echter Deutscher, wenn auch in der fünfundzwanzigsten Generation! Die Morgensonne glänzte schon auf dem gegenüberliegenden Dach des Torhauses, als ich ins Bett kam. An der Grenze, wo Wachen und Schlafen ineinanderfließen, blitzte hinter der Rückseite meiner Lider ein paarmal das Bild auf, das den deutschen Offizier in der Stube seiner Quartiersleute zeigt, unbewegt, überlebensgroß. Er steht dem Mädchen gegenüber, den Mund geöffnet, die Linke an die Brust gepreßt.

An diesem Donnerstagmorgen schlief ich nicht länger als eine Stunde. Es war schulfrei, die Freunde konnten ausschlafen wie jeden Donnerstag, wenn ich schon vor acht unterwegs war, Brot und Käse und eine luftgetrocknete Schweinswurst fürs Frühstück einzukaufen – und pünktlich nach der Uhr Monsieur Botrand in der Rue des Macchabées zu einem Schwätzchen traf. An diesem Donnerstagmorgen erzählte ich ihm von unserer Nachtsitzung. Bei meiner Schilderung von Corrado Rossis Auslegung des guten und bösen Deutschen rollte er seine Glupschaugen und meinte, jede gerechte Beurteilung sei vielleicht am ehesten eine Sache des Menschenmaßes, wie es der deutsche Offizier in Vercors' Erzählung vertrete. Er erinnerte mich an die Stelle, wo Werner von Ebrennac vor den Bücherschrank tritt, zärtlich über die Einbände streicht, in alphabetischer Reihenfolge die Namen französischer Schriftsteller aufzählt und schließlich über Balzac und Baudelaire, Flaubert und Victor Hugo, ohne bis ans Ende des Alphabets zu kommen, bei Montaigne anlangt. Montaigne, sagte Monsieur Botrand und schaute in seinen Einkaufskorb, worin die Austern fürs Mittagessen lagen, Montaigne sei der größte von allen, ein Philosoph, dem es gelinge, in einfacher Sprache das Menschenmaß zu beschreiben, und er versprach, mir Montaignes *Essais* zur Lektüre mitzubringen.

An den diesigen Novemberabenden las ich Montaigne und sonnte mich in der Wärme seiner Einfälle. Halb noch verschreckt vom Generalbaß deutscher Gedankenschwere, genoß ich nun die spielerische Gedankenführung einer ganz anderen Welterklärung. Alle Dinge befänden sich in einer unaufhörlichen Schaukelbewegung, erzählt Montaigne, »die

Erde, die Felsen, der Kaukasus, die ägyptischen Pyramiden. Die Beständigkeit selbst ist nichts als eine schwächer geschwungene Schaukel.« Statt um Größe und Haltbarkeit eines Denkgebäudes kümmerte sich hier ein Schriftsteller um das baufällige Leib- und Seelengerüst des Menschen – und ich begann zu begreifen, daß der Mensch mit seiner schwankenden Natur und seinen wechselnden Bedürfnissen das Maß aller Dinge sei, nicht irgendein Gott mit seinen übernatürlichen Eigenschaften und außergewöhnlichen Kräften, oder gar eine Idee, die nach Eiferern und Märtyrern trachtet.

Da aber der Mensch zu verschiedenen Zeiten und in verschiedenen Lebenslagen jedesmal ein anderer Mensch sei, gäbe es für diesen selben Menschen zu keiner Zeit und keiner Lage eine feststehende Wahrheit, lehrte mich Montaigne, also bestimme er allein in seiner Souveränität das Sein, das heute so und morgen wieder ganz anders aussehe. »Was natürlich den festbetonierten Starrköpfen nicht paßt«, entschied Corrado Rossi bei unserem nächsten Gespräch, schlug sein Goethebrevier auf las: »Wir mögen an der Natur beobachten, messen, rechnen, wägen, wie wir wollen: Es ist doch nur unser Maß und Gewicht, wie der Mensch das Maß der Dinge ist.«

Menschenmaß, Menschengewicht: Daß ein bescheidener Mensch auch in der deutschen Geschichte ein verständiger, ein maßvoller Mensch war, hatte ich längst vergessen, ein bescheidenes Haus bedeutete nur noch ein ärmliches, ein bescheidenes Einkommen nur ein dürftiges, eine bescheidene Leistung nur eine kümmerliche. Heute, nach jahrzehntelangem Abwägen von Beobachtungen und Erfahrungen, kann ich klug darüber reden, damals empfand ich diese mittelmeerische Lehre Montaignes aus dem Gefühl heraus, ohne viel darüber nachzudenken.

Als ich Anfang der sechziger Jahre von einer Reise nach Bordeaux und zu Montaignes Schloß zurückkehrte, schrieb ich meinen ersten Roman, worin ich Montaigne in spielerisch zusammengefügten Zitaten sprechen lasse: »Ich schweife ab, und oft daneben noch eine feine Nuance. Mir liegt der poetische Schritt, mit unerwarteten Sprüngen, beim Reiten, bei Tisch, im Bett, sei es, daß ich selbst das eine Mal ein anderer bin als ein anderes Mal, von vorn und von hinten, von rechts und links, aber besonders beim Reiten, wo ich mich am ausführlichsten unterhalte ... Meine Gedankengänge hängen zusammen wie bei einem Menschen, dessen Sprache wir nicht verstehen. Ich stelle mich dar stehend und liegend. Ein Fremder ist ja eigentlich für den Menschen kein Mensch und wärmt sich und vergißt ganz, daß er eigentlich Feuer für sich zu Hause holen wollte ... Eine ganze Menge Geschichten führe ich ohne weitere Erklärung an, und mit allen Runzeln meines Wesens. Der Leser möge seine Aufmerksamkeit nicht auf den Stoff richten, genau wie man beim Pferd die Qualität am deutlichsten erkennt, wie plötzlich es steht.«

Im Herbst 1949, bei den Streitgesprächen über Vercors' Erzählung, war unsere ganze Aufmerksamkeit nur auf den Stoff gerichtet. Wir hörten dem aufrechten Offizier genau zu, billigten seine Ansichten über Musik und Menschenmaß und lauschten jedem Wort aus seinem Mund: »Ich freue mich für Frankreich, dessen Wunden schnell vernarben werden.« Doch er freue sich noch viel mehr für Deutschland, wenn es bereit sei, Frankreich seine Größe und Freiheit zurückzugeben – und wir hofften, er brächte aus seinem Urlaub die Botschaft von der wunderbaren Vereinigung beider Länder mit, so daß das Mädchen endlich sein Schweigen bräche. Wir versanken gänzlich in dieser Geschichte und verbanden uns mit dem Schicksal des deutschen Offiziers. Begeistert stimmten wir seinen Idealen zu, ohne Zögern waren wir bereit, sie als die unseren zu übernehmen. Doch trotz Corrado Rossis Warnung, nicht hie die Guten und dort die Bösen, hie die Maßvollen und dort die Maßlosen zu suchen, fiel es mir nicht leicht, seiner mittelmeerischen Botschaft zu folgen und mich bedenkenlos auf Montaignes Schaukel zu setzen.

Aus den historischen Ereignissen, in die wir ja selbst hineingeraten waren, wußten wir, daß Werner von Ebrennacs

Idee einer deutsch-französischen Verständigung nur ein Trugbild, ein unerfüllbarer Wunsch, das Hirngespinst eines Visionärs gewesen sein konnte. Doch gerade deshalb verehrten wir ihn. Lieber die Hirngespinste eines Visionärs als die Menetekel eines Miesmachers. Werner von Ebrennac, der sich angeschickt hatte, wie ich ein paar Jahre später Montaignes Schaukel zu besteigen, kam tief enttäuscht aus Paris zurück, und mit Bitterkeit in der Stimme sagte er zu Onkel und Nichte: »Ich habe diese Sieger gesehen. Es gibt keine Hoffnung!« Er habe mit seinen deutschen Landsleuten gesprochen: Sie seien entschlossen, die Franzosen zu prellen, sie einzulullen mit gespielter Freundlichkeit, um dann mit grausamer Härte zuzuschlagen: »Sie werden doch nicht so blöde sein, Frankreichs Wiederauferstehung an unseren Grenzen zuzulassen!« Diese Sätze habe er gehört: Deutsche Politik sei es, die Franzosen zu demütigen, es genüge nicht, ihr Land zu erobern, es sei vorausbestimmt, ihren Geist zu zerstören, denn Politik sei kein Dichtertraum.

Ich schloß die Augen und sah ihn dastehen, aufrecht, steif und schweigsam, mit herabhängenden Armen, die Beine leicht gespreizt, die Lippen krampfhaft zusammengepreßt – in erstaunlicher Ähnlichkeit mit dem Schauspieler Louis Jouvet, den wir ein paarmal im Kino gesehen und bewundert hatten. Der Schriftsteller Vercors, der sich hinter dem erzählenden Onkel verbirgt, beschreibt ihn so. Doch früh schon war mir der Gedanke gekommen, der französische Schriftsteller habe sich in den deutschen Offizier verwandelt. Monsieur Botrand hatte mir erzählt, Vercors' bürgerlicher Name sei ein deutscher Name. Vercors sei zwar ungarischer Herkunft, doch heiße er Bruller, Jean Bruller, und er habe seit einem Unfall im Jahre 1939 beim Gehen stets ein Bein nachgezogen, wie der deutsche Offizier Werner von Ebrennac in seiner Erzählung. »Vercors, das ist Jean Brullers Deckname«, erklärte mir Monsieur Botrand, »er hat sich nach der französischen Gegend genannt, in der sich der erste französische Widerstand gegen die deutsche Besatzung gebildet hat. Doch der Ort seiner Erzählung liegt nicht im Vercors, es ist Saintes, eine Stadt am Rand der Weinberge von Cognac, dort liegt das niedrige, langgestreckte Haus mit den von Weinspalieren bedeckten Mauern und den altersschwachen braunen Ziegeln.«

Monsieur Botrands Hinweis auf den historischen Ort der Geschichte hat aber meiner Vorstellung nicht genügt. Ich weigerte mich all die Jahre, mir dieses Haus des Onkels, gesäumt von einem Gehsteig mit roten Fliesen, auf denen das Klappern der Absätze zu hören ist, wenn Leute ein und aus gehen, in einem sanften Weinland liegend vorzustellen. In meiner Phantasie versetzte ich es in das ärmliche Bergland des Vercors, umgeben von kargen Weiden und schroffen Kalksteinwänden. Und so reiste ich fünfzig Jahre später mit neuen Freunden nicht zu malerischen Festungsruinen ins Weinland von Saintes, wir fuhren ins rauhe Vercors, wo heute ein Völkchen bescheidener Leute lebt, vielleicht nur eine Handvoll Hinterbliebene der Massaker von 1944 mit ihren Kindern und Kindeskindern, die einen schauerlichen Gedenktourismus bedienen.

Hof und Mauer in La Chapelle, wo die sechzehn jungen Männer erschossen wurden, sind frisch geplättet und neu verfugt, unter dem Kreuz liegt ein prächtiger Gladiolenstrauß. Für zehn Francs könnten wir den Innenraum einer kleinen Gedenkstätte betreten, wäre nicht der Geldautomat außer Betrieb gesetzt und die Eingangstür, eine kunstvoll gehämmerte Edelrostplatte, mit einer Kette versperrt. Auf den Wiesen von Vassieux liegen immer noch die Überreste der deutschen Lastensegler. Verrottet sind die Holzverkleidungen der Seitenwände, die Gerippe der Rümpfe starren wie abgenagte Gräten fliegender Fische aus der Vorzeit. Hinter sanftgewellten Weiden mit Eseln zwischen braunfleckigen Kühen ragen steile Kalkfelsen auf, glattgewaschen vom Regen, spärlich begrünt. In der Gedenkstätte unterhalb des ersten Widerstandscamps von 1940 am Col de Lauchau ist das Geschehen von einst in Szene gesetzt: eine Verhörzelle für Partisanen mit Schreibtischlampe, Hakenkreuzwimpel und Folterwerkzeugen; ein Empfangssalon für Kollaborateure mit Theatersesseln, Sektkübeln und Grammophon. Über Kopfhörer tönt die Geschichte jenes Sommers auf, Scheinwerfer erhellen das Mondlicht des Vercors, das sich am Ende der Schau weltuntergangsähnlich in der Tiefe versenkt. Übrig bleibt ein Schutthaufen aus zersplittertem Balkenholz, zersprungener Glockenbronze, zerspelltem Rohrstahl. Beim Ave-Maria von Lourdes beginnen Glocken zu läuten, beim *Bolero* von Ravel spricht das einst zu Tode gequälte Mädchen Arlette mit Schauspielerstimme aus dem Grab.

Es war spät im Jahr, die Geräusche aus den Lautsprechern des Vorführungssaals, der leer war bis auf mich und meine drei Begleiter, hallten gespenstisch wider. Ich saß auf der hintersten Bank des aufsteigenden Zuschauerparketts, ließ meine Augen über die Bilder eines ramponierten Films flanieren, sah die groben Gemäuer von Vassieux, von La Mure, von La Chapelle, doch scheiterte ich bei dem Versuch, die Geschichte des deutschen Offiziers in mir zum Leben zu erwecken. Ein Werner von Ebrennac, von Vercors als der bessere Deutsche entworfen, mitzuschaukeln in Montaignes Gedanken- und Lebensspiel, war undenkbar in dieser Szenerie: Wie sollte ich ihn mir vorstellen in seiner Verzweiflung, die inniger gewordene Berührung mit seinen Quartiersleuten aufzugeben, um sich einem Himmelfahrtskommando an die Front anzuschließen, unverzagt murrend, hoffnungslos lächelnd. Mitten im Filmspektakel, als der Lärm für ein paar Sekunden anschwoll, glaubte ich sein »Adieu« zu hören und das erwidernde »Adieu« des jungen Mädchens, das sein Schweigen gebrochen hatte. Ihre Stimmen kamen aus der Tiefe ihrer Brust, wie Jonas Stimme aus dem Leib des Fisches gekommen war und alle Riegel sprengte, die ihn eingesperrt hatten. »Man mußte auf das Wort gelauert haben, um es zu hören«, erzählte Vercors, »doch ich vernahm es. Werner von Ebrennac vernahm es auch, und er richtete sich auf; sein Gesicht und sein ganzer Körper schienen gelockert wie nach einem erfrischenden Bad.«

Ich habe weder Monsieur Botrand noch Corrado Rossi wiedergesehen. Beider Adieu und auch das meine zur freundschaftlichen Entgegnung waren wie das Adieu Werner von Ebrennacs und der Nichte ein *Gottbefohlen*, ein *Lebewohl*, kein *Auf Wiedersehen*! Was mir in Erinnerung geblieben ist, sind Monsieur Botrands Erzählungen und Corrado Rossis philosophische Spitzfindigkeiten, mir das Schweigen des Mädchens zu erklären. Vercors hält es für unvergleichbar mit jenem anderen Schweigen, das dem stummen Wimmeln von Meerestieren ähnlich ist, dem Getümmel »verborgener Gefühle, einander verleugnender und sich widersprechender Wünsche und Gedanken«. Das Schweigen des Mädchens ist ein entsetzliches Schweigen, das eine grauenhafte Beklemmung verspüren läßt. Doch das Schweigen hält nur an, bis sich Lippen bewegen und sich öffnen für das erlösende Wort, das die Welt verwandelt.

Vielleicht hätte ich mein Leben damit zubringen sollen, Corrado Rossis Rat zu befolgen, meine deutschen Eigenschaften beherrschen zu lernen, um doch noch ein besserer Mensch zu werden – sicher aber war es klüger, Monsieur Botrands Lebensregel nachzueifern, die Moraltraktate gegen Weltgeschichten einzutauschen und Montaignes Schaukel zu besteigen. Denn er lehre nicht, er erzähle, sagte er. Erzählte Geschichten leben. Aus ihnen steigen lebendige Menschen heraus, wenn man nur richtig liest. Ich erinnere mich gern an meine Debatten mit Corrado Rossi, möchte den Schlagabtausch unserer Argumente nicht missen, auch die Rechthaberei unserer Schlußfolgerungen nicht geringschätzen. Sobald aber die Bücher zu leben beginnen, schlage ich alle Begründungen und Erklärungen in den Wind und lasse meinen Gefühlen freien Lauf. Vercors' *Schweigen des Meeres* hatte ich im Rausch gelesen: Aus einem Buch tritt eine Person heraus, die für mich Mensch geworden ist und ihr Leben aufs Spiel gesetzt hat.

II

Übersprungene Symmetrien

> »Jede Philosophie ›verbirgt‹ auch eine
> Philosophie; jede Meinung ist auch ein
> Versteck, jedes Wort auch eine Maske.«
> Friedrich Nietzsche: *Jenseits von Gut
> und Böse*

Die Geschichte, die ich erzähle, ist eine Geschichte, die sich
wirklich zugetragen hat. Genauer gesagt sind es zwei Geschichten, und wenn man es ganz genau nimmt, sind es einige Doppelgeschichten, das heißt, Geschichten mit ihrer
Kehrseite, richtige Nietzsche-Geschichten, Doppelgänger-
Geschichten, mit einem Wanderer und seinem Schatten, mit
einem Menschen und seiner Maske, Geschichten, in denen die
Betrachtungen unzeitgemäß sind und in denen die Wissenschaft fröhlich ist, was ja sonst nicht so häufig vorkommt.

Meine Geschichte ist keine erfundene Geschichte, und obwohl sie fast eine philosophische Geschichte ist, taugt sie kein
bißchen für einen philosophischen Diskurs, schon gar nicht
für eine soziologische Untersuchung, für einen politischen
Traktat oder für eine Marketingstudie, auch wenn es darin
um gesellschaftliche, um politische und um wirtschaftliche
Dinge geht.

Nein, meine Geschichte will nichts erklären, sie will etwas
erzählen. Sie will in kehrseitigen Doppelgänger-Geschichten

etwas erzählen, was ich auf andere Weise nicht erzählen und deshalb auch nicht vorführen könnte. Meine Geschichte erzählt, wie gesagt, von der Zweiseitigkeit, sie ist, wie Nietzsche es ausdrücken würde,»ein Spiel der Symmetrien aller Art und ein Überspringen und Verspotten dieser Symmetrien«, sie erzählt, wie es aus der Zweiseitigkeit in die Dreifaltigkeit übergeht, wie jede Falte dieser Dreifaltigkeit mit jeder anderen Falte wieder gefaltet ist, aber sie erzählt diese symmetrischen Faltungen nicht als zweck- und ziellose Spielereien, o nein, meine Geschichte geht auf eine gewisse»Wünschbarkeit« aus, sie sollte so etwas wie eine»Stimulanz zum Leben« sein, woran jedermann erkennt, daß es sich um eine wahrhaftige Nietzsche-Geschichte handeln muß.

Der Leser dieser Geschichte braucht also nicht zu deduzieren und braucht nicht zu induzieren, er braucht nicht vor Kausalitäten und nicht vor Syllogismen zu erschrecken, jedoch er muß mit seinem Kopf etwas anstellen können, was viel abenteuerlicher und viel, viel halsbrecherischer ist als Kausalitäten zu begreifen und Syllogismen zu bilden, er muß nämlich einen Kopf besitzen, in dem die Gedanken zu Purzelbäumen fähig sind, vielleicht so etwas wie einen Hirnstab zum Überspringen der Symmetrien, eine geschmierte Stimmritze zu ihrer Verspottung. Aber damit bin ich selbst schon mitten in meine eigene Geschichte verwickelt, unversehens beginnt sie an einer Stelle, an der sie den schlechtesten aller denkbaren Ansätze hat, nämlich dort, wo sie eigentlich schon zu Ende sein sollte.

Meine Geschichte handelt von zwei Bildern, zwei körperhaften, handgreiflichen, unanfechtbaren Bildern aus Farbe und Leinwand, aus Graphit und Papier, es besteht kein Anlaß, auf der einen Seite an ihrer Stofflichkeit und auf der anderen an ihrer Geistigkeit zu zweifeln. Obwohl keine Rede davon sein kann, daß diese beiden leibhaftigen Bilder fälschlicherweise als Allegorien oder Personifizierungen angesehen werden möchten, daß sie mit Symbolen oder sonstigen Gleichnissen verwechselt werden könnten, so scheue ich mich doch, überhaupt erst mit dieser Bildergeschichte anzufangen, denn Friedrich Nietzsche, den diese beiden Bilder zum Gegenstand haben, hat nichts von Bildern gehalten.

In seinem Buch *Jenseits von Gut und Böse* spricht er davon, daß alles, was tief sei, die Maske liebe, ja, daß das Allertiefste sogar einen Haß auf Bild und Gleichnis habe, und er fragt: »Sollte nicht erst der ›Gegensatz‹ die rechte Verkleidung sein?« Nietzsche spricht vom sublimsten Bild, vom berückendsten Gleichnis im Kopf; was hätte er erst von einer leibhaftigen Abbildung gehalten? Und noch im *Nachlaß der Achtzigerjahre* kommt er von den Bildern im Kopfe auf die Wörter zu sprechen, »angewendet auf die Bilder«. Ja, was sollte er wohl von einer schieren Abbildung halten?

Nun, wenn man weiß, daß unzählige Künstler, wie Handzeichner und Ölmaler, wie Holzschneider und Bildhauer, versucht haben, diesen bilderfeindlichen Nietzsche in Bleistift und Öl, in Holz und Bronze abzubilden, dann stellt sich notgedrungen die Frage nach dem kuriosen Doppelspiel von eitlem Abgebildeten und geschmähtem Abbild. Wenn Nietzsche das Bild auch nicht sonderlich hoch angesehen hat, so hat er sich selbst doch gern abbilden lassen. Mag sein, daß er zur fotografischen Kunst anders stand als zur Ölmalerei, jedenfalls zeigt er sich vor der Linse des Fotografen in waghalsigerer Pose als vor der des Malers.

Wie man weiß, hat ihn der Fotograf Jules Bonnet aus Luzern zusammen mit seinem Freunde Paul Rée und der schönen Lou von Salomé im Jahre 1882 auf einer Ablichtung festgehalten, deren Arrangement er selbst in raffinierter Manier vorgenommen hatte. Vor düsterer Alpenszenerie stehen Nietzsche und Paul Rée vor eine Karre gespannt, Paul Rée, der sich sein Leben lang vor der Wiedergabe seines Gesichts gescheut hat, lächelt in seiner braven, bartlosen Art in die Kamera, Nietzsche dagegen, mit der Hand an der Deichsel, schaut grimmig in eine imaginäre Ferne, während Lou von Salomé auf der Karre die fliedergeschmückte Peitsche schwingt, die goldne Geißel der Fricka aus der *Walküre*, den

Thyrsos der rasenden Mänade, der man ihre Raserei noch nicht einmal ansieht. Womöglich ruft sie: »Dionysos!«, und Nietzsche schaut deshalb so grimmig drein. Ja, was soll man davon halten?

Die beiden Bilder, von denen diese nun folgende Geschichte erzählt, sind keine raffiniert gestellte Fotografien, sondern ganz naiv verfertigte Porträts zweier Nietzscheverehrer. Das eine ist ein Ölgemälde des Paradiesmalers Samuele Giovanoli aus dem Fextal, das andere ist eine Handzeichnung meines Freundes Eugen aus Neuweiler.

Für jeden der beiden Porträtisten gab es naturgemäß einen Anlaß, sich dieses Sujets eines dionysischen Eremiten anzunehmen, denn niemand, so darf bei der Kenntnis des Gegenstandes vermutet werden, stürzt sich blindlings in ein solches Unternehmen. Nietzsche, dieser maskierte Dionysos, läßt einen malbeflissenen Menschen nicht umsonst zu Pinsel und Bleistift greifen, da muß es schon schwerwiegende, wenn nicht unabweisliche Gründe geben, das muß vorausgeschickt werden. Als nämlich Samuele Giovanoli und mein Freund Eugen sich zu diesem Wagnis gedrängt fühlten, Friedrich Nietzsche zu konterfeien, da setzten sie eines jener kehrseitigen Doppelspiele in Gang, das sich erst heute zu seinen vollen Abläufen entfaltet hat. Während Eugens Bild eine mehr oder weniger diskrete Ursache zum Anlaß, dabei aber eine um so furiosere Wirkung zur Folge hatte, zeugt die Auswirkung Giovanolis im Verhältnis zur Veranlassung eher von einer zurückhaltenden Zärtlichkeit. Nietzsche hatte Eugen von innen heraus, Giovanoli dagegen von außen her angestoßen.

Es ist bekannt, daß Friedrich Nietzsche vom Sommer 1881 an acht Jahre lang Sils-Maria im schweizerischen Oberengadin aufgesucht hat, um dort, »wo Italien und Finnland zum Bunde zusammengekommen sind«, wie er selbst sagt, die »Doppelgängerei der Natur«, »die schönste Doppelgängerei«, »in diesen schalkhaft glücklichen Spielen des Windzuges von früh bis abend« Jahr für Jahr zu erleben. Er nennt das Oberengadin eine metaphysische Landschaft und, in »gewagter Latinität«, Sils-Maria die »Perla Perlissima«. In seinen Briefen an Peter Gast und Franz Overbeck spricht er von heiteren und luftigen Farben, von Leichtigkeit und Epikur und von den Sprüngen eines Possenreißers, und damit meint er sich selbst. Noch am 3. September 1888, als er morgens, nach der Niederschrift des Vorworts zur *Umwertung aller Werte*, ins Freie trat, »fand ich den schönsten Tag vor mir, den das Oberengadin mir je gezeigt hat – durchsichtig, glühend in den Farben, alle Gegensätze, alle Mitten zwischen Eis und Süden in sich schließend«.

Er sagt rückerinnernd, die Jahre seiner niedrigsten Vitalität seien die gewesen, wo er aufhörte, die seiner höchsten Vitalität dagegen die, wo er anfing, Pessimist zu sein.

Da gibt es also Finnland und Italien, das Eis und den Süden, die Frühe und den Abend, alle diese kehrseitigen Doppelgängereien, und da gibt es die Spiele, die Sprünge, den Schalk und den Possenspieler, Gesundheit und Krankheit im reziproken Wechsel zu Optimismus und Pessimismus, ein ganzes Feld von Gegensätzen tut sich auf, Polaritäten und Antinomien, und man wundert sich, warum er nicht anfing, diese Zweiseitigkeiten in der Dreifaltigkeit der Dialektik aufzuheben.

Aber nichts von alledem, Nietzsche geht in seiner niedrigen Stube auf und ab, im späten Sommer klappert er schon vor Kälte, er geht hin und her zwischen Bett und Stuhl, zwischen Tisch und Sofa, zwischen Waschkommode und Toiletteneimer, es gibt nichts außerdem, nur noch die Wasserkaraffe und den Handtuchständer, einen marmornen Kerzenhalter und eine Öllampe aus Messing. Die Waschschüssel ist von der Firma Marie U. & Co. aus Sarreguemines und die Seifenschale von John Maddock & Sons Ltd. aus Brooklyn. Aber hüten wir uns zu sagen, hier sei die Bescheidenheit der Umgebung und dort der Reichtum der Ideen, und eine geheime Dialektik walte zwischen den Widersprüchen. Nietzsche zieht seine Stiefel an, nimmt Hut und Stock und tritt vor die Tür.

Es ist ein Augusttag im Jahre 1881. Nietzsche schreitet fröhlich aus, er hüpft, er tanzt, weil er ja nur im Hüpfen denken, im Tanzen dichten kann, er tanzt schon den Tanz, er hüpft schon die Sätze Zarathustras, er redet im Gehen, er spricht das »jasagende Pathos«, nun wird er zu singen, nun wird er zu musizieren anfangen. In seinem Ohr tönt schon das Spielwerk des immer Gleichen, die Spieluhr der unendlichen Wiederholung, das sanfte Orchestrion einer immerwährenden Melodie.

In *Ecce homo* kann man lesen: »Ich ging an jenem Tage am See von Silvaplana durch die Wälder; bei einem mächtigen pyramidal aufgetürmten Block unweit Surlei machte ich halt. Da kam mir dieser Gedanke.« Es ist der »Ewige-Wiederkunfts-Gedanke«, der Gedanke von der Sanduhr des Daseins, die immer wieder umgedreht wird.

Hiervon spricht das Gesicht »Sils-Maria« aus den *Liedern des Prinzen Vogelfrei*, es spricht der Possenreißer, der Hanswurst, der Narr, der Dichter:

> »Hier saß ich, wartend, wartend, – doch auf nichts,
> Jenseits von Gut und Böse, bald des Lichts
> Genießend, bald des Schattens, ganz nur Spiel,
> Ganz See, ganz Mittag, ganz Zeit ohne Ziel.
> Da, plötzlich, Freundin! wurde eins zu zwei –
> – Und Zarathustra ging an mir vorbei ...«

Dieses Ereignis, diese Situation, ja diesen paradiesischen Augenblick hat Samuele Giovanoli gemalt, samt Licht und Schatten, diesen Pan am Mittag, dieses spielerische Warten, diese Ziel- und Zwecklosigkeit, ja sogar dieses Jenseits von Gut und Böse. Giovanoli zeigt den dionysischen Wanderer, im Grase sitzend, so als habe er von der närrischen Verwandlungsfähigkeit des bärtigen Satyrs, als habe er von der spielenden Leichtigkeit der Griechen gewußt, die das Blaue braun und das Grüne gelb sahen; und da ja tatsächlich das Braune und das Gelbe in Haut und in Harz und im Honig dasselbe sind, ist das ganze Bild gelb und braun geraten, und das Wasser des Sees von Silvaplana ist gerade dabei, seine blaue Farbe zu verlieren, um auch gelb und braun zu werden wie das Gras der Wiese und wie die Nadeln der Lärche, an deren Stamm sich Nietzsche zum Sitzen niedergelassen hat. »Blau und Grün entmenschlichen die Natur«, sagt er, es sieht auf dem Bilde Giovanolis so aus, als sitze er da, um sie wieder zu denaturieren.

Der Block, von dem er schrieb, hat sich in viele Blöcke gespalten; er nannte ihn »pyramidal«, was ja nicht einfach nur pyramidenförmig bedeutet, sondern darüber hinaus auch noch soviel wie »gewaltig«, wie »riesenhaft«, wie »überwältigend« heißen soll. Rund um ihn her liegen lauter pyramidale Steine, und Nietzsche sitzt, mit dem Rücken an den Stamm der Lärche gelehnt, mitten in der Wiese. Er sitzt mitten in den Engadiner Alpenblumen, Büschel von Grasnelken und Anemonen blühen zwischen Leim- und Fingerkraut, alle rot und leuchtend, und Nietzsche sitzt auf seinem Hosenboden, hemdsärmelig, aber hochgeknöpft, und schaut auf die pyramidalen Steine. In seiner Rechten hält er sein Stöckchen und den Sonnenhut. Hand und Stock und Hut sind dem Maler zu klein geraten, dafür aber ragt das gewaltige Haupt aus dem geschlossenen Hemdkragen heraus.

Nietzsche sitzt tatsächlich in der Mitte, »der düster und magisch umglänzte einsame Wanderer, der durch die blaue Eiswelt der Berghöhen irrt, bisweilen zu Tal steigend«, wie Egon Friedell, »alle Mitten zwischen Eis und Süden in sich schließend«, wie er selbst sagt; nur sind die Blumen und ist die Eiswelt gerade dabei, gelb und braun zu werden, damit die schweizerische Alpenwelt griechisch und dionysisch wird.

Auf Samuele Giovanolis Ölgemälde sind die Gegensätze des Gedichts naturgetreu festgehalten: oben das Licht und unten der See, das Feuer über dem Gebirge, das Wasser in der Talsenke, und Nietzsche in der Mitte dazwischen in den Anemonen sitzend. Nietzsche schaut in das Feuer, von dem der Grieche Heraklit gesagt hat, es sei der Ursprung aller Dinge, er schaut auf das Wasser, von dem der Grieche Thales gesagt hat, es sei der Ursprung aller Dinge. Was für Heraklit das Feuer war, das war für Thales das Wasser, und was für Thales das Wasser war, das war für Demokrit die Erde. Solange nun im Menschen das Feuer brennt, ist es gut, wehe, wenn er zuviel Anteil am Wasser hat und er zu schwimmen beginnt, und wehe erst, wenn er zuviel Anteil an der Erde hat und zu modern beginnt!

Nietzsche, im gelben und braunen Gras einer Engadiner Wiese sitzend, fuchtelt mit seinem Stöckchen in der Luft, schwenkt sein Sonnenhütchen und springt auf die Beine. Er hüpft über die pyramidalen Steine, er tanzt zwischen den Tannen und ruft: »Wenn man Heraklit die Frage vorrücken wollte: warum ist das Feuer nicht immer Feuer, warum ist es jetzt Wasser, jetzt Erde? so würde er eben, nur antworten: ›Es ist ein Spiel, nehmt's nicht zu pathetisch und vor allem nicht moralisch!‹«

Dann schaut er über das Wasser des Sees in das Abendlicht der Sonne und sagt: »Die Welt ist das ›Spiel‹ des Zeus oder, physikalischer ausgedrückt, des Feuers mit sich selbst, das Eine ist nur in diesem Sinne zugleich das Viele.« Und er sagt: »Heraklit hat ja keinen Grund, nachweisen zu ›müssen‹ (wie ihn Leibniz hatte), daß diese Welt sogar die allerbeste sei, es genügt ihm, daß sie das schöne unschuldige Spiel des Äon ist.«

Die Lärche am Silsersee schüttet ein paar Nadeln auf Nietzsches Rock, die feurigen Anemonen duften, die pyramidalen Steine strahlen vor Wärme, auch sie sind ja eines dieser schönen unschuldigen Spiele des Äon. O immerwährendes Äon, denkt Nietzsche, ob es nun die unveränderliche ewige Dauer ist, oder ob es die 26 000 Jahre sind, die die Nachtgleichen brauchen, damit sie einmal um den Tierkreis wandern, gleichviel, das Äon spielt. Es spielt und lehrt; lehrend spielt es, und spielend lehrt es.

Es ist zuerst die Lehre vom Gesetz im Werden und vom Spiel in der Notwendigkeit, und ist dann die Lehre vom Spiel in der Notwendigkeit und vom Werden im Gesetz, es ist ferner die Lehre vom Werden im Gesetz und von der Notwendigkeit im Spiel, und ist außerdem die Lehre von der Notwendigkeit im Spiel und vom Gesetz im Werden, es ist schließlich die Lehre vom Gesetz im Werden und von der Notwendigkeit im Spiel, und ist endlich die Lehre von der Notwendigkeit im Spiel und vom Werden im Gesetz.

An Nietzsches pyramidalen Steinen vorbei zieht ein ganzes Volk von Theorienbildnern. Was ließe sich nicht alles aus diesen Gegensätzen gewinnen? Ein erster operiert mit Polaritäten und setzt das Gesetz gegen das Spiel, dann das Spiel gegen die Notwendigkeit, dann das Werden zuerst gegen das Spiel und dann gegen das Gesetz, die Notwendigkeit gegen das Werden, kehrt schließlich die Polaritäten um, zeigt, wie das eine nur in seiner Bezogenheit auf das andere bestehen kann und täuscht auf diese Weise ein östliches Denken vor. Ein zweiter operiert mit Antinomien, er setzt die Sätze gegeneinander, zeigt den notwendigen Widerspruch vor, bekennt sich zum europäischen Spekulieren, ja, noch ist die Dialektik westlich und transzendental! Aber auch die materialistischen Dialektiker sind nicht müßig gewesen, sie haben sich vorgenommen, die Antinomien zu beseitigen und die Polaritäten aufzuheben und sie in dialektischer Dreifaltigkeit zusammenzuklappen.

Nietzsche, in der Mitte zwischen Finnland und Italien, zwischen Feuer und Wasser, zwischen allem und nichts, sitzt wieder unter den Zweigen der Lärche in der duftenden Engadiner Spätsommerwiese und läßt seine Gedanken spielen. Ja, er spiegelt nicht vor, er spielt. Finnland und Italien, Feuer und Wasser, alles und nichts: wenn es dieses alles und auch die Lehre von diesem allem ist, dann ist es zuerst aber auch die Lehre vom Werden im Gesetz und vom Spiel in der Notwendigkeit, und ist dann die Lehre vom Spiel in der Notwendigkeit und vom Gesetz im Werden, und ist außerdem die Lehre vom Gesetz im Spiel und vom Werden in der Notwendigkeit, es ist ferner die Lehre vom Werden in der Notwendigkeit und vom Spiel im Gesetz, es ist schließlich die Lehre vom Spiel im Gesetz und von der Notwendigkeit im Werden, und ist endlich die Lehre von der Notwendigkeit im Werden und vom Gesetz im Spiel.

Ist nun Samuele Giovanolis Ölgemälde eine Naturwiedergabe, oder ist es eine Schöpfung? »Alles nur Bilder des Bildners?« fragt Nietzsche, und er meint Gott und Prometheus, den Kaukasus und den hepatischen Adler. Er sagt: »Immer nur Bilder und Bildchen ›aus einem Leben‹«, und er meint sich selbst und die Griechen, die ja als geborene Maler nicht nach der Natur gearbeitet haben. Nietzsche begnügt sich mit einer Frage, und er entfernt sich aus dem gemalten Gedicht. Er erhebt sich aus der Blumenwiese, zieht sein Jackett wieder an, setzt das Sonnenhütchen auf den Kopf und tritt aus dem Bild. Er schwingt seinen Spazierstock, steigt über die pyramidalen Steine und läßt die Landschaft ohne sein Konterfei zurück.

Nun ist es ein Menschenalter später, genau 67 Jahre, aber Nietzsches Wiederkehr-Gedanke ist noch nicht vergessen, und die Geschichte geht im Hochgebirge, wo sie begonnen hat, weiter. Jetzt sind es nicht mehr die Alpen, jetzt sind es die Pyrenäen, jetzt ist es nicht mehr das Engadin, jetzt ist es die Cerdaña. So wie Nietzsche vor einem Menschenalter über die Alpenwiesen des Engadin spazierte, so spaziert nun mein Freund Eugen über die Matten der Pyrenäen.

Er ist gerade zwanzig Jahre alt, seine rotblonde Haarwelle weht glühend im Sommerwind. Steil über dem Wald steht der Mont Canigou. Eugen hat Deutschland verlassen, er hat sich fortgemacht. Er will weggehen, er will auswandern, vielleicht bis nach Südamerika, vielleicht nur bis nach Andorra, Andorra ist neutral, und noch hat Max Frisch es nicht mit selbstgefälligen Bürgern bevölkert.

Die Cerdaña wölbt ihre Hügel und Hänge mit Oliven- und Birnbäumen über die Täler des Tech und des Ter; Eugen ist dem saarländischen Nachkriegs-Klerofaschismus entronnen, sein Reisepaß trägt keine christlichen Konfessionsvermerke mehr. Er steigt bergauf und bergab, wie es ihm gefällt, er wechselt die Pfade, er schweift in die Ferne, ein sanfter Heide, ein goldhaariger Faun. Auch hier in der Cerdaña sind die Steine pyramidal, auch hier ist Zarathustra vorbeigegangen, eben hat er dem alten Heiligen, der in seinem Walde noch nichts davon gehört hat, gesagt, daß Gott gestorben ist. Das hat Eugen schwarz auf weiß, und es ist, mit behördlichem Stempel versehen, in seinen Papieren vermerkt.

Dieser Tag ist ein Augusttag wie im Jahre 1881, auch Eugen schreitet fröhlich aus, auch er hüpft und tanzt, weil ja auch er nur im Hüpfen denken und im Tanzen dichten kann, auch er hüpft die Sätze Zarathustras, die ihm aus dem Kopf und aus dem Herzen springen. Er ruft: »Jetzt bin ich leicht, jetzt fliege ich, jetzt sehe ich mich unter mir!« Eugen hüpft von einem pyramidalen Stein auf den anderen, er schwingt sein schwarzes Lackköfferchen, er greift in die Birnbäume und raschelt im Heidekraut. Irgendwo zwischen Prats-de-Mollo und Camprodón, bei den sieben Häusern von Setcasas, bei den warmen Quellen von La Preste, streift er im zarathustrischen Brause-Wind.

In seiner Brieftasche trägt er ein selbstverfertigtes Nietzsche-Porträt. Das Bild ist mit Bleistift gezeichnet, es zeigt Nietzsches Kopf. Es ist, wie Samuele Giovanolis Ölgemälde, ein kurioses Bild, denn so wie bei Giovanoli Nietzsches Hand und Hut, so ist auch bei Eugens Bleistiftzeichnung einiges zu klein, einiges andere zu groß ausgefallen. Vor allem die Haarwelle ist Eugen zu klein, dagegen ist ihm das Kinn zu groß geraten, überhaupt hat er an den Haaren gespart, vor allem an den Hinterkopfhaaren, aber auch an den Augenbrauen. Dagegen ist Nietzsches Stirn fliehender und sind seine Augen noch glühender als in Wirklichkeit. Wenn man ganz genau hinsieht, kann man erkennen, daß es Eugens eigener Hinterkopf und daß es seine eigene Nase ist, die da so überdeutlich gezeichnet sind.

Trägt nun Eugen Nietzsches Maske, oder trägt Nietzsche Eugens Maske? Wer verbirgt wen? Ja, wer ist in wem verborgen? Nietzsche spricht, und Eugen hört zu. Aber auch Eugen spricht, und er hat mit den Jahren immer mehr und immer ausführlicher das Sprechen geübt. Nietzsche sagt: »Ein solcher Verborgener, der aus Instinkt das Reden zum Schweigen und Verschweigen braucht und unerschöpflich ist in der Ausflucht vor Mitteilung, ›will‹ es und fördert es, daß eine Maske von ihm an seiner Statt in den Herzen und Köpfen seiner Freunde herumwandelt.« Ja, wer trägt nun wessen Maske?

Eugen hat sein Nietzsche-Porträt auf die Rückseite eines Theaterzettels gezeichnet, genauer gesagt auf die untere Hälfte des Zettels, auf der nicht mehr der Name des Autors und der Titel des Stückes, dafür aber die Personen und ihre Darsteller aufgeführt sind, unter ihnen Martha Cochlovius, eine Kusine meines Vaters, eine damals stadtbekannte Sängerin, als Inez, Vertraute der Gräfin Leonore von Sargasto. Es ist nicht schwer zu erraten, Leonore, Gräfin von Sargasto, Palastdame, Sopran; Inez, deren Vertraute, Sopran; Manrico, Tenor: das ist *Der Troubadour*, ja, Eugen hat seinen Nietzsche auf den Theaterzettel einer *Troubadour*-Aufführung gezeichnet.

> »Tanzen wir gleich Troubadouren
> Zwischen Heiligen und Huren?«

singt Nietzsche, und er tanzt, wie er selbst sagt, in seinem Tanzlied »mit Verlaub! über die Moral hinweg«. So schwenkt auch Eugen seinen Lackkoffer über die pyramidalen Steine, kümmert sich nicht um spanische Empfindlichkeit und nicht um andorranische Selbstgefälligkeit und singt die ganze Strophe:

> »Raffen wir von jeder Blume
> Eine Blüte uns zum Ruhme
> Und zwei Blätter noch zum Kranz!
> Tanzen wir gleich Troubadouren
> Zwischen Heiligen und Huren,
> Zwischen Gott und Welt den Tanz!«

Wieder diese blanken Gegensätze, und wieder dieser Tanz und dieses Spiel mit ihnen! Noch zwei Blätter, eines von hie und eines von da, eines vom Lorbeer- und eines vom Birnbaum, und es rundet sich das Widerstrebende. Aber warum sieht der Mensch überall Gegensätze, anstatt daß er sich mit Gradverschiedenheiten, mit Übergängen, mit sanften Wechseln begnügt? Ist es nicht vielmehr die Kehrseite der Dinge, die ihn verblüfft, und es gibt womöglich gar keine Gegensätze, nur die Logik erfindet sie, damit sie spielen kann? Hie das Lorbeerblatt, und dort das Blatt vom Birnbaum, hie die Ruhmsucht der Griechen, und dort das heitere Spiel der Hellenen. Wie spielte Nietzsche mit diesen Griechen, und wie spielte er diesen Griechen mit!

Die Hellenen waren Sophisten, gesunde und heitere Spieler; die Griechen waren Dialektiker, dekadente und griesgrämige Denker. Die Hellenen, als Sophisten, agierten; die Griechen, als Dialektiker, reagierten. Die Hellenen tauschten aus, die Polis, die Götter, die ganze Kultur. Die Griechen hielten fest, die Polis, die Götter, die ganze Kultur. Der Dialektiker will recht behalten, er geht aufs Ganze. Der Sophist will spielen, ihm ist es schnuppe. Der Dialektiker will etwas beweisen, wozu eigentlich? Um recht zu haben und Wahrheit vorzutäuschen. Der Sophist will etwas zeigen, wozu? Um vorzuführen, daß es weder Recht noch Wahrheit gibt.

Auf der einen Seite steht die Dialektik, und auf der anderen Seite steht der gute Geschmack. Nietzsche spielt, er schaut auf die eine Seite, und dort sieht er den Pöbel sich tummeln. Er schaut auf die andere Seite, dort präsentiert sich ihm die honette Gesellschaft. Die honette Gesellschaft mit ihren guten Manieren trägt ihre Gründe nicht offen auf der Hand; der Pöbel aber mit seiner Dialektik zeigt schamlos seine fünf Finger. Was ist das für ein schmähliches Spiel!

Im Nu ist der tugendhafte Held zum Dialektiker geworden, schaukelt sich mit den antithetischen Prozessen in luftige Höhen empor und ist gut aufgehoben. Sollten die Dialektiker etwa spielerische Prozesse beschrieben haben, als seien es zwangsläufige? Oh, dieser durchtriebene Nietzsche mit seiner spielerischen Lust am Tanz, am Spiel und am Betrügen! Und diese Deutschen mit ihrer Lustlosigkeit, diese grämlichen Effektiven, was geht in ihnen vor, daß sie aus jedem schönen Widersinn gleich eine Dialektik machen und so tun, als müsse, sobald sich die Kehrseite der Dinge zeigt, die heilige Dialektik her! Die Dreiheit in der Einheit, ja, die Dreiheit, die zur Einheit führt, die Dreiheit, die in die Einheit mündet, heilige Mystifikation der Dialektik, wie sie aus ihrer Zweiseitigkeit die Dreifaltigkeit transzendental entbindet!

Das Lackköfferchen sichtbar in der Hand, das Nietzschebild verborgen in der Brieftasche, so hüpft, so tanzt, so fliegt Eugen über die Steine der Cerdaña. Aber wie er nun mitten im Hüpfen, im Tanzen und im Fliegen ist, knallt ein Schuß. Eugen bleibt stehen und schaut sich um. Hinter den Birnbäumen tauchen ein paar uniformierte Männer auf. Sie tragen ihre Gewehre im Anschlag und gehen auf Eugen zu.

Ein Uniformierter ohne Gewehr, aber mit einer Pistole im Gürtel, hebt seine Hand, und, die offene Handfläche gegen Eugen gerichtet, bewegt er diese einige Male ruckartig in seine Richtung. Eugen sieht die Geste des Offiziers, dreht sich um und läuft. Da krachen wieder Schüsse. Eugen steht auf der Stelle still, dreht sich wieder um und sieht die gleiche Geste der Hand, die ihn zum Weglaufen auffordert. Eugen läuft, Schüsse hallen, der Offizier winkt wie besessen.

Ist eine Geste des Herbeiwinkens nun eine Geste des Herbeiwinkens, oder ist es eine Geste des Fortwinkens, und ist eine Geste des Fortwinkens nun eine Geste des Fortwinkens, oder ist es eine Geste des Herbeiwinkens? Ist etwa die spanische Geste des Herbeiwinkens identisch mit der deutschen Geste des Fortwinkens und die deutsche Geste des Herbeiwinkens identisch mit der spanischen Geste des Fortwinkens? O weh, wie schmählich ist doch dieses Spiel mit der Wahrheit!

Eugen bleibt stehen. Im Nu ist er von Soldaten umringt. Es

sind Offiziere, Unteroffiziere und Rekruten der regulären spanischen Armee. Eugen hat sich über die Grenze verirrt, und es findet eine Leibesvisitation statt. Es ist reguläres Militär, keine Guardia civil, die da so peinlich arbeitet und alles, was nicht wie ein Spanier aussieht, bis ins innerste Kleidungsstück durchforscht. Nein, Eugen sieht nicht wie ein Spanier aus. Die Männer in den Stahlhelmen öffnen das schwarze Köfferchen und fördern auch die Brieftasche zutage. Da fällt ihnen das Nietzschebildnis in die Hände.

Sokrates und Reineke Fuchs waren Dialektiker, sie haben die Mittel der Notwehr und der Überredung beherrscht, aber Eugen ist nicht Sokrates und ist nicht Reineke Fuchs, er ist Nietzscheverehrer und bewandert im Spiel mit den Wörtern, aber er hat nicht einmal die Lehre angenommen, daß ein Nietzschebildnis in Grenznähe zu Mißverständnissen und sogar zu diplomatischen Verwicklungen führen kann. Was für eine Lehre soll er ziehen?

Möglich ist ebenso die Lehre vom Gesetz im Spiel und von der Notwendigkeit im Werden wie auch die Lehre von der Notwendigkeit im Werden und vom Spiel im Gesetz. Möglich ist sowohl die Lehre vom Spiel im Gesetz und vom Werden in der Notwendigkeit als auch die Lehre vom Werden in der Notwendigkeit und vom Gesetz im Spiel. Und möglich ist nicht nur die Lehre vom Gesetz in der Notwendigkeit und vom Werden im Spiel, sondern auch die Lehre vom Werden im Spiel und von der Notwendigkeit im Gesetz.

Aber die Waffen der Soldaten lassen womöglich gar kein Spiel zu, obwohl auf diese Weise das Spiel ins Gesetz käme, wo es ja bisher nicht vorkam, und ein bißchen Spiel im Gesetz dem Gesetz schon lange guttäte. Eugen hat Nietzsche konterfeit, er hätte auch Pius XII. oder den Caudillo konterfeien und mit sich tragen können, und diese Bildnisse hätten den Offizier der spanischen Armee auch nicht besser von Eugens Spanienverehrung überzeugen können wie dieses Nietzschebild. Aber wer Eugen kennt, der weiß, daß ihm weder der Papst noch der Caudillo von der Hand gegangen wären. Don José und die schöne Carmen, ja, Nietzsche selbst hielt schon die Oper *Carmen* für Grund genug, eine Reise nach Spanien zu unternehmen.

Eugen hatte nur einen Fuß auf spanische Erde gesetzt, und Nietzsche war sein Alibi. Aber im Beisein spanischer Waffen kommt kein deutsches Gedankenspiel auf; und eine verläßliche Lehre, die man etwa schwarz auf weiß besitzen und nach Hause tragen könnte, gibt es auch nicht, weder eine Lehre von der Notwendigkeit im Gesetz und vom Spiel im Werden, noch vom Spiel im Werden und von der Notwendigkeit im Gesetz, nicht die Lehre vom Gesetz in der Notwendigkeit und vom Spiel im Werden, und nicht die Lehre vom Spiel im Werden und vom Gesetz in der Notwendigkeit, sowenig die Lehre von der Notwendigkeit im Gesetz und vom Spiel im Werden wie die Lehre vom Werden im Spiel und vom Gesetz in der Notwendigkeit.

Der Offizier stand da, aufrecht in seiner iberischen Grandezza, und betrachtete Eugens Nietzschebild. Er schaute lange, und dann schüttelte er den Kopf. War nun dieses spanische Kopfschütteln ein Zeichen der Zustimmung, wie es vielleicht spanischer Gepflogenheit entspricht, oder war es ein Zeichen des Zweifels, wie es ein deutsches Kopfschütteln gewesen wäre? Der Offizier musterte das Bildnis von Eugens Hand, und es wäre alles anarchische Spiel und jede subversive Maskerade nichts als eine überflüssige Caprice des Gehirns gewesen, wenn es nicht plötzlich zu einer überraschenden Wende gekommen wäre, die um ein Haar tödlich verlief.

Das hatte folgende Bewandtnis: Bei aller Unterschiedlichkeit sowohl in der künstlerischen Auffassung als auch in der individuellen Darstellung haben Giovanolis und Eugens Nietzsche eines gemeinsam: Nietzsche sieht bei ihnen beiden nicht aus wie Nietzsche, sondern wie Stalin. Ja, bei aller Gutwilligkeit, dieses Ölgemälde des Engadiner Paradiesmalers und die Bleistiftzeichnung meines Neuweiler Freundes sind so ausgefallen, daß anstatt Friedrich Nietzsche der grimmige Stalin herausgekommen ist und sie somit beide eine unbeabsichtige Personifizierung geschaffen haben, das »Bild des Bildners«, von dem Nietzsche spricht, eine fatale Gleichsetzung.

Aber wie kommt Nietzsche zur Maske Stalins, dieses exotischen Georgiers? Das alles ist nicht bedeutungsvoll und bleibt ein harmloses Spiel im Falle des paradiesischen Giovanoli, wo gut und gerne ein fröhlicher Stalin an Stelle eines Nietzsche im Engadiner Sommergras sitzen darf, aber es wird zum tödlichen Spiel, wo Stalin es zu einer spanischen Grenzüberschreitung bringt, wenn auch körperlos und nur in der Gestalt eines bemalten Theaterzettels. Eugen verschwand daraufhin für neun Monate in spanischen Gefängnissen, er saß bei Einbrechern und bei Mördern, und als er schließlich in Irun über die Grenze abgeschoben und den französischen Behörden in die Hand gespielt wurde, da trug er seinen Nietzsche in der Maske Stalins immer noch in seiner Brieftasche. Oder war es Stalin in der Maske Nietzsches?

Hier endet meine Geschichte, ohne Erklärung, ohne Lösung, ohne einen sinnvollen Schluß. Worin liegt die »Wünschbarkeit«, und worin liegt die »Stimulanz zum Leben«? Ja, wie lebt eigentlich der Mensch, und was ist ihm zu wünschen? Heckt er nicht dialektische Rechthaberei aus und treibt mathematischen Hokuspokus und verschleißt sich so in der »Notdurft der Logik«? Wer wagt das »strenge und nüchterne Spiel des Begriffs«, das die Hellenen so trunken machte, wer gönnt sich die Tage, an denen das Spiel »der Verallgemeinerung, Widerlegung, Engführung getrieben« wird, den großen Zauber »der wechselnden Form«, in dem es Ursachen ohne Wirkungen und Wirkungen ohne Ursachen gibt: die Kausalität als Verabredung, Hume und Nietzsche, wie er die Götzen aushorcht, indem er mit dem Hammer Fragen stellt?

Dann verwandelt sich plötzlich der Hammer in eine Stimmgabel, und die Götzen tönen. Die Töne, die aus den Götzen hervorgehen, sind Zukunftsmelodien, die alle Welt dem lieben Gott, diesem Kindskopf, aber doch nicht einem Götzen zugetraut hätte. Oh, wenn dieser durchtriebene

Nietzsche mit seinem Hammer an einen Götzen rührt! »Ich habe eine erschreckliche Angst davor, daß man mich eines Tages heilig spricht«, sagt er erbleichend. »Ich will kein Heiliger sein, lieber noch ein Hanswurst. Vielleicht bin ich ein Hanswurst.« Ja, das ist er wohl, »nur Narr, nur Dichter!«

Die beiden Nietzschebildnisse hängen vor mir an der Wand, in kleinen Rahmen, unter Glas und für jeden sichtbar. Giovanolis Nietzsche schaut von links nach rechts, aber Eugens Nietzsche schaut von rechts nach links.

III

Sie nannten ihn Nurmi

Im Herbst 1992, auf einer Lesereise mit meinem Roman *Weh
dem, der aus der Reihe tanzt*, hatte ich eine folgenreiche Begegnung in Andernach. Als ich den Satz las: »Am 5. Januar
1943, einem Dienstag, als der Weihnachtsurlaub zu Ende und
ich wieder ins Idsteiner Schloß eingerückt war, spazierte
Willi Graf mit Freunden im Sulzbacher Wald zum Brennenden Berg hinauf, saß später im Gespräch mit ihnen und Marita Herfeldt, einer Freundin, in Dudweiler« – sagte eine
Dame in der ersten Reihe: »Das bin ich.« Es war Marita Herfeldt, die im Winter 1943 von Bonn, wo sie damals studierte,
nach Dudweiler gekommen war, um ihre Freunde Willi Graf
und Hein Jacobs, den sie im gleichen Jahr noch heiratete, zu
besuchen. Nun saß sie mir gegenüber, fünfzig Jahre später,
eine Frau mit markanten indianischen Gesichtszügen, die
Beine übereinandergeschlagen, und lauschte meinen Erzählungen aus einer Zeit, die ihr ebenso unvergeßlich eingeprägt
ist wie mir. Wir kamen ins Gespräch, trafen uns später in
einem Gasthaus, und beim Wiedersehen vor ein paar Wochen
bei ihr zu Hause im Rheinland erfuhr ich bemerkenswerte
Einzelheiten über diese alte Freundschaft. Sie lehrten mich
über alle historischen Forschungen und Studien hinaus auf
eine ganz persönliche Weise, den Saarbrücker Widerstandskämpfer und seine Gesinnungsgenossen der »Weißen Rose«
besser zu begreifen als bisher.

Auf welche Zeit blicke ich zurück? Ich, fünfzehnjähriger Jungmann einer nationalsozialistischen Lehrerbildungsanstalt, verstrickt in den Verführungsmechanismus einer menschenfeindlichen Ideologie, trunken von den Sondermeldungen aus dem Führerhauptquartier, ließ mich mitreißen in den Strudel des Zusammenbruchs als einer von denen, die »auf Ordensburgen zu gottlosen, schamlosen und gewissenlosen Ausbeutern und Mordbuben« herangezogen werden sollten (wie es im Flugblatt der »Weißen Rose« vom 18. Februar 1943 heißt); er, Willi Graf, fünfundzwanzigjährig, abgestoßen vom Vernichtungswahn des Antichrist, ernüchtert vom Grauen des Feldzugs in Rußland, entschloß sich zum Widerstand und tat seine »Arbeit«. Und so heißt es auch, kühl und verdeckt, einen Monat später, am 8. Februar 1943, im Tagebuch: »Am Mittag Besuch bei Hans. Am Abend einiges geschrieben. Die Arbeit.« Hans – das war Hans Scholl, der Kopf der »Weißen Rose«, die Arbeit – das war das Malen von Freiheitsparolen an Gebäuden der Münchner Innenstadt in der Nacht vom 8. auf den 9. Februar 1943, das war auch das Entwerfen, Vervielfältigen, Verteilen der Flugblätter der »Weißen Rose«.

Zwischen der Tagebuchstelle, die den Aufenthalt in Dudweiler festhält (»Wir kommen zu nichts Wesentlichem«), und der Münchner Eintragung (»Die Arbeit«) liegt die unbeschriebene Zeit des Ringens um Gesinnungsfreunde, um eigene Sicherheit, das einzig Mögliche, das einzig Richtige zu tun. Am 5. Januar, mit Marita Herfeldt und ihren Freunden in Dudweiler, erreicht Willi Graf offensichtlich nicht das, was seine Widerstandspläne hätte fördern können; am 8. Februar endlich war der Damm gebrochen: Er tat seine Arbeit. Diese Arbeit war ein Widerstand besonderer Art. Aus Willi Grafs Briefen und Tagebüchern geht hervor, daß es kein parteipolitischer, kein analytisch vorbereiteter, kein rational geplanter, strategisch durchgeführter Widerstand war, sondern ein Widerstand aus dem Herzen heraus. Seine Frömmigkeit als praktizierender Katholik gab ihm die Kraft: Die Wandinschriften hatten einen apokalyptischen, die Flugblätter einen eschatologischen Hintergrund, die Freunde der »Weißen Rose« sprechen ausdrücklich davon, ihre humanitäre Gesinnung, ihre christliche Heilsgewißheit trieb sie zu ihrer Tat. Und Willi Graf war einer der glühendsten von ihnen.

»Wir nannten ihn Nurmi«, erzählt mir Marita Herfeldt, »ich weiß nicht mehr, ob der damals berühmte finnische Langläufer sein Namenspatron gewesen ist. Unser Nurmi war jedenfalls ein handfester Kerl, runder Kopf, helle Augen, breitschultrig, trug einen braunen Tuchmantel mit enggeschnürtem Gürtel, und sein elastischer, wiegender Gang entzückte uns alle.« Willi Graf, Schüler des Ludwigsgymnasiums in Saarbrücken, Mitglied des katholischen Schülerbundes »Neudeutschland« und der Gemeinschaft des »Grauen Ordens«, nahm schon zu Beginn der Naziherrschaft an illegalen Fahrten und Lagern teil, reiste nach Sardinien und auf den Balkan, schloß Bekanntschaft mit Gleichgesinnten und traf 1937, als er sein Medizinstudium in Bonn begann, auf Marita Herfeldt und Hein Jacobs aus Dudweiler.

»Es waren Jungen aus einfachen Familien«, erzählt Marita Herfeldt, und die Anstrengung des Erinnerns zieht eine schmale Falte in ihre Stirn, »Nurmis Vater bewirtschaftete den ›Johannishof‹ in Saarbrücken, Heins Vater war Bergmann, er wohnte in der Rehbachstraße in Dudweiler in dem zweistöckigen Haus gegenüber den ersten Beamtenhäusern, Hausnummer 84 glaube ich.« O ja, sie könne sich noch gut erinnern, sagt sie und lächelt jetzt auch ein bißchen, Mutter Jacobs hätte sie schon beim Kennenlernen ans Küchenfenster geführt und geflüstert: »Dort in dem Haus wohnt der Grubendirektor.« Eine schöne, eine sorglose Zeit: In Jacobs' Küche hätten sie zusammengesessen und stundenlang geredet, es sei immer nur um Bücher gegangen, Hein sei der Rilkekenner, Nurmi der Carossaspezialist gewesen, später habe Nurmi in seiner Abenteuerlust für Werner Helwigs *Raubfischer in Hellas*, Hein in seiner Formbesessenheit für Ernst Jüngers *Marmorklippen* geschwärmt. »Vor allem waren wir vor dem Oberförster auf der Hut«, zitiert Marita Herfeldt einen Satz aus den *Marmorklippen*; im Oberförster hätten sie Hitler abgebildet gesehen, den Gewaltherrscher der dunklen Gründe, aus denen blutige Tyrannis drohe, wie es in den *Marmorklippen* heiße. Fortan sei Hitler diesen Spitznamen nicht mehr losgeworden. »Nach der Lektüre Jüngers redeten sie im Stil dieser Männerprosa«, erzählte Marita Herfeldt weiter und spitzt die Lippen, um das Sprechen der Freunde nachzuahmen, »einmal bemerkte einer von ihnen, er sei am Ende einer physikalischen Wahrnehmung zu der Einsicht gelangt, das Wasser habe die richtige Temperatur, um das schwarze Bohnengetränk zu bräuen – und meinte damit, das Wasser sei zum Sieden gekommen. Aber dieser Jüngerstil gefiel den beiden, dieser Plastikstil, in dem der angestrengte Satzbau unkorrigierbar eingestanzt ist.«

Marita Herfeldt erinnert sich haargenau an Jacobs' Küche in Dudweiler, an das Plumpsklo hinterm Haus, an die gute Stube, die nur an Sonn- und Feiertagen geheizt wurde, an die Verwandten Heins, die stundenlang bei Kaffee und Kuchen saßen und nach langen Pausen, wenn das Gespräch längst ausgegangen und der Kaffee in den Sammeltassen kalt geworden war, unter Seufzern aufstöhnten: »Ach ja!« und noch einmal: »Ach ja!« – »Es ist nur platt gesprochen worden, deshalb war es nicht einfach für mich, an den Familiengesprächen teilzunehmen«, erzählt Marita Herfeldt, die aus einer begüterten rheinischen Fabrikantenfamilie stammt, »wenn es abends spät wurde, habe ich im Schlafzimmer der Eltern übernachtet. Aber ich weiß bis heute nicht, wo dann die Eltern von Hein geschlafen haben.«

Einmal sei sie mit ihrem Topolino von Bonn nach Saarbrücken gekommen, um mit Nurmi und Hein in ein Lokal namens »Undine« oder »Melusine« zum Tanz zu gehen, das sei noch vor dem Krieg gewesen, doch sie erinnere sich genau, wie die Leute sich nach ihnen umdrehten: Da gingen sie am Ufer der Saar entlang, Marita mit ihrem indianischen Aussehen eingehängt zwischen dem kräftigen Nurmi und dem schlanken Hein, der dem männlichen Schönheitsideal von da-

mals so trefflich entsprochen habe. Nach dem Tanz seien sie
in der Nacht noch zu dritt durch die Eifel zurück nach Bonn
gefahren. Wenn's flott voranging, hätten die Freunde über
ihre gemeinsame Zeit in der katholischen Jungenschafts-
gruppe geflachst, Hein habe Nurmis falsches Geigenspiel
und Nurmi Heins theatralischen Auftritt als Dombaumeister
in Claudels *Mariä Verkündigung* karikiert. Bei steilen An-
stiegen der Straße seien beide aus dem kleinen Auto gesprun-
gen und hätten den Wagen geschoben. »Lieber jetzt drücken
als in den durchgelegenen Matratzen in Dudweiler liegen!«
habe Hein triumphiert, er könne sich sowieso nicht vorstellen, wie seine Eltern in einen solch entsetzlichen Bett so viele
Kinder hätten zeugen können. Alle lachten, sie setzten sich
wieder in den Topolino und nahmen erneut ihre literarischen
Gespräche auf. Marita Herfeldt verliebte sich in Hein Jacobs,
»es war ein coup de foudre!« sagt sie zu mir.

Der Krieg begann, plötzlich war das unbeschwerte Leben
zu Ende, obwohl Willi Graf ein Jahr zuvor schon in Unter-
suchungshaft gesessen und vor dem Sondergericht Mannheim angeklagt war, der »Verordnung zum Schutz von Volk
und Staat zuwidergehandelt zu haben«. Doch das Verfahren
wurde aufgrund einer Amnestie nach dem Anschluß Öster-
reichs eingestellt, und erst jetzt wurde es ernst. Die Freunde
wurden eingezogen, von Februar 1940 an diente Willi Graf als
Sanitäter in einer Krankentransport-Abteilung, Hein Jacobs
saß in einem der Bomber, die am 14. Mai 1940 Rotterdam in
Schutt und Asche legten. Was von den Freunden blieb, sind
Briefe: Briefe an die Geliebte, Briefe an die Freundin. Willi
Grafs Briefe an Marita Herfeldt belegen auf überzeugende
Weise den sensiblen, ja künstlerischen Charakter des Saarbrücker Widerstandskämpfers. Aus Polen und Rußland, wo
er als Sanitäter an der Front eingesetzt ist, und aus München,
wo er im Sommer 1942 sein Medizinstudium fortsetzt und
erste Kontakte mit dem Freundeskreis um Hans und Sophie
Scholl aufnimmt, schreibt er mehr als ein Dutzend langer
Briefe an die Freundin, die aber zu keiner Stunde in die Über-

legungen und Aktivitäten der »Weißen Rose« eingeweiht wurde. Auch nicht, als die Freunde mit dem Mädchen im Sulzbacher Wald spazierengehen – und es mir heute so scheint, sie hätten zu sprechen aufgehört bei meinem Anblick in Hitlerjugenduniform. Ich muß mich irren, meine Begegnung mit ihnen ist eine Einbildung, ein herbeigewünschtes Hirngespinst, worin ich mit Marita Herfeldt verwoben sein möchte. Nurmi schont die Freundin, will sie nicht in Gefahr bringen, er habe »die Mitarbeit von Fräulein Herfeldt gar nicht in Erwägung gezogen«, geht wörtlich aus dem Vernehmungsprotokoll Willi Grafs vom 2. März 1943 hervor.

In Grafs Briefen an Marita Herfeldt finden wir Landschaftsbeschreibungen, Menschenbilder, Situationsschilderungen aus Rußland, wo er ja nicht nur als Sanitäter dient und als Militärmediziner famuliert, sondern sich kontaktfreudig ins russische Leben einfühlt. Wie tief sein Erschrecken, daß er einen russischen Sommer und Herbst erlebt hat, »ohne Blumen angeschaut oder den Duft von ihnen verspürt zu haben«. Er versucht, das Versäumnis zu begründen, auch abzuwiegeln, solcherlei Betrachtungen verdienten wohl »keine Beachtung in dem Ablauf erschütternder Schauspiele« – doch er erkennt darin das »Symbol für diese Wirklichkeit«. »Sinnlosigkeit des Krieges«, schreibt er und fügt hinzu: »Und muß doch in ihr bestehen.« Ein andermal spricht er der Freundin von einem Winter in Rußland, »samt alledem, was man sehen und erleben muß«, er schreibt, »ich wünschte, ich hätte dies nicht sehen müssen«, und sagt trotzdem, es habe wohl »seinen tiefen Sinn«, der zwar im Augenblick nicht genau zu bestimmen sei, doch man vegetiere nicht einfach hin, man wachse, unter Anstrengungen, »ins Innere«.

Die Brief- und Tagebuchzeugnisse weisen aus, wie kühn und beharrlich Willi Graf sich auseinandersetzt mit Menschen und Situationen. Immer geht es ihm darum, sich selbst und seinen Nächsten zu versichern, daß sich in so schwerer Zeit jede Art von Leichtfertigkeit verbiete. Alle Auseinandersetzungen, die er in den Briefen an seine Schwester Anneliese und seine Freundin Marita in Gang bringt oder mit Ratschlägen und klugen Bemerkungen in andere Bahnen lenkt, kreisen darum, daß es schwer sei, zu leben. Er spricht vom sogenannten Umfeld als »von Kulissen rund umher«, die gleichgültig seien und nicht zählten, »in der Höhe, wo man zu leben sich Mühe gibt«. Das Leben im Krieg sei für ihn »ein anderes Leben«, die Zukunft liege »in weiter Entfernung«, und das Tagträumen habe »die Leichtigkeit eines Seiltänzers, der über die Klüfte hinwegsteigen kann«. In diesen Briefen und Tagebüchern erschließt sich dem lesenden Zeitgenossen auf plausible Weise, wie stark die Impulse waren, die diesem Widerstand gegen Hitler und sein System aus der Lektüre von Literatur, der Kunstbetrachtung, ja dem Musizieren zuflossen. Adalbert Stifters *Nachsommer* und Gottfried Kellers *Grüner Heinrich*, Otto Gmelins *Gespräche am Abend* und Hans Carossas *Jahr der Täuschungen* wirkten auf ihre suggestive poetische Weise stabilisierend auf Willi Graf ein. Reinhold Schneiders Sonette beeindruckten ihn stark und nachhaltig, in einem Brief an Marita Herfeldt spricht er der Dichtung Schneiders »eine überragende Bedeutung« zu, die ihm »Wesentliches zu sagen« habe, zweifelsohne war sie mitentscheidend für seine Motivation zum Widerstand.

Willi Grafs Auflehnung gegen die Methoden und Praktiken »der verabscheuungswürdigsten Tyrannei« war ein Widerstand aus dem freien Geist der Poesie. »Aus Vergangenem entwickelt sich ein großartiges Bild auch der Gegenwart, und ich ahne manchmal Dinge, die verborgen waren«, schreibt er nach der Lektüre von Reinhold Schneiders Aufsätzen *Macht und Gnade* an Marita Herfeldt am 2. Februar 1943, in der Nacht darauf malt er seine ersten Freiheitsparolen an Münchner Gebäude, und am 17. Februar, dem Tag vor der Verteilung des letzten Flugblatts der »Weißen Rose« in der Münchner Universität, schreibt er an sie: »Wir brauchen wohl ein ganzes Leben, um von diesen geistigen Atmosphären das Wesen zu erkennen und weiterzutragen. Was kommt es da schon auf Jahre an? In ihrem Kreis bewegen wir uns immer, wenn auch manchmal die Möglichkeiten noch so verbaut erscheinen. Immer wieder muß man damit beginnen und weiterdringen, und hat so einen Platz, von dem aus und auf dem man leben kann. Man müßte es eigentlich fertigbringen, an jedem Tag zumindest eine Stunde planmäßig auf diesem Gebiet zu arbeiten, wenn die Umstände und Bedingungen auch noch so ungünstig sind ... Allmählich spürt man dann auch, daß solche Mosaikarbeit ein Ornament ergibt, es zeigen sich Linien und Ordnungen, und so leicht verliert man die Orientierung dann nicht mehr.« Nach einer Ordnung leben und arbeiten: so oft geschmäht, auch als sekundäre Tugenden mißachtet, hier auf einmal, im Widerstand, gewinnen sie eine neue, eine festigende Bedeutung. Maß und Form der Gedichte sind ihm wichtiger als Formalismen und Formalitäten des äußeren Lebens. Für Willi Graf sind formal streng gebaute Gedichte Lebenshilfen gewesen.

Am 19. Februar 1943, zwölf Stunden nach Hans und Sophie Scholl, wird Willi Graf verhaftet, am 19. April mit Professor Huber und Alexander Schmorell zum Tode verurteilt. Auch Marita Herfeldt wird verhaftet und verhört. Sie erinnert sich an das Vernehmungszimmer: Ein Gestapobeamter saß mit dem Rücken vor einer riesigen Afrikakarte. Marita lachte, sie dachte an eine Geschichte von Tschechow, in der ein Kriminalbeamter vor einer Afrikakarte sitzt, auf die er nie schaut. In der höchsten Gefahr war es für Marita Herfeldt ein Stück Literatur, das über Angst und Schrecken hinweghalf. Auch jetzt, ein halbes Jahrhundert später, da sie mir die Geschichte erzählt, lacht sie und wundert sich über ihren Mut von damals, in der äußersten Gefahr nicht um Schonung gefleht zu haben. Bis in den Herbst 1943 versuchte die Gestapo, Namen von Freunden und Mitwissern der Widerstandsgruppe auch aus Willi Graf herauszupressen. Bis zuletzt blieb er standhaft und schwieg. Am 12. Oktober, 17.03 Uhr, stirbt er in Stadelheim unter dem Fallbeil. In seinem Abschiedsgruß, den der Gefängnisgeistliche auf drei Notizzetteln stenographiert, bittet er seine Schwester Anneliese, Hein Jacobs zu grüßen. Hein Jacobs, der Freund, den er vergeblich für die Widerstandsaktionen der »Weißen Rose« zu gewinnen suchte, ist seit dem Sommer 1944 in Rußland vermißt.

Marita Jacobs-Herfeldt, die ich am 3. September, dem Tag ihrer goldenen Hochzeit, im Rheinland besucht habe, ist ihren Freunden und Neigungen treu geblieben. Sie schreibt Prosastücke, freie Verse, Sonette: Die Poesie ist ihre Hilfe, ihre Trösterin geblieben. In einem Gedicht »Kürze der Zeit« heißt es von Steinblöcken unter blauem Himmel, der unbeteiligt über ihnen schwebt: »Sie sind warm von der Sonne / aber messerscharf.«

IV

Begegnungen

»Am 5. Januar 1943, einem Dienstag, als der Weihnachtsurlaub zu Ende und ich wieder ins Idsteiner Schloß eingerückt
war, spazierte Willi Graf mit Freunden im Sulzbacher Wald
zum Brennenden Berg hinauf, saß später im Gespräch mit
ihnen und Marita Herfeldt, einer Freundin, in Dudweiler.«
Es sind zehn Jahre vergangen, seit ich diesen Satz aus meinem
Roman *Weh dem, der aus der Reihe tanzt* auf einer Lesereise
in Andernach zitiert habe und eine Dame aus dem Zuhörer-
kreis sich als diese Freundin des Widerstandskämpfers mit
den Worten zu erkennen gab: »Das bin ich.«

Schon einmal habe ich die Geschichte dieser Begegnung mit
Marita Herfeldt erzählt; ich muß sie weitererzählen. Denn un-
längst, kurz vor seinem Tod, kam auch mein Freund Eugen
Helmlé noch einmal auf dieses Zusammentreffen zu sprechen.
Es war an einem festlichen Abend, die Freunde waren eingeladen, wir aßen und tranken, und Hans Bollinger sang zur Gitarre Boris Vians *Lied vom Deserteur*, das ich gerade neu übersetzt hatte. Eugen rückte mit seinem Stuhl zu mir an die obere
Tischkante, und unvermittelt, vielleicht angeregt vom Inhalt
des Liedes, vielleicht aber auch in der Absicht, die Ereignisse
der alten Geschichte nach seiner Erinnerung zurechtzurücken,
brachte er das Gespräch auf Willi Graf und die »Weiße Rose«.

Wenn er sich nicht täusche, sei ich erst später wieder nach
Idstein zurückgereist, nicht schon am 5. Januar. Und wenn er

darüber hinaus an unsere tägliche Gewohnheit denke, den Philosophenweg am Brennenden Berg bei jeder Gelegenheit hin- und herzuspazieren, hätte uns an diesem Tage doch gut und gerne die Gruppe um Willi Graf begegnen können. Zu Eugens Leidwesen schimpfte ich auf mein Gedächtnis und sagte: »Ich erinnere mich nicht einmal an den Förster mit den beiden Hunden an der Leine, die uns wie so oft auch an diesem Wintertag hätten entgegenkommen können.« Wären uns Willi Graf und seine Freunde tatsächlich begegnet, hätten die jungen Leute auf der Stelle zu sprechen aufgehört, denn wie stets trug ich meine Hitlerjugenduniform, deren Anblick keinen Gegner des Regimes ermuntert hätte, unbesorgt durch den Sulzbacher Wald zu flanieren. Nein, eine solche Begegnung ist mir nicht im Gedächtnis geblieben, die Weihnachtsferien waren zu Ende, und ich saß sicher wieder an meinem Arbeitstisch in der Lehrerbildungsanstalt Idstein.

Eugen Helmlé war mein erster Freund. Wenn ich an unsere gemeinsam verbrachten Stunden zurückdenke, sehe ich mich als Dreizehn-, Vierzehnjährigen in Familie Helmlés Küche bei Eugen am Tisch sitzen und in Büchern blättern: Er zeigt mir das Lehrbuch für den Selbstunterricht, in dem er Spanisch lernt, zeigt mir seinen bebilderten *Don Quichotte*, seine Ausgabe von *Tausendundeine Nacht* und ein altes Lexikon, das ihm sein Großvater geschenkt hatte. Später lieh ich mir immer wieder seine Anthologie *Italien im deutschen Gedicht* aus, ein für mich mehr und mehr unverzichtbares Buch, das er mir, da er mein unausgesprochenes Verlangen danach spürte, fünfzig Jahre später zum Geburtstag geschenkt hat.

Ich sehe mich mit ihm samstags abends im Kino sitzen und einen amerikanischen Gangsterfilm anschauen, sehe mich mit ihm den Philosophenweg entlangschlendern, Zigaretten rauchend, Veilchenpastillen lutschend, tiefsinnige Gespräche über Nietzsches *Zarathustra* und Thomas Wolfes *Schau heimwärts, Engel* führend: Nur an ein unverhofftes Aufeinandertreffen mit zehn Jahre älteren Männern und Mädchen erinnere ich mich nicht, auch wenn Eugen es so gewollt hatte, es so gern als wirklich betrachtet hätte. Es ist möglich, daß ich die Erinnerung an diese Begegnung um meiner inneren Ruhe willen in der hintersten Ecke meines Gehirns vergraben habe, doch auch, daß Eugen sich um einer höheren Wahrheit willen in die Geschichte dieser Begegnung hineingeredet hat. Erst heute wird mir klar, daß es Eugen immerzu darauf ankam, Ereignisse wachzuhalten, die uns in früher Jugend bewegt hatten. Und so wollte er bis zu seinem Tod auch die Vorfälle um Willi Graf – die Flugblattaktionen, die Prozesse, die Hinrichtungen – nicht zur Ruhe kommen lassen.

Zum erstenmal nach dem Krieg beschäftigte uns das Schicksal der Geschwister Scholl und ihrer Gefährten in den fünfziger Jahren. Zum fünfzehnten Jahrestag seiner Hinrichtung kam uns eine Broschüre über Willi Graf zwischen die Finger, herausgegeben von der Landeszentrale für Heimatdienst, Saarbrücken. Ein schon 1948 in der Zeitschrift *Die Wandlung* veröffentlichter Aufsatz von Ricarda Huch erregte unser Interesse. Willi Grafs Reaktion auf die betäubende Wirkung der Kriegserlebnisse, auf peinigende Verwundungen und schweres Sterben, vor allem aber sein Reflex auf die planmäßige Vernichtung von Juden und Zigeunern, Geisteskranken und Parteigegnern erinnerten Eugen an sein eigenes Fronterlebnis am Plattensee und mich an die heimlich erfahrenen Vorfälle in den Gaskammern und Verbrennungsöfen von Hadamar. Von Hetzparolen gelähmt und verführt, hatten wir unser Erschrecken mit fadenscheinigen Begründungen aus der Sprachregelung des Reichspropagandaministeriums vertuscht – nun aber, fünfzehn Jahre danach, als schon Gras über den Opfern zu wachsen begann, stachelte Ricarda Huch unser schlechtes Gewissen an.

Wir lasen ihr ergriffenes Bekenntnis zu Willi Grafs menschenfreundlichen Taten als Sanitäter in Rußland, seine Hilfe für bedrohte Dorfleute, seiner sensiblen Haltung gegenüber fremder Landschaft und Volkskultur. »Er wußte, daß alles Leben sinnvoll ist«, schreibt Ricarda Huch, »auch sein Leben sollte einen Sinn haben. Er bemühte sich, immer etwas Nützliches oder Erhebendes zu tun, um dem auflösenden Einfluß der häufigen Untätigkeit zu widerstehen.« Doch Ricarda Huchs hartnäckige Berufung auf Gott und die »heiligen Ordnungen« mißfiel uns: Ihr Bestreben, dem Hingerichteten letzte verklärende Augenblicke zuzuschreiben, stieß uns ab. Die religiöse Deutung, er sei im Tode der Vollendung entgegengereift, erinnerte uns in ihrer Wortwahl an die schwülstigen Metaphern der Parteilyrik, die ja auch ihre Blutzeugen zu Märtyrern emporstilisiert hatte. Uns Agnostikern, die wir nicht nur an der Offenbarung eines lebendigen Gottes, sondern auch an der Erkennbarkeit der Wahrheit überhaupt zweifelten, gefiel einzig und allein *der* Willi Graf, der nach eigenem Zeugnis geglaubt und gezweifelt, wieder geglaubt und wieder gezweifelt hatte und in einem Brief an seine Schwester Anneliese schrieb: »Gerade das Christ-Werden ist vielleicht das allerschwerste, denn wir sind es nie und können es höchstens beim Tode ein wenig sein.« Eugen und ich waren hellwach, und wir setzten uns, wenn auch befangen, nicht gedankenlos mit Willi Graf auseinander. Unseren für die Sprache geschärften Augen und Ohren sollte keine schlampige Formulierung, auch nicht die eines Widerstandskämpfers, ehrenhalber durchgehen, weder in ihrer geschriebenen noch in ihrer gesprochenen Form. Vor allem Eugen, dem es von Kind an nicht nur widerstrebte, den Einfluß der Kirche zu akzeptieren, attackierte, ja verhöhnte sie stets heftig und schaute auch gnadenlos in die Zitate aus Willi Grafs Briefen.

Christ könne der Mensch höchstens im Tode werden, zitiert Ricarda Huch den unerschütterlichen Widerstandskämpfer, eine außergewöhnliche, eine befremdliche Aussage, die wie ein jäher Gedankenstrahl seinem »außerordentlichen« Charakter entspringe. In der Aula der Saarbrücker Universität sprach Hermann Krings, Dekan der philosophischen Fakultät, fünf Jahre später über das Außerordentliche dieses nach dem üblichen Sprachgebrauch keineswegs außerordentlichen Menschen Willi Graf. Ich saß mit Eugen mitten zwischen atemlos lauschenden Studenten und Studentinnen; man hätte eine

Nadel zu Boden fallen hören können, als Professor Krings den ruhigen, die Betrachtung liebenden Geist beschwor. Kein Demonstrant, kein Todessüchtiger, kein Held in den qualvollen Verhören: Er sei lächelnd unter das Fallbeil getreten. Heute noch höre ich Hermann Krings sagen: »Das Leben und der Tod eines Menschen wie Willi Graf kann nicht als Beispiel verwendet werden, eine national-pädagogische Nutzung wäre ein Hohn.« Das Beispiellose dieses Menschen Willi Graf sei das Außerordentliche an ihm, er sei im besten Sinne als der einzelne Christ gestorben, gegenüber dessen Opfer die Amtskirche stets eine fühlbare Distanz gewahrt habe. Gleichwohl schließe der Tod dieses Menschen eine Frage an unser eigenes persönliches Dasein ein, spitzte der Professor seine These bis aufs äußerste zu und formte Grafs letzten Willen, den er kurz vor seiner Hinrichtung dem Gefängnisgeistlichen in einem Brief an seine Schwester diktiert hatte, in die Frage um: »Bewähren wir uns? Führen wir fort, was der Freund begonnen hat?«

Auch wir fragten. Wir lasen, wir lernten, wir wollten nachholen, was wir in zwölf Jahren versäumt hatten, wollten wieder ausgraben, was schon halb zugeschüttet in unserem Gedächtnis vergraben lag. Denn längst hatten wir uns anderen Interessen zugewandt, anderen Zielen verpflichtet, dabei aber nicht den Zusammenhang erkannt, der zwischen unserem wachsenden literarischen Engagement und dem moralischen Engagement eines Widerstandskämpfers aus der Nazizeit bestand. Hatten Willi Grafs Gespräche mit den jungen Leuten damals auf dem Sulzbacher Philosophenweg und unsere Unterhaltungen etwas gemeinsam? Zwanzig Jahre danach, bei Hermann Krings' Gedenkrede auf Willi Graf, begann es mir zu dämmern, daß ich in jenen Weihnachtsferien mit Eugen Helmlé über ein Buch gesprochen habe, dessen Lektüre mich in eine seltsame Stimmung versetzt hatte: *Gespräche am Abend* von Otto Gmelin, auch Willi Grafs Leseerlebnis der gleichen Zeit. An entscheidender Stelle erzählt Gmelin von einer Gruppe Hitlerjungen, die in einem Teich gebadet und sich auf Jungenart herumgetrieben hat, die Einsiedelei eines Malers entdeckt und dort in staunender Stille die Blumen betrachtet, die auf einer Leinwand abgebildet sind. So wollte auch ich sein, ein Hitlerjunge, zackig und geschliffen, dem Leben zugekehrt – und zugleich ein Jünger der Kunst. Ich bewunderte vor allem die Wortkunst des Dichters Gmelin, denn die Blumen, von denen er spricht, sind nicht einfach nur abgebildet: Sie sind »auf der Leinwand gebildet«, wie es wörtlich im Text steht.

Was aber hatte Willi Graf, den Freund der Geschwister Scholl, dazu bewogen, sich Gmelins Büchlein an die Front nach Rußland schicken zu lassen? Hat er andere Bücher des Autors gekannt, seinen Roman *Das Haus der Träume*, seine Erzählung *Und Konradin reitet*? Hat ihn jemand auf dieses *Tagebuch des Andreas Thorstetten* hingewiesen? Erst im Jahre 1988, nachdem Willi Grafs Briefe erschienen und wir die ersten staunenden Leser waren, erkannten wir die Zusammenhänge. Beim Wiederlesen der *Gespräche am Abend* stießen wir auf einen Satz, den der Maler über die Hitlerjungen sagt: »Es ist in vielen schlummernd das Wunder der Blume, es muß nur zur rechten Zeit ein Erwecker da sein, und sie werden andere Menschen.« Für Eugen und mich war nicht die rechte Zeit, und es war kein Erwecker da. Es gab keinen Musil, keinen Kafka, keinen Gottfried Benn, es gab keine expressionistische Dichtung, uns die Verwandlung der Welt poetisch vor Augen zu führen. In den fünfziger Jahren, beim Wiederlesen von Otto Gmelin, waren wir erstaunt, wie wenig dichterischer Aufwand in kunstarmer Zeit nötig war, unsere Begeisterung für das Verwandlungsspiel zu wecken.

In den fünfziger Jahren begriffen wir, was Willi Grafs Inbrunst des Betens und unserer Lust des Dichtens gemeinsam ist. So geringschätzig es den höheren Dingen gegenüber auch klingen mag, wir kamen zu der Überzeugung: Einzig und allein im spielerischen Umgang mit der Wirklichkeit und der Sprache gewinnt jedes Tun seinen Sinn, wird der Mensch eigentlich zum Menschen. Das Leben selbst habe gar keinen

Sinn, bestätigten wir uns gegenseitig, erst die Kunst und die Wissenschaft, vielleicht auch die Religion seien imstande, ihm einen Sinn zu erfinden – und nur diese Bedeutung von Sinn billigten wir Ricarda Huch zu, wenn sie davon spricht, Willi Grafs Leben »sollte einen Sinn haben«. In diesen Gesprächen der fünfziger Jahre ging es blitzgescheit und manchmal auch theatralisch zu. Wir wollten uns nicht einwickeln lassen von pathetischen Bekenntnissen zu Gott, von überspannten Bekundungen und feierlichen Verpflichtungen. Es widerstrebte uns, für den Widerstand eines jungen, nur seinem Gewissen folgenden Christen einen politischen Weihetempel aufgerichtet zu sehen – und noch aus den schwülstigen Formulierungen über Gott und die Welt zogen wir unseren Gewinn und münzten sie um in Argumente für das Spiel. In unseren Leseerlebnissen begegneten wir heute dem Poeten, der sein Dichten als glühendes Beten ausgab, und morgen dem Gläubigen, der sein Beten als inbrünstiges Dichten verstand. Beide trafen sich auf dem gleichen Punkt und tauschten ihre so verschieden scheinenden Inhalte mit spielerischer Souveränität ineinander. Im Spiel wird die Wirklichkeit verwandelt und Freiheit gewonnen: Was für ein großes Wort! Bei unserer Hochschätzung des Spiels gingen wir sogar so weit, ihm die uneingeschränkte Schöpfungskraft zuzubilligen. Nur im Spiel stellte sich das Leben in seiner Fülle als wirkliches Leben dar, dachten wir in unserer Verstiegenheit, komme das Spiel aber nicht zustande, zerfalle das Leben zur blanken Unwirklichkeit.

Im kuriosen Überkreuzspiel unserer Naturelle versuchte Eugen, dem Versponnenen seiner Wesensart das Berechnende der Methode einzuverleiben, während mein methodisches Vorgehen nach und nach ins spekulative Erzählen mündete. Eine wechselseitig bedingte Entwicklung setzte ein, die erst bei Eugens Tod ein Ende gefunden hat. Auch wenn es so schien, als hätten wir uns weit von Willi Graf und seinen Gedanken entfernt, wir begriffen allmählich, daß es die gleichen Wege sind, die aber von grundverschiedenen Seiten her in diese erstrebenswerte freie Welt führen: der eine in schwieriger Lebensbedrohung, der andere aus unbekümmerten Verhältnissen heraus. In einem Brief an Marita Herfeldt spricht Willi Graf vom zukünftigen Wirken in bedeutenden und umfassenden geistigen Atmosphären: Eine planmäßige Mosaikarbeit ergäbe ein Ornament, worin sich Linien und Ordnungen zeigten, schreibt er, »und so leicht verliert man die Orientierung dann nicht mehr«. Auch Willi Graf konnte nicht wissen, wie hoffnungsvoll er in seinem Brief an Marita Herfeldt, nur zwei Tage vor seiner Verhaftung, die Gedankenspiele von der Schönheit und Wahrheit einer freien Welt aufgenommen und weitergesponnen hatte.

Welche beiden Welten sind gemeint, die Willi Graf in seiner Antwort an die Freundin mit den Worten »bedeutend und umfassend« bezeichnet? Zwei sich widersprechende, zwei einander sich ergänzende Welten? Ich habe Marita Herfeldt gefragt: Sie, die diesen Gedanken angestoßen hat, weiß es nicht mehr, sie hat es vergessen. Ihre Briefe an Willi Graf habe vor achtundfünfzig Jahren die Gestapo beschlagnahmt, sie seien nie wieder in ihren Besitz zurückgelangt. Ich möge nicht enttäuscht sein von ihrer Erinnerungsschwäche, schreibt sie mir, doch sei sie auch allen Versuchen gegenüber abgeneigt, die Vergangenheit immer wieder vorzuführen. Wir alle hätten nichts gelernt, darüber hinaus alles vergessen. Nun frage ich mich dringlicher als je zuvor, ob wir uns damals im Sulzbacher Wald nicht doch begegnet sind – und ich es vergessen habe wie Marita Herfeldt. Eugen Helmlé, hartnäckig von Natur, beharrlich aus Vorsatz, wünschte sich all die Zeit aus gutem Grund, an diesem 5. Januar 1943 mit mir zusammen an den Freunden der »Weißen Rose« vorbeigegangen zu sein. Vielleicht war er bis zuletzt darum besorgt, mich nicht ins reine Spiel zu entlassen. Er konnte es dennoch nicht hindern.

Jetzt ist er tot, und ich kann ihn nicht mehr fragen, ob das Zusammentreffen im Spiel, das Begegnen jenseits aller irrationaler Beweggründe ihn mit Willi Grafs Glauben und seiner Denkweise versöhnt hat. Es war für Eugen nicht einfach, jede

Wendung ins Spielerische nachzuvollziehen. Etwas sträubte sich in ihm gegen die Mühelosigkeit der Empfindung, die Einfachheit des Seins. Er mißtraute auch dem Ungewissen, dem Ungefähren, dem Zufall. In seinen Tagträumen fehlte ihm »die Leichtigkeit eines Seiltänzers, der über die Klüfte hinwegsteigen kann«, die Willi Graf sich in einem Brief an seine Freundin selbst zuschreibt. Willi Graf war nicht aus der Haut gefahren, obwohl er an die Auferstehung des Fleisches glaubte. Er war so geblieben, wie er gelebt hatte, ein spielender Mensch bis zu allerletzt. In seinem Abschiedsbrief an Eltern und Geschwister verweist er, nur wenige Minuten vor seinem Tod, auf den 90. Psalm, worin, auf Gott bezogen, tausend Jahre wie der Tag erscheinen, der gestern vergangen ist. Es ist Willi Grafs Lieblingspsalm, aus dem er sein grenzenloses Vertrauen auf Vorstellungs- und Verwandlungskraft schöpft – auch wenn er sie nicht Spiel nennt. Hermann Krings sagte in seiner Gedenkrede: »Als ihm der Tod gewiß war, hat er gelächelt.«

V

Die Hand im Spiel

Mein Vater, das arbeitsamste aller Geschöpfe, sagte immer
wieder: »Die größte Erfindung des Menschen ist das Bett«,
eine Weisheit, die ja nicht allein auf die Geschehnisse im Bett
selbst hinweist, diese beseligenden Aktionen und Interaktio-
nen, dieses dialektische Wechselspiel von Arbeit und Ruhe,
sondern darüber hinaus eine Verbindung des Bettes mit
einem viel stoffloseren, einem geradezu metaphysischen Gegenstand ins Auge faßt: dem Glück. Das Bett ist glück-
stiftend, die Größe seiner Erfindung ist das Inspirative, das
von ihm ausgeht. Ohne Bett kein vollkommenes Glück, ohne
Glück kein ideales Bett. Ja, das Glück und das Bett gehören
auf kausale Weise, untrennbar zusammen. – Schon Hermann
Hesse erinnert sich in einer Betrachtung mit dem Titel
»Glück« an einen Tag in seiner Kinderzeit, an dem er, lustvoll
im Bett liegend, dieses Entzücken im blauen Morgenglanz,
diesen Genuß des Nachgefühls von Schlaf als wunschloses
Wohlsein, als heilsame Wonne erlebt, das er Glück nennt.
Aber das ist natürlich die ganz naive Auffassung vom Glück,
die vom Vertrauen ins süße Nichtstun, von selbstgenügsamer,
untätiger Wollust lebt und nicht daran denkt, daß das Glück,
so hingegossen und beschönigend auch seine Auslegungen
sein mögen, immer des Aufgriffs, des Zugriffs, des Eingriffs
bedarf, ja daß man, gerade weil das Glück so launisch spielt,
immer die Hand im Spiel haben muß. Das Glück bedarf der

Technik, und das Technische an diesem Kinderglück Hermann Hesses war, in weitester Bedeutung, das Bett.

Nun, beim Glück geht es nicht ohne Technik ab. Techne müßte die Göttin heißen, nicht Tyche, obwohl ja auch schon Tyche, auf schwebender Kugel balancierend, mit Ruder und Segel, mit Zaumzeug und Rad hantiert und es so aussieht, als greife sie korrigierend in die Speichen, als habe sie, sorgsam hinlangend, immerzu die Hand im Spiel. Oh, wie kommt es darauf an, Tyche mit Technik entgegenzutreten, gegenzusteuern, auszumanövrieren!

Es hat gar keinen Zweck, auf die Gunst der Stunde, auf gedeihliche Umstände, auf schönes Wetter zu warten, im Gegenteil: Nur wer dem Schlechten das Beste abgewinnt, »den Sinn der Natur wandelt«, wie Ovid sagt, der hat das Glück am Kanthaken erwischt. Auch hat es keinen Sinn, die Würfel zu wechseln, sie fallen immer, wie es der Zufall bringt. In einer Komödie des Terenz heißt es an einer entscheidenden Stelle, das Leben des Menschen gleiche einem Würfelspiel, aber allzuoft falle der Wurf, den man am meisten brauche, nicht, und so sei es geboten, das, was der Zufall gab, durch Kunst zu korrigieren. – Als Matt Dillon, in der Fernsehserie *Rauchende Colts*, in den Spielsalon tritt, da erteilt die Dame am Glücksrad gerade eine Lektion; sie sagt:»Manchmal gewinnt der eine, manchmal gewinnt der andere, es ist im Glücksspiel wie im Leben«, und unter dem Tisch bedient sie mit dem Fuß die Bremse des Glücksrads nach Gunst und Belieben.»Corriger la fortune!« sagt Riccaut de la Marlinières, der spielsüchtige Franzose, in Lessings *Minna von Barnhelm*, und die deutschen Germanisten haben bis heute nicht Ruhe gegeben, ihm diese mittelmeerische Praxisorientiertheit anzukreiden.

Es gibt nämlich die mediterrane, und es gibt die deutsche Auslegung des Glücks. Verhängnisvoll ist die deutsche, die herausgefunden hat, Glück sei etwas Oberflächliches, Vergängliches, Spielerei und Getändel, und Unglück etwas besonders Tiefes, etwas Ewiges, etwas wie das Geworfensein der deutschen Existenzphilosophen, wofür der Franzose Gabriel Marcel bezeichnenderweise die Formel gefunden hat: »Wir sind eingeschifft«, was ja hoffnungsvoll, geradezu abenteuerlich utopisch ist. Eingeschifftsein gibt immer noch die Möglichkeit, dem numinosen Steuermann ins Ruder zu greifen, das Ruder herumzureißen, mit vollen Segeln in die umgekehrte Richtung zu steuern.

Die deutsche Auslegung ist abstrus, sie hängt mit dem doppelsinnigen deutschen Wesen zusammen. Hätten nämlich die Deutschen, die sonst nicht so zimperlich sind und als Fleiß- und Tatmenschen gelten, dort, wo es nötig ist, einmal fest zugepackt und nicht immer an der falschen Stelle und zur Unzeit, dann hätten sie mehr Glück gehabt. Glück, das will gelernt sein. Wieviel deutsche Vor- und Rückgriffe, wieviel Um- und Übergriffe hat es schon gegeben! Nein, die Deutschen haben die glückbringende Technik nicht gelernt.

Griechen und Römer jedenfalls, die mit umgekehrter Auslegung arbeiten, lassen nichts unversucht, des Glücks durch Korrektur, ja durch artifizielle Strategien habhaft zu werden. Ihre griechischen und lateinischen Griffe heißen Handgriff und Kunstgriff und sind längst zum Begriff, ja zum Inbegriff der Glückstechnik geworden. »Vielleicht war's Glück nur, daß dir die Beute zuteil ward, / Doch was der Zufall errang, sichert die Kunst dir gewiß«, wobei »Beute« ein sehr hartes, »Kunst« ein sehr weiches Wort ist. So steht es in Ovids *Liebeskunst* zu lesen, und das durch Technik, ja durch Kunst errungene Glück reicht weit übers Bett hinaus.

Brigitte, sie ist mein Glück. Schneewittchen, das ist mein Glück. Brigitte, ein Mensch aus Fleisch und Blut, und Schneewittchen, ein Wesen aus Wörtern, beide so weiß wie Schnee, so rot wie Blut, so schwarz wie Ebenholz, beide als ein einziges Geschöpf, das ist mein Glück. Die Zwerge sind, mit dem gläsernen Sarg auf den Schultern, in weiser Voraussicht über einen Strauch gestolpert, so daß der giftige Apfelgrütz aus Schneewittchens Hals fahren mußte, und genau so hab' ich's auch gemacht. Als Brigitte die Augen aufschlug, sah sie mir mitten ins Gesicht und ich in ihres wie der Königssohn in

Schneewittchens Augen, und unsere Kunst bestand darin, in-einanderzukriechen, über alle äußeren Techniken hinaus.

Ja, ins Glück muß man hineinkriechen, kunstgerecht, und nie darf man die Hand aus dem Spiel lassen. Ich krieche hin-ein, und bei beiden, bei Brigitte und bei den Büchern, weiß ich am Ende nicht, ob ich in ihnen oder ob sie in mir sind, ob ich in sie oder ob sie in mich eingedrungen sind, und dabei gibt es keine feministischen Penetrationsängste und keine maskulinistischen Durchdringungsvorbehalte.

Ich weiß, die Unglücksraben, die ausgesprochenen Unglückswürmer halten mich für einen Glückspilz. Sie selbst denken nämlich nicht daran, rechtzeitig die Hand ins Spiel zu bringen, und sei es nur, Ballast abzuwerfen, wie Hans im Glück, der klügste deutsche Glückspilz, der zuerst einen Klumpen Gold und am Ende zwei gewöhnliche Feldsteine auf seiner Schulter trug. Seine Technik, seine Kunst? Er stieß ein klein wenig an, wie die Zwerge, da plumpsten ihm die Steine in den Brunnen, und er sprang vor Freude auf. »Mit leichtem Herzen und frei von aller Last sprang er nun fort«, erzählt das Märchen, und er selbst ruft aus: »So glücklich wie ich gibt es keinen Menschen auf der Welt.«

VI

Im großen dicken Wald

Immer ist es mir ein bißchen eigenartig zumute, wenn ich das Wort Wald ausspreche – und dabei ist mir der altvertraute natürliche Bezirk, der mit diesem Wort benannt wird, nie fremd oder gar bedrohlich erschienen. Tagtäglich gehen wir im Wald spazieren, mal am Rastplatz vorbei über die Kuppe der Staffel, wo sich in der Tiefe der Senke die Wege verzweigen, ein andermal ins Netzbachtal an den Weihern entlang, auf denen es vor ein paar Jahren noch ein Schwanenpaar gab. Und immer sind wir zu zweit, seit vierzig, fünfzig Jahren; wenn wir uns als Kinder gekannt hätten, wären wir bestimmt erst wie Brüderchen und Schwesterchen und dann wie Jorinde und Joringel durch den Wald gegangen. Hand in Hand über Stock und Stein auf die guten Feen vertrauend und zugleich mit einem leichten Zittern in der Brust. Denn damals in der Kinderzeit lebte im Wald noch die alte Hexe, die das Wasser der Quellen und sogar die unschuldigen Kinder verzaubern konnte mit ihrem goldenen Stab. Auch wenn wir heute nicht mehr fürchten müssen, daß es Brigitte wie Jorinde ergeht, die vor der Mauer des alten Waldschlosses von einem Augenblick auf den anderen zur Nachtigall wurde, und mir wie dem Brüderchen, das aus der verwunschenen Quelle trank und sich in ein Rehkälbchen verwandelte – so bleibt mir der Wald nach wie vor ein rätselhafter Bezirk, auch wenn das Lexikon mir weismachen will, der Wald sei nichts anderes als jede größere, mit frei wachsenden, auch gesäten oder gepflanzten Bäumen bestandene Bodenfläche.

Vergebens sucht man im Märchen nach besonderen Eigenschaften des deutschen Waldes, er sei groß und dick, heißt es nur, aber an schönen Abenden scheine die Sonne zwischen den Stämmen der Bäume hell ins dunkle Grün. Jedermann riecht hinter den Wörtern aller Märchenerzähler den Duft des Harzes der Tannenbäume und hört das geheimnisvolle Rauschen der grünen Eichblätter. »Trunken bewegte ich mich durch die deutsche Landschaft«, schreibt der australische Schriftsteller Patrick White, er beschwört das fiebernde Grüner-als-Grün, das so oft einen Modergeruch verströme, das Schwarzgrün der Nadelwälder, das Fahlgrün der Kiefernhaine. Trotz seines einleuchtenden Nutzens für Holz- und Wasserwirtschaft und wer weiß welchen Qualitäten zum Schutz der Umwelt: Es ist jenes untergründige Wesen des Waldes, das den Spaziergänger vom Wirbel bis zur Zehe verzaubert.

Wir bahnen uns mühsam den Weg durchs Gestrüpp einer Schneise, die im letzten Winter geschlagen wurde. Über Frühjahr und Sommer ist sie wieder zusammengewachsen, ein Feldhase hat sich ein Lager unter den liegengebliebenen Zweigen gebaut und eine Familie gegründet, Elstern fliegen über die Lichtung, abends tritt ein Fuchs an den Waldrand, verharrt ein paar Atemzüge und schnürt dann mit gespitzten Ohren über die Schneise hinweg. Spaziergänger, mit sich balgenden Hunden an der Leine, begegnen uns am Rande des Hochwalds. Krähen kreisen über dem benachbarten Feld und drohen den Hunden mit heiserer Stimme.

Stirbt der Wald? Während wir darin spazierengehen, sitzt der Förster am Schreibtisch und analysiert seine besorgniserregenden Statistiken, beugen sich die Grünen über seine Papiere und beklagen den vorhergesagten Tod der ganzen Natur. Das Geschrei ist groß. Hunde und Krähen stimmen mit ein, aber ihr Lamentieren gilt nicht dem sterbenden Wald.

Einmal im Altweibersommer, es ist nicht lange her, hat uns

ein sonderbarer Lärm aus dem Wald überrascht. Es war schon später Nachmittag, wir kamen den hochgelegenen Römerweg daher, näherten uns dem Dorf, dessen letzte Häuser im Tannenschatten versunken waren. Da tauchte urplötzlich ein mächtiger Palast aus dem Talgrund auf, die Wände aus blankem Kristall, durchdrungen vom Licht der Sonne, die hinter dem durchsichtigen Gebäude goldrot am Himmel stand. Aus dem Wald, der den weiten Talgrund überzieht, drang Hundegebell, das wie Gekreisch von streitenden Krähen klang, oder war es ein Krähengekrächz von zankenden Hunden? Wir blieben stehen und lauschten, aber wir konnten nicht unterscheiden, ob Krähen oder Hunde lärmten. Nun warf die Sonne einen letzten Strahl durch den Waldpalast – und im selben Moment schrumpfte dieser vor unseren Augen zusammen, bis er nur noch das Treibhaus der Gärtnerei war, das dort auf der Höhe liegt.

Preisen wir den Sonnenstrahl, der hin und wieder auf das Dach der Gärtnerei und dahinter ins dunkle Grün der Bäume fällt! Gäbe es ihn nicht, der die verborgenen Tiefen durchleuchtet und mit liebkosenden Rosenfingern alle verhexten Geschöpfe zum wirklichen Leben erweckt, erlägen wir allzuoft der Zauberkraft aus dem unergründlichen Dunkel, wohinein jahraus, jahrein kein Lichtschein trifft.

VII

Selig vor Glück

Morgenwind und Gockelhahn: Als ich vor ein paar Tagen diese beiden Wörter wiederlas, erinnerte ich mich sogleich an fast vergessene, lang zurückliegende lothringische Landpartien. Die Wörter sind für mich untrennbar, sie stammen aus einem Gedicht, das ich mit Schulkindern aus dem Französischen übersetzt habe. 1950, mit dreiundzwanzig, war ich Volksschullehrer in einem saarländischen Bauerndorf. Seit dieser Zeit durchströmt mich ein Wohlgefühl, sobald die beiden Wörter aufklingen und meine Erinnerung an Abreisen bei Hahnenkrähen im Frühwind wecken.

Lothringen, dort wehte vom Westen her der milde Hauch der *douce France*, des lieblichen Frankreichs, mit all seinen Segnungen der leichteren Lebensart, vom heiteren Umgang der Menschen untereinander bis hin zum guten Essen und Trinken. Als Kind war ich auf Sonntagsspaziergängen über die Grenze gekommen. Auf der Spicherer Höhe kehrten wir im Gasthaus ein, bei französischem Weißbrot und Münsterkäse vergaßen Vater und Onkel Willem bald ihre Geschichten über die Siebziger-Schlacht und fühlten sich wohl im nachbarschaftlichen Alltagsgespräch.

In den Fünfzigern waren alle Werktage noch Schultage, doch an den Samstagnachmittagen wurde das Auto gewaschen, Klappstühle und Campingtisch wurden im Kofferraum verstaut, damit wir sonntags in aller Frühe ins Lothringische aufbrechen konnten. Vor Sarreguemines überquerten wir die Grenze, die seit der wirtschaftlichen Angliederung des Saarlands an Frankreich 1948 so gut wie keine mehr war, Zollkontrollen gab es für uns Saarländer keine, ein Blickwechsel mit den Grenzbeamten, ein Lächeln und ein Gruß mit der Hand genügten, und mit heruntergedrehten Fensterscheiben kutschierten wir durch die lothringischen Dörfer mit den dampfenden Misthaufen, aus denen der scharfe Stallgeruch in unsere Nasen zog.

Ein halbes Jahrhundert später duftet es nicht mehr nach Kuh und Schwein in dem ländlichen Idyll. Nun liegen die Misthaufen versteckt hinter den Bauernhäusern, die Abwässer fließen durch unterirdische Kanäle: So hat sich der Blickfang geändert, statt der Misthaufen gilt das Augenmerk dem barocken Zierat der Giebel und Mansarden. Hambach, Willerwald, Keskastel: Mitten auf der Wiese, zwischen Schafen und weißen Kühen, haben sich die Fabrikhallen zur Konstruktion des Smart, am Feldrain die Gebäude des Einkaufscenters Super-U, am Waldrand Rundtürme und Swimmingpools modernistischer Landhäuser breitgemacht.

Im Saartal unterhalb des Dörfchens Niederstinzel schlugen wir einmal im Sommer unser Mittagslager auf. Stundenlang saßen wir auf Klappstühlen um den Campingtisch herum, aßen frisches französisches Weißbrot mit Schweinswurst und tranken algerischen Rotwein dazu, bevor wir emphatisch den Rauch unserer Zigaretten genossen. Damals hatte ich den Roman von den *Wunderlichen und wahrhafftigen Geschichten Philanders von Sittewald* des Dichters Moscherosch aus dem frühen 17. Jahrhundert aufgeschlagen und las beim Anblick der alten Turmruine die Stelle über das Wasser der Saar, »welches den Namen hatte von dem alten Ertz-König im langen großen Bart«. Das klare Wasser spülte über Sumpfdotterblumen und Entengrütze, wir streckten die Beine unter den Tisch und kosteten die Augenblicke reiner Natur wie ein spätes Weltgeschenk aus. Der Krieg war vorbei.

Nun schwelgten wir in dem Gefühl, reisen zu können, wohin die Wünsche uns lockten.

Durch Fénétrange, das alte Finstingen, in dem Moscherosch von 1635 bis 1642 als Amtmann tätig war, verläuft noch immer die poetischste Straße, die sich denken läßt: Im Kopf des Dichters bedeutete sie einst eine Straße durch die ganze Welt. Mit den alten Michelin-Karten, auf denen die Autobahnen und Umgehungsstraßen noch nicht eingezeichnet sind, verfehlen wir hin und wieder die Richtung: Dann erscheinen die Dörfchen rechter Hand, wo sie nach der Karte links liegen müßten, oder wir suchen Straßen vergebens, weil sie inzwischen in Autobahnen aufgegangen sind.

Wir sind zu fünft, wie damals oft an den Sommersonntagen: Hans, der Maler, mit Frau und Tochter und Brigitte, die das Rauschen der Reifen, das Wippen und Wiegen im Takt über die sanften Bodenwellen so lebhaft genießt, als seien wir das erste Mal in Lothringen unterwegs. Doch so temperamentvoll der Verkehr in den vergangenen Jahrzehnten geworden ist: Tarquimpol liegt noch immer ungestört in einem Winkel am Etang de Lindre. Zwischen Weiden und Schilf brüten Wasservögel, eine Schar Enten steigt in schräger Linie aus dem Binsengestrüpp auf, ein Reiher landet mit weitgespannten Flügeln und zieht dabei eine silberne Kielspur ins Wasser.

Unser Maler sitzt in den Butterblumen am Ufer und zeichnet das sanfte Paradies. Ein Schwan, vom Strahl der Sonne getroffen, zieht mit knallendem Flügelschlag flach über den Weiher und verwandelt die Zeichnung in ein Märchenbild. Erst nach einer Stunde fahren wir wieder, umgeben von einer Kulisse vielfarbigen Grüns, worin die weißen Kühe plötzlich braun geworden sind.

Was für ein Sommersonntag, als wir einst mit Freunden in Marsal eintrafen, wo im Restaurant »L'Étoile Lorraine« eben eine Hochzeitsgesellschaft vom Festmahl aufbrach! Die Wirtin räumte den Tisch ab, deckte neu ein und sagte, es sei so viel übriggeblieben vom Hochzeitsessen, daß sie uns ein reichliches Menü auftischen könne. Es war ein Menü der unbeschwerten frühen Nachkriegszeit, Landwürste und Pasteten quollen über den Rand der Vorspeisenplatten, es erschienen die Rinder- und Schweinebraten mit dunklen, dicken Soßen. Unser Tischgespräch war ein wüstes Getümmel mit Wortballungen, Wortspielen, Wortspäßen, wir schnarrten und lallten wie der Riese Gargantua, von dem der Forbacher Amtmann Fischart Ende des 16. Jahrhunderts in seinem Roman *Geschichtsklitterung* erzählt.

Hautsatt von Speise und Trank, verzückt von lothringischer Herzenswärme, rannte unser Münchner Freund hinaus auf die Straße, legte sich mit dem Rücken auf die Pflastersteine und streckte vor lauter Glückseligkeit alle viere von sich. Da lag er, mitten auf einer lothringischen Dorfstraße, minutenlang, solange man braucht, sich kräftig durchzupusten, damit man, Lebensluft austauschend, ein neuer Mensch werden kann. Hier wurde manch anderem Gast aus unserer kleinen Reisegruppe, der noch nie französischen Boden betreten hatte, die Neugier auf ein noch nie geschautes sanftes Land, eine noch nie gehörte klangvolle Sprache gestillt. Die Zeit schien ihren Atem anzuhalten.

Auch in Vic-sur-Seille, dem Geburtsort des Malers Georges de la Tour, ist alles beim alten geblieben. Unser Maler zeichnet die spätgotische Münze mit ihren steinernen Friesen und Fensterverzierungen. Die schmalen Lanzettenscheiben glänzen im Sonnenlicht wie ehedem, und noch immer blüht der Strauch gelber Rosen über dem geschmiedeten Hoftor des Eisenwarengeschäfts.

Nancy dagegen hat sich zum 100. Geburtstag seiner Jugendstilschule prächtig herausgeputzt. Die Gitter an der Place Stanislas samt Laternen und Posaunenengeln sind neu vergoldet, Schaufenster präsentieren Bildbände mit Émile Gallés pflanzendekorierten Gläsern. Commercy ist auch nicht mehr das beschauliche Residenzstädtchen von einst. Auf dem Platz vor dem Schloß sitzen wir mitten zwischen geparkten Autos, Motorenlärm an- und abfahrender Wagen heult auf, ihre Auspuffgase ziehen über unseren Cafétisch und lassen den Geschmack frisch gebackener Madeleines nicht zur Entfaltung kommen. Es sind jene ovalen Sandtörtchen, die aussehen, als seien sie in Förmchen von Jakobsmuscheln gebacken. Auf der Zunge des kleinen Marcel Proust riefen sie, in Tee getunkt, ein Glücksgefühl hervor, das ihm sogar die Wechselfälle des Lebens gleichgültig erscheinen ließ.

Immer wieder weckte dieser Madeleine-Geschmack seine Erinnerungen an Kindheit und Jugend *Auf der Suche nach der verlorenen Zeit.* Vor mehr als vierzig Jahren, in einem Bistro unter blühenden Linden, schmeichelte er auch meiner Zunge, doch meine Glücksgefühle waren längst geweckt von Morgenwind und Gockelhahn.

In sanften Windungen und Wellen folgen wir dem Tal der Maas, das wir in Saint-Mihiel wieder verlassen. Hattonchâtel, auf einem Bergvorsprung über der Woëvre-Ebene gelegen, erinnert an die Schlacht von Verdun, wohin mich erst Ende der siebziger Jahre eine Spurensuche in die Schützengräben des Ersten Weltkrieges geführt hat. Endlich das Entsetzen des letzten Krieges überwunden, trat ich für mein Buch *Ordnung ist das ganze Leben* in die Fußstapfen meines Vaters und begann den Roman seines Lebens zu schreiben.

Nur ein paar Kilometer ist der Wald von Les Eparges entfernt, den ich etliche Male, auch schon beim Hahnenkrähen im Morgennebel, aufgesucht habe. Dort, vom Grauen gelähmt, verharrte ich oft reglos in dem nur mühsam nachgewachsenen, doch krüpplig gebliebenen Waldstück, in dem der französische Leutnant Alain-Fournier mit zwanzig seiner Männer verschwand, bis ihre Skelette 77 Jahre später in einem Massengrab wiedergefunden wurden. Ich hatte den Roman *Der große Meaulnes* von Alain-Fournier gelesen, noch nach dem Zweiten Weltkrieg ein Kultbuch, in dem sich ein paar Freunde dem Andrang des praktischen Lebens entziehen: Schwärmer, Träumer, Schlafwandler, junge Dichter. Auch wir waren Kindsköpfe geblieben. Bei unserem ersten Aufenthalt in Hattonchâtel – der Klostergarten war noch von Unkraut überwachsen, und Mauerschutt lag im Kreuzgang – versuchten wir den Kopf einer steinernen Figur aus dem vierzehnten Jahrhundert wegzuschleppen: Er war zu schwer, wir mußten ihn zurücklassen, als wir im Peugeot 403 die Stätte wieder verließen.

Heute sitzt der Maler brav in der Wiese und zeichnet mit spitzem Tuschpinsel das wiedererbaute Schloß. Er hat kein Auge für die Kreuzgangfiguren mit den abgeschlagenen Köpfen und für den holzgeschnitzten Altar von Ligier Richier, in dem sich auf engstem Raum drei Pferde und ein Dutzend biblische Figuren tummeln. Auf der Terrasse des kleinen Restaurants essen wir, von Stiefmütterchen und altersmüden violetten Schwertlilien umgeben, prächtig gebackene Omeletts zu einem Rotwein aus Toul.

Saint-Benoît, Thiaucourt, Fey-en-Haye: Durch die Dörfchen der Woëvre-Ebene erreichen wir Pont-à-Mousson. In einem Sommer nach dem Krieg lagen wir, auf dem Rückweg von den Schlachtfeldern, hoch über der Mosel am Rande des Priesterwalds, die Beine im Gras ausgestreckt, die Hände hinter den Kopf geschlungen. Neben uns, auf einem staketenumzäunten kleinen Soldatenfriedhof des Ersten Weltkrieges, ruhte Leutnant Poirot mit ein paar Gefallenen. Wie von der Tarantel gestochen, fuhr ich aus meinem Nachmittagsschläfchen auf: Eine Zecke hatte mich gebissen. Ich sprang auf die Beine, doch ein Fehltritt im unebenen Gras ließ mich stolpern, und ich fiel hinterrücks in eine Stakete. Sie riß mir eine Schramme in die Wade, als hätte Leutnant Poirot seinen Säbel aus dem Grab gereckt.

Ich lebe noch. Jedesmal, wenn wir zu einer Landpartie nach Lothringen aufbrechen, denke ich auch an Leutnant Poirot und seinen verrosteten Säbel. Doch weil er mich zwar verletzt, mein Blut aber nicht vergiftet hat, ist schon beim ersten Frühlüftchen und Hahnenschrei jede Sorge um meine Zukunft zerstoben – dann fühle ich mich wie Marcel Proust, der sich von den schlimmsten Zweifeln befreit sah, sobald er das Madeleine-Gebäck auf der Zunge schmeckte.

Stürmisch rauscht der Blätterwald

Sechziger und siebziger Jahre

Zwanzig Jahre lang bin ich Volksschullehrer gewesen, fünf Jahre in Dirmingen, einem Bauerndorf, fünfzehn Jahre in Friedrichsthal, einem Bergmannsdorf im Saarland. Vormittags arbeitete ich mit zehn- und elfjährigen Kindern im Klassenzimmer, nachmittags allein am Schreibtisch. Früh schon entdeckte ich die mir selbst und der Schule gleichgeltenden Grundsätze: selbsttätiges Erkunden des Lebensraums, selbständiges Erschaffen seines Sinns im nicht nachlassenden Austausch von Arbeit und Spiel. Erst das fröhliche Zusammenwirken von Arbeit und Spiel, von Unterrichtsstunde und Pause, von Bildungshunger und Knäckebrot schafft einen neuen Menschen, jenseits von Zuckerbrot und Peitsche. Der neue Mensch wird nicht mehr außer sich sein, sondern im fröhlichen Zusammenwirken zu sich kommen und im Zusammenwirken dieser Kräfte frei werden.

Bereits in Lyon versuchte ich, das damals übliche Schulfach »Konversation« aus seiner Rolle des unverbindlichen Geplauders zu befreien; nun, von den Forderungen der wieder auflebenden Arbeitsschule überzeugt, trat an seine Stelle das fruchtbringende Unterrichtsgespräch. Nicht der Lehrer mit dem »Nürnberger Trichter«, sondern der Schüler mit seiner Neugier sollte das Schulgeschehen anregen und gestalten. Die Anregung zu meiner pädagogischen Tätigkeit stammte von Heinrich Wolgast, dem Herausgeber von Mutters Andersens-

Märchen in der Reihe Quellen. Bücher zur Freude und För-drung, *1909: »Das Kind soll die Dinge der Welt und des Gei-stes vor sich sehen als ein Land der Sehnsucht, als ein locken-des Land, das zu erobern sich lohnt. Die neue Schule geht vom Kinde aus; womöglich alles soll es sich mit eigenen Sinnen und Händen erobern«.*

Im Versuch, die Prinzipien der Arbeitsschule mit den Me-thoden der Konkreten Poesie zu verbinden, erlebte ich mit meinen Schülern die heißersehnten Glücksmomente eines Unterrichts, in dem Lehren ins Lernen und Lernen ins Lehren übergeht.

Im Phantasiespiel von Wahrnehmung und Erfindung, im Auskosten ineinander verschlungener Zahlen- und Wörter-spiele las ich mit den Zehn- und Elfjährigen Edgar Allan Poes Erzählung Der Goldkäfer. *Es ist eine Schatzsucherge-schichte, in der es darauf ankommt, eine verschlüsselte Bot-schaft zu entziffern. Getrieben von der Überzeugung, daß jede Geheimschrift auflösbar sein müsse, legten wir Zahlen- und Buchstabentabellen an, zählten und verglichen Ziffern und Zeichen und stellten schließlich unseren Schlüssel in einem Verzeichnis dar, das ich bis heute aufbewahrt habe. Mit diesem Schlüssel fanden wir den Schatz auf dem gleichen Wege, den der Dichter beschreibt. Buchstaben- und Zahlen-spiele: Ein Umgang mit Wörtern und Ziffern, der für mich und meine gerade begonnene poetische Arbeit anregende Fol-gen hatte. Nicht nur meine Abscheu vor der Phantasiearmut der neuen Lehrpläne, auch meine unbeirrbare Entscheidung fürs Schreiben befreite mich vom Druck der Schule, die ihren verhängnisvollen Weg in die gesellschaftspolitischen Forde-rungen der Hessischen Rahmenrichtlinien nahm.*

Nun sollte es im Literaturunterricht um die »Auseinander-setzung mit der Realität«, um die »Beschäftigung mit dem ge-sellschaftlichen Gebrauch«, um ökonomische, politische, so-ziale und kulturelle Ereigniszusammenhänge gehen. Und als Beispiel des »Lernzielzusammenhangs« zitieren die Rahmen-richtlinien Raymond Queneaus Stilübungen, *die ich mehr als* ein Jahrzehnt vorher mit meinem Freund Eugen Helmlé aus dem Französischen übertragen hatte: An einer Stelle könnte man die Schüler in evtl. geäußerten Urteilen unterstützen, daß dies »Quatsch«, »Spielerei« sei, und an anderer Stelle »dies zum Ansatzpunkt nehmen, den formalen Charakter der vorgegebenen Texte zu durchbrechen«.

Die nüchterne, schmucklose Sprache des »Kahlschlags« der Gruppe 47 und die experimentelle Laborsprache der Stuttgarter Schule von Max Bense hatten mir Vertrauen in die Literatur gegeben: Und so schrieb ich nach sprachspielerischen Versuchen der fünfziger Jahre in den Sechzigern und Siebzigern Sprechstunden für die deutsch-französische Verständigung, Allseitige Beschreibung der Welt, Die saarländische Freude, schrieb Hörspiele und einen Roman über Jean-Jacques Rousseau und gab die Aufsätze meiner Volksschüler heraus: Und sie fliegen über die Berge, weit durch die Welt. Mit jedem Buch begab ich mich auf ausgedehnte Lesereise und war jedesmal froh, wenn ich wieder zu Hause bei Brigitte und an meinem Schreibtisch war. Ich erinnere mich gern an diese aufregende, diese schöne Zeit: Aufsatzunterricht, Bücherschreiben, Lesereisen, durchweht vom stürmischen Rauschen des Blätterwalds.

I

Rückflüge

»Und sie flogen über die Berge, weit durch die Welt«, schrieb
der zwölfjährige Egon von einem Drachenpaar, das sich im
Herbstwind gefunden und sogleich entschlossen hatte, das
Halteseil zu zerreißen, »damit der gute Freund Wind« es in
alle Welt tragen könne, »wohin sie wollten«. Da aber meine
ehemaligen Schüler inzwischen längst über alle Berge sind, in
alle Winde zerstreut, wer weiß auch, wo in aller Welt zu finden sein mochten, fahndete ich nach Adressen und Ortsan-
gaben, nach alten und neuen Wohnsitzen, damit das Buch, in
dem alle diese Geschichten und Beschreibungen, diese Gedanken und Erfindungen versammelt sind, seinen Flug »über
die Berge« antreten könne.
  So fuhr ich also wieder in das nahe gelegene »saarländische
Bauerndorf mit Wurstfabrik und Bierbrauerei, mit zerfal-
lenem Backsteinwerk, aber aufstrebender Bautätigkeit, mit
einsilbiger, verschlossener Bevölkerung«, und in das »Bergmannsdorf, wo am Kolonieschacht die Reihenaborte fami-
lienzugehörig den Tuffstein- und Eternitbaracken auf der anderen Straßenseite gegenüberliegen, wo Fenster und Türen
jahrein, jahraus offenstehen, wo folglich das Gespräch zwischen Mutter und Sohn, zwischen Opa und Tante auch in Au-
genblicken natürlicher Zurückgezogenheit nicht abreißt, wo
also jegliche Weise von Austausch und Fröhlichkeit gedeiht«.
  Ich ging in die Dirminger Schule zu Alwine, einer Kollegin

von damals, dann ins Friedrichsthaler Rathaus aufs Einwohnermeldeamt zu Rosemarie, die in ihren Karteikästen nach Namen und Adressen suchte; und nun flogen die gelben Bücher über die Berge, per Post und per Auto. Ich traf Heino in der Backstube, Marianne vor ihrer Tankstelle, Gerd in der Schule und Hans Herbert in seiner Schmiede an. Emmi und Doris kümmern sich um ihre Kinder, Heiner sitzt über Karl Marx gebeugt. Hans Jürgen, Bergmann, heute Studierender der Bergingenieurschule, schneidet seinen Rasen; Hans Rudi, Optikerlehrling, schreibt Gedichte. Hans Jürgens Zaun mit den Sonnenblumen vor dem Kühlturm der Grube ist ein Ludwig-Richter-Zaun, aber Hans Rudis Texte sind nicht die Märchen, die hinter den Holzlatten und den Kletterrosen geschehen. Ich erinnere mich: Hans Jürgen beschrieb seine letzte Weihnachtsbescherung, Hans Rudi seinen ersten Schritt aus dem häuslichen Kreis. Aber jeder ist seinen eigenen Weg gegangen. Was hat der Lehrer dazu getan?

»Die Kinder zu bewegen, sich unbehindert zu fühlen, ungehemmt zu sein, sich ungezwungen zu äußern«, war mein Ziel, »denn nur das fortwährende Verrücken des Zurechtgerückten und das stetige Zurechtrücken des Verrückten« mit Hilfe der Wörter sollte die Kinder in den Stand versetzen, sich zurechtzufinden, Ungerechtigkeiten zu erkennen, vielleicht Recht- und Schlechtwetteranzeiger zu sein. Was war daraus geworden?

Auf die Hinflüge gab es Rückflüge per Post. Viele ehemalige Schüler und Schülerinnen antworteten auf die Aufsatzsammlung, und so erfuhr ich von Steilflügen und von Erkundungsflügen, von Nachtflügen und von Übungsflügen, von Kunstflügen und von Geistesflügen. Es gab Sturzflüge, buchstäblich, wenn Heinz schreibt: »Ich ging freiwillig zur Fallschirmtruppe«, es gab Gleitflüge von einem Beruf zu einem anderen, bei denen Ursula sich »seit zwei Jahren pudelwohl fühlt«, es gab Gedankenflüge, »Erinnerungen an die Kindheit«, »Andenken an die Schulzeit«, »fallendes Laub leise raschelnd«, und es gab, sicherheitshalber an die Kette gelegt, nach dem bekannten Titel von Dieter Kühn, »Ausflüge im Fesselballon«, wenn nämlich Volker als Speditionskraftfahrer im Frankfurter Stadtverkehr immerzu unterwegs ist, wo er doch damals, fortwährend ausgerissen, immer irgendwo zwischen Hamburg und Marseille steckte.

Die Aufsatzsammlung ist für Heinz »ein Stück Erinnerung, ein Stück Kindheit und etwas Stolz«, für Herbert »nicht nur Auffrischung alter Erinnerungen …, sondern es zeigt auch, wieviel Spaß es gemacht hat«. Für Herta war es »Kleinstarbeit, und ist ein Kunstwerk geworden«, für Erika ist es eine »tolle Sache«, und Udo sagt: »Das Buch müßte von der sechsten bis zur achten Klasse verwendet werden, denn das sind die Klassen, in denen man sehr ideenreich in Sprachausdrücken ist.« Der Friedrichsthaler Bäckersfrau, bei der Heino mir zu jeder Zehnuhrpause einen Kümmelweck gekauft hat, ist das »kleine gelbe Bändchen zur lieben Lektüre geworden«, aber der Leser einer deutschen Tageszeitung rügt, »daß man sich lustig macht über sprachliches Unvermögen bei Schülern, die einfach mit ihrer Sprache nicht fertig werden, bevor sie sich nicht so perfekt den zweifelhaften Normen der Lehrer anpassen können«.

Gerd, heute selbst Volksschullehrer, meint, »trotz aller bisherigen Bemühungen ist es mir leider bislang nicht geglückt, ähnlich bemerkenswerte Resultate in der Schule zu erzielen. Es ist wohl eine nicht zu erlernende Lehrertugend, die wahren Betrachtungs- und Denkweisen der Schüler in der Schriftform aufzudecken«. Aber er irrt, denn die Tugenden sind alle erlernbar, auch wenn vor die Besonnenheit und Gerechtigkeit viel Geduld gehört. Etwas von Epikur tut immer not, die kluge Einsicht in die Bedingungen der Lust nämlich, auch Kant ist vonnöten, damit niemals etwas zur Gewohnheit wird, »sondern immer ganz neu und ursprünglich aus der Denkungsart« hervorgeht. Und wenn für Goethe schließlich die Tugend »das wahrhaft Passende in jedem Zustande« ist, so entschuldige ich damit nicht das Patsch! Peng! eines Moby Dick, diesen Mückenschlag, von dem Jürgen erzählt, der aber schließlich eher der Hieb eines Schreiadlers war, von dem selbst Tiervater Brehm keine großen Stücke hält. Das tut auch Heinz nicht, heute Pflasterer, denn ihn erinnern die Aufsätze »an den Herrn Lehrer, der Kinder schlägt, aber ein Meister in seinem Fach ist. Ihn wird es nicht zweimal geben«.

Das ist lange her, und wenn auch später geübte Einsicht und Milde das ungebärdige Tun nicht vergessen machen, so waren sie sicher damals schon wirksam, im Zurechtrücken des Verrückten und Verrücken des Zurechtgerückten, mit Hilfe der Wörter, »mit Witz und Urteil«. Hubert hat beides nicht verloren, er ist im Elektrofach tätig und folglich interessiert ihn »wegen beruflicher Arbeit nur noch die Kochkunst«. Er erinnert sich »an den ›Papierkrieg‹, in dem ich kurzerhand meine Familie vergrößerte, indem ich schrieb: Meine Geschwister sangen, dabei aber nur einen Geschwister (nämlich einen Bruder) habe«. Auch Heino, dem Witzbold, ist das Lachen nicht vergangen, wenn er auch »solche Streiche wie früher selten noch auf die Beine« bringt. Nach der Arbeit ißt er, liest er Zeitung und macht sich lang. Am Abend trinkt er eine »Bombe«, ißt er ein »Gammler-Curry« und trimmt sich bei der Freiwilligen Feuerwehr.

»Ein guter Film, eine Operette, Opernarien«, schreibt Ursula, Heinz dagegen marschiert, »ich habe dreimal am Hollandmarsch teilgenommen«, und Udo ist »ein begeisterter Fußballspieler geworden«. Er malt auch »ausgefallene Gestalten, aber wenn man die Malerei versteht, kommen die Gesichter einem gar nicht so ausgefallen vor«. Hans Rudi schreibt, und sein Gedicht vom »künstlichen Lebensraum« bedient sich einer Sprache, die von uns allen gesprochen und gebraucht wird. Während für Herbert, als Buchhalter einer großen Möbelfirma, das Aufsatzschreiben in der kaufmännischen Berufsschule »ein großes Plus« bedeutete, gebraucht Hans Rudi die Sprache außerhalb der beruflichen Nutzung. Er sitzt über Brillen und Kontaktlinsen in einer Optikerwerkstatt, und ihm sind bei all diesen Sehgeräten die Augen offengeblieben. Sein Gedicht über das Aquarium im Wohnzimmer lautet:

»In Quaderform gepreßtes Element
schwerelos und stumm gebanntes Leben
von Glas umfangen
durch Stahl begrenzt

Unterkühlte Liebe
und stumme Rivalität
ein Fenster zur Natur
zwischen Radio und Wanduhrpendel

Ins traute Heim gebrachte Harmonie
Harmonie für harte Währung
mit Beleuchtung
und gleichmäßiger Luftzufuhr

Von dem Versand ders möglich macht
die kaltblütigen Larvenfresser
in schlichtem Rot
oder gegen Aufpreis mit Neonstreifen

Es gehört zum Luxus
wie der 280er mit Stern
es steht im Schrank aus Nußbaum
natürlich kein Furnier

Und auch entsteht der Vorteil zu sagen:
Mayers füttern nur zweimal«

Einer schreibt von der »vergifteten und falschen Atmosphäre
eines Kleinbetriebes«, wo er als Lehrling »acht Stunden am
Tag Kompromisse schließt« mit Menschen, die er im Grunde
verabscheut, ein Mädchen, heute in einem Anwaltsbüro tätig,
hilft ihrem »Chef Leute aus dem Schlamassel zu ziehen«.
Herta, Friseuse gewesen, lebt für ihre »kleine Alexandra«, die
sie »schon früh um 6 Uhr aus dem Bett holt«. Erikas »ganzer
Stolz« sind ihre beiden Söhne. Sie sagt: »Möchte, daß aus mei-

nen Kindern etwas wird.« Emmi hat auch zwei Kinder, sie schreibt: »Es gibt für mich nichts Schöneres, als sie heranwachsen zu sehen, sie zu beobachten und von ihnen zu lernen …, sie machen mich auf vieles aufmerksam, was ich zuvor nicht mehr beachtet oder vergessen hatte. Sie machen mich auf viele meiner Fehler aufmerksam.« Auch Doris widmet sich »hauptsächlich der halbwegs antiautoritären Kindererziehung«.

Es ist von Arbeit und Fleiß, von Eigentum und »glänzender Position« die Rede, es wird vom Lernen gesprochen, von der »Grundlage für das spätere Leben«, von »finanzieller Aufbesserung« und »reichlicher Erfüllung«. Einer schreibt: »Mein oberstes Ziel, und dem wird auch in nächster Zeit mein ganzes Interesse gelten, mich weiterzubilden und eine entsprechende Position in meinem Beruf einzunehmen und somit auch ein besseres Gehalt zu erreichen.« »Die weiteren Interessen kommen dann schon von selbst«, fügt er hinzu, und ich frage mich, ob so viel Tatendrang und Tüchtigkeit in meiner Schule gedeihen konnten.

Marianne erinnert sich an diese Schule, als sei sie ein Märchenland gewesen, die »Schule, die wir vor einigen Jahren noch am liebsten so schnell wie möglich hinter uns bringen wollten …, erscheint in einem ganz anderen Licht«. Ihr ist sie die schöne Nebensache »im Vergleich zur Berufswelt«.

Emmi sagt: »Sie verstanden es wirklich, uns die anerzogenen Hemmungen, wenigstens zum Teil, zu nehmen … Ich hätte nie geglaubt, daß so viel von einem Lehrer abhängen könnte.« Und Hans Rudi schreibt mir: »Zuerst möchte ich Ihnen danken für die Worte, Taten und Gesten, mit denen Sie mich, wie ich meine, positiv beeinflußt haben (wobei ich beeinflussen nicht mit manipulieren gleichsetze). Ich habe gelernt, nicht nur darauf zu warten, bis ein Mensch zu mir kommt und sagt, ich wäre ›in Ordnung‹, sondern ich bin nun reif genug, selbst zu jemandem zu gehen und zu sagen: du bist ›in Ordnung‹. Auch hoffe ich, daß Sie diesen Brief nicht als Kontaktaufnahme zwischen Schüler und Lehrer, sondern als Solidaritätserklärung eines Jugendlichen zu einem für ihn akzeptablen Menschen der ›älteren Generation‹ werten. So ist es auch keine Schmiererei, wenn ich Ihnen sage, daß Sie für mich der stärkste Mensch sind, den ich persönlich kenne.« Er »besitzt nicht mehr die Kraft, nach Feierabend noch zu lügen oder ein Routinelächeln aufzusetzen«. Das beschämt den Lehrer, der nie stark sein wollte, und es vielleicht doch war, oftmals kraft seiner von Amts wegen gestützten Autorität.

In einem Brief von Anita heißt es: »Ein Buchtitel, der leicht, beschwingt, schwerelos scheint und doch einer gewissen Rätselhaftigkeit nicht entbehrt. Ein Buch mit Schüleraufsätzen, bunt, fröhlich, traurig, naiv, romantisch – die Welt der Kinder. Eine Sammlung, die Erinnerungen weckt an ein dickes, schwarzes Buch, an die Jahre der Schulzeit, an einen Schulhof, umsäumt mit dicken Kastanienbäumen, fallendes Laub leise raschelnd, die muffige Luft im Schulgebäude, die alten hohen Fenster und das erhöhte, gelb schimmernde Pult. Ein Buch, das auch an die Persönlichkeit des damaligen Lehrers erinnert, an seine Dynamik, seine Willenskraft, seine Liebe zur Kunst, sein Bemühen, dem kindlichen Auge die Wunder der modernen Malerei zu offenbaren; ein einsamer Vorkämpfer, der versuchte, die Bildungsungleichheit in einem entlegenen Provinznest zu beseitigen. Arbeiterkinder, deren Phantasie, ihr Gestaltungsdrang nach dem eigenen Werk, dem Streben nach sich selbst, der eigenen Persönlichkeit, die Auseinandersetzung, die Konfrontation mit einer rätselhaften Umwelt, all die tausend Fragen und Meinungen, die durch ihn vielleicht zum ersten Mal ernstgenommen wurden.«

So preisen die Briefe des Lehrers Naturell, so rühmen sie sein pädagogisches Walten, so loben sie seine Kunstbeflissenheit; aber der Lehrer ist nun wirklich beschämt, er hätte wohl ein Rübenfeld beackern sollen, er aber werkelte im Blumenbeet. Wolfgang, Polizist »auf Böse-Männer-Fang«, wie seine Tochter sagt, sorgt sich um die Sprache, die er gelernt hat. Er erinnert sich gar nicht gerne an den Deutschunterricht: »Allein schon deshalb nicht, weil mir gerade dieses Fach ›Muttersprache‹ sehr viele Schwierigkeiten bereitet hat. Schreiben, das ist in diesem Brief wohl schon angeklungen, war wie Lesen und Reden wohl eine Leidenschaft. Und wie dies mit Leidenschaften so üblich ist, hat es kein gutes Ende genommen. Meine Deutschzensuren schwankten, außer in meinen Volksschuljahren, immer zwischen der Zwei und der Sechs ... Auch heute bin ich mir noch nicht im klaren, ob ich meine Muttersprache beherrsche oder sie mich beherrscht. Es kommt gar oft vor, daß mir ein Staatsanwalt eine Akte zurückschickt mit dem Vermerk, ich solle einen Tatbestand in den ›gesetzlichen‹ Wortlaut bringen und nicht eine Räuberpistole schreiben. Das bedeutet nicht mehr, als eine Sechs in Amtsdeutsch. Es heißt eben nicht: ›Er hebelte mit einem Schraubenzieher das linke Ausstellfenster des Autos auf‹, sondern es heißt dann: ›Er öffnete gewaltsam ein verschlossenes Behältnis‹. Es heißt nicht: ›Das Auto war ordnungsgemäß verschlossen und gesichert‹, sondern es heißt dann: ›Die Sache war durch eine besondere Vorrichtung vor der Wegnahme gesichert‹.«

Emmi fragt sich im Hinblick auf ihre eigenen Kinder: »Wie werden sie urteilen, wie ist ihre Sprache? Was mir heute noch zu schaffen macht, ist der Mangel an Ausdrucksvermögen, der Mangel, die treffenden Wörter zu finden. Unser Sprachbereich ist begrenzt, unser Wortschatz zu klein. Wir suchen verzweifelt nach den treffenden Wörtern, wenn wir Hochdeutsch reden wollen, und es kommen nur karge, unvollkommene Sätze heraus, die einen anderen Sinn ergeben als der Gedanke.« Ähnlich schreibt Hans Rudi: »Ich hätte Ihnen dies gern persönlich gesagt, aber der unschöne Tonfall meines saarländischen Dialektes, welchen zu unterdrücken ich nicht imstande bin, hätte es lächerlich erscheinen lassen.«

Was hat der Lehrer also falsch gemacht? Heiner glaubt es zu wissen, er hat Gründe, er hat Argumente, er nennt schon die Frage, was aus ihm geworden sei, gefährlich. Er schreibt:»Werden hat immer den Beigeschmack des Passiven, des natur- oder zwanghaft Sich-Entwickelns. Gleichzeitig haftet ihm die Tendenz an, jemanden – auf den es sich bezieht –

zu fixieren. Wenn ich gefragt werde, was aus mir geworden ist, heißt das, was ist durch hormonelle, psychische oder physische Entwicklungszwänge aus dem Heiner, den Sie – vielleicht – kennen, geworden, was ist es, ein für alle mal. Vielleicht ließe sich Ihre Frage auch einfach als Frage nach meinem Beruf werten. So gesehen, wäre der Beruf aber als Entwicklungsziel eines Menschen bewertet, noch dazu als etwas naturnotwendig aus der Anlage des Individuums Entwickeltes.

Ihre Frage scheint mir der unbedachte Versuch, allgemein menschlich zu fragen. Ich will mich nicht, genau wie Sie, aufs Katheder stellen und Ihnen als Schriftsteller etwas über die Bedeutung der Sprache vorerzählen. Aber wie sehr Sprache Mittel ist, die Haltung eines Menschen zu dem ›Besprochenen‹ auszudrücken oder gar andere in *der* Art zu beeinflussen, wie vielfach *so* Sachzwänge vorgetäuscht werden, wo es sich – wie beim Beruf – um gesellschaftliche Zwänge handelt, sehen Sie und ich hier ganz deutlich.

Aber zur Sache. Nachdem ich nach der 7. Klasse aufs Aufbaugymnasium gekommen bin, habe ich dort sechs Jahre mit zunehmendem Erfolg verbracht. Besonders wichtig war für mich dabei die Fixierung auf meinen Klassenlehrer, der mir persönliche und sachliche Vorbilder – natürlich alles mit Einschränkungen – sowie eine starke Leistungsmotivation geliefert hat. Ich kann selbstverständlich nur aus dem Vergleich urteilen, wie die Methode, zu schreiben und zu denken, die Sie bei mir beeinflußt haben mögen, bei diesem neuen Lehrer ankam. Ich habe den Eindruck, Sie haben bei Ihrem Unterricht vor allem meine Phantasie angespornt, spielerisch Denken, try and error, könnte man Ihre Methode nennen. Anders Herrn E's Methode. Formallogisches, übergehend in logisches und dann vernünftiges Denken, dann den Schritt vom Denken zum Handeln indirekt fordernd, das mögen die Kennzeichen dieser Methode sein. Beide Methoden sind nicht widersprüchlich untereinander, nur zu Anfang hatte ich Schwierigkeiten, meine Phantasie zu zügeln, das heißt nicht zurückzunehmen, sondern zu ordnen.

So beeinflußt, habe ich die Schule verlassen, mit einem Schlüssel-Zeugnis, das einem jeden Studienweg aufschloß. Doch ich habe das falsche Schloß gewählt und ein Semester Chemie studiert. Mir hat dabei – im Unterschied zu jetzt, Gleichgebliebenes führe ich hier nicht auf – vor allem gefehlt: Kontakt zu Menschen, er war im Vergleich zum Kontakt mit Dingen unterentwickelt: Reduktion des Denkens, weg vom verbalen, hin zum mathematisch-formelhaften. Das war zuviel. Jetzt, das heißt im 3. Hochschulsemester, studiere ich an der Uni Germanistik und Geschichte. Welchen Einfluß das Studium bis jetzt auf mich gehabt hat, vermag ich nicht zu ermessen. Ich habe diese Fächer in der Erwartung gewählt, Pauker zu werden, aber eben kein Pauker!

Das hängt eng mit der Tatsache zusammen, daß ich Jungsozialist bin. Das bedeutet nämlich, daß ich an die Möglichkeit glaube, unser System zu überwinden, wobei man noch diskutieren muß, was will man überwinden. Jedenfalls kommt dem Lehrer in diesem Prozeß, der primär ein individueller und auf Kleingruppen bezogener ist, eine enorme Bedeutung zu.

Ich sehe in der Sprache eine große Kraft, keine Macht; nur die, die die Macht haben, können ihr Macht verleihen. ›Die herrschenden Gedanken einer Zeit sind immer die Gedanken ihrer herrschenden Klasse‹. Dazu kann man stehen, wie man will. Sprache ist Kommunikation. Sie liefert in Wort- und Satzverbindungen Muster, Klischees, die sich beständig reproduzieren und die eine Einstellung provozieren, wörtlich, die man zu dem Besprochenen haben soll. Andererseits ist sie Gegenkraft, deckt auf, legt bloß, macht *die* angreifbar, die sich ihrer zu bedienen glauben. Und vor allem darin sehe ich die Macht der Sprache, daß sie prüfbar macht, habhaft.«

Das sind Stellen aus einem langen Brief, und ich bin noch nicht am Ende damit, die aber notwendig zeigen, wie sehr stark die Erwartung auf Handfestes, der Wunsch zur Ausrichtung, die Zielbezogenheit dominieren. Ein neues Gedicht von Heiner, »Versuch außer der Reihe«, zeigt, daß er es nicht anders als sein Messer verstehen will.

»reden schwingen
keulen gleich
die die macht des wortes brauchen
demagogen schüren leidenschaften
haß und angst
damit der mensch nicht wage
widerspruch zu heben
gegen ihre macht und willkür
und sich ducke
doch ist ihre angst zugleich
daß einer zu sich finde
und die stimm erhebe gegen sie
denn sie wissen
welche kraft dem worte der kritik beschieden
welches feuer zu entfachen
sich das argument erhebt

waffen werden worte
in der hand der waffenlosen

wenn das hohle pathos sich verflüchtigt
und der kalte strom der einsicht
alle nebelschwaden löst der demagogenworte
kraft verleiht
und viele einem ganz zugehörig
sich erkennen

aus dem mund von vielen
die längst sich angepaßt
zu haben scheinen
hören worte wir
die deuten
daß einmal die ohnmacht zu ende
daß nicht länger andere für sie denken
sich als hirn des ganzen geben
aber nur für ihren kleinen teil
sich sorgen dürfen«

Wie weit also bin ich gekommen? Es widerstrebte mir, Kinder für die Arbeitswelt abzurichten, es lief mir zuwider, Menschen in ein System einzupassen. Aber was ist aus des Lehrers hochfahrender Vorstellung von der Selbstbefreiung im Gassenjargon geworden? Er wollte nicht die Sprache der Herrschenden anbieten, er wollte auch nicht, daß die Kinder gezwungen sein sollten, sich »mit heimlichen Signalen im Untergrund über ihre Zweifel, ihre Empörung, ihre Ängste in einer Sprache, die herrenlos ist, zwar unbeherrscht, doch machtlos« auszudrücken, um einem Gedanken von Konrad Wünsche zu folgen. Ich wollte den vollständigen Satz, die Rechtschreibung, das Schuheabputzen, das Papieraufheben nicht als »Unterwerfungsriten«, sondern als soziale Akte verstehen; aber nun zeigen sich Zugehörigkeitsgefühle zur Gesellschaft, Bestrebungen, sich einzufügen, Wünsche, nicht mit einer mißbilligten Sprache leben zu müssen, die nicht frei entstanden, sondern vom System erzwungen scheint. Was hat der Lehrer falsch gemacht?

Ich muß noch einmal auf den Brief Heiners zurückkommen. Dort heißt es nämlich weiter: »Ich selbst bewerte Ihr sehr kluges Vorwort und die Aufsätze, die ihm folgen, positiv. Ich bedauere es aber – hoffentlich täusche ich mich –, daß Sie den Platz an der ›Front‹, die die Schule ist, mit dem Beobachtungsposten im bekannten Elfenbeinturm vertauscht haben. Aber ich unterschätze diesen Posten nicht, dann, wenn er Ausguck ist auf einem Schiff, das vorwärts fährt, und von dem aus man den Kapitän vor Hindernissen, Irrwegen und Nebelwänden warnt. Frage nur, wer ist der Kapitän? Da sollte man sich doch auch ein bißchen am Steuer herumtreiben.«

Ich bin kein Kapitän, auch kein Steuermann, vielleicht Lotse im Nebel, weil ich meine, daß rechter Gebrauch der Wörter in einer Sprache der Gebrauch ist, der aus Verfinsterung Auffinsterung, folglich Aufklärung, und falscher Gebrauch der Wörter in einer Sprache der Gebrauch ist, der aus Aufklärung Verklärung, folglich Verfinsterung macht. Ich weiß aber nicht, ob es mir gelungen ist, denn ich weiß von vielen nicht, ob sie ihre Sprache behalten oder verloren haben. Ich weiß, daß kindlicher Witz und Schülerurteil etwas in Emmi bewirkt haben, ich weiß, daß Anita und Hans Rudi, daß Heino und Hubert, daß Wolfgang und Heiner auch heute noch immer wieder versuchen, mit Hilfe von Wörtern in der Welt zurechtzukommen, wie gesagt, durch Witz und Urteil. Ich weiß aber immer noch nicht, ob sie Jürgen, falls er heute der flotte Bankangestellte ist, der nicht die Hände des Versagers drücken wollte, längst eine Erkenntnis vermittelt, ob sie in Friedhelm nachgewirkt und ihn von irgendeinem Teufel, der »voller Freude« gewesen und in seinem »Herzen umhergesprungen« war, befreit haben. Sie haben nicht geantwortet.

Rückflüge über fünf und über fünfundzwanzig Jahre, das ist mitunter lange her, und es ist weit her, und der Elfenbeinturm ist nur eine Projektion aus der Entfernung. Von weitem scheint er groß, aber von nahem ist er nur eine Erfindung. »Rückfahrten haben den Sinn, die Sätze empfindlich zu machen für lange Strecken und Höhenunterschiede«, sagt Max Bense, und so ist dieser abenteuerliche Tourismus in die Sprache das Mißverständnis der Wörter, die nicht ein für allemal dasselbe bedeuten. Die einen haben ihre Wörter verborgen, die anderen haben sie gebraucht. Da laufen sie, die einen haben die Köpfe gesenkt und laufen hinterher; die anderen aber laufen erhobenen Hauptes voLorneweg. Sind nun die einen die Entfremdeten und die anderen die Angepaßten? Oder sind sie nicht vielmehr alle miteinander unterwegs, so daß die Zurechtgerückten in diesem Augenblick gerade verrückt und die Verrückten im gleichen Augenblick zurechtgerückt sind, just, als es darum ging, einmal etwas zu erfahren, was ein bißchen Wahrheit auf Dauer enthalten sollte. Ein Glück, daß es dem Lehrer nicht die Sprache verschlagen hat. Wahrheit auf Dauer? Nun ist es an ihm, zu lernen.

II

Rousseaus vergessene Findelkinder

In diesem Jahr hat es keinen Rousseaufrühling gegeben. Salomo in aller seiner Pracht hätte sich nicht zu verstecken brauchen. Wir kommen nach Genf, um zu fotografieren, aber es regnet.

Von Rousseaus Geburtshaus in der Grand' Rue ist gerade das Restaurierungsgerüst zum Nachbarhaus gewandert, und zum 200. Todestag des Philosophen erscheint die Antiquitätenstraße im teuren Schick der siebziger Jahre. Die Läden sind aufgeputzt und tragen stattliche Namen, alle eine Idee zu groß. Der Laden in der Straßenmitte heißt »Les Grandes Epoques«, der Laden im Rousseauhaus »Au vieux canon«.

Ja, Rousseau ist in Genf auch zur großen Kanone geworden, nachdem die calvinistische Bürgerschaft ihn lange verachtet hatte. Zwar ist er überallhin zurückgekehrt, seit die Natur und die Tugend wieder etwas gelten in der zivilisierten Welt, aber auch er ist arg heruntergekommen und ramponiert.

»Zurück zur Natur!« soll er gerufen haben zu einer Zeit, als die Wissenschaften und die Künste gerade begonnen hatten, den Menschen des 18. Jahrhunderts eine neue Zeit zu eröffnen. Wir wollen seinen Lebensspuren folgen und ihre Abdrücke in unserer heutigen Zeit beobachten und beschreiben, vielleicht treffen wir sogar seine Findelkinder in einer vergessenen Ecke, vielleicht sind wir selber diese Findelkinder.

Am Ausfluß der Rhône aus dem Genfer See sitzt er, von Pradier in Bronze gegossen, mit der Feder in der Hand und dem Buch auf dem Knie, dem Wasser zugekehrt, das er zeitlebens geliebt hat. Aber er blickt ganz versonnen auf den grünen Rasen vor seinen Füßen, den eben ein junger Mann betritt. Er stellt seinen Rucksack neben sich auf den Sockel, auch er nimmt ein Buch in die Hand. Sein Blick liegt auf den Tauben im Gras, vielleicht ist er ein Nachfahr des jungen Boswell aus Schottland, die Zeit ist für einen Augenblick aufgehoben, und »Vacheron et Constantin« werben umsonst für ihre gediegenen Uhren. Das Schweizer Kreuz und der Baukran sprechen die Sprache des Augenblicks, das Kreuz weht über den Schrebergärten, und der Baukran ragt in die Wohnstuben hinein.

Rousseaus Zauberwörter hießen »Naturzustand« und »Tugend«, für ihn waren sie eines und dasselbe, die Natur war ihm tugendhaft, die Tugend war ihm natürlich. In der tugendhaften Natur und in der natürlichen Tugend lag das Glück beschlossen, le bonheur, die gute Stunde, das konkurrenzlose Leben des schönen und des braven Wilden. Was später kam, waren Kunst und Wissenschaft, war das Laster. Das unselige Vervollkommnungsstreben hatte den Menschen verdorben, die Perfektibilität hatte ihn um sein Glück gebracht.

Wir fahren durch die Weinberge von Vevey und Clarens. In Vevey war Rousseau im »Restaurant de la Clef« abgestiegen, hierher hatte er seine Helden der *Neuen Heloise* versetzt. »Geht nach Vevey«, schreibt er in seinen *Bekenntnissen*, »besucht die Gegend, beschaut die Landschaft, fahrt auf dem See umher und sagt, ob die Natur dies schöne Land nicht für eine Julie, für eine Clara und für einen St. Preux geschaffen hat!«

Wir besuchen die Gegend, wir beschauen die Landschaft, aber die Bahnlinie und die doppelte Autobahnstraße oberhalb der Weinhänge von Chexbres lassen uns keinen Zutritt zum Ufer, und wir können Julie und ihren Liebhaber nicht in Meillerie besuchen. Auch der alte Pfad vom Weinberg zu den Zypressen ist unterbrochen. Zwischen den Rebpfählen und den klassizistischen Tempelsäulen fahren jetzt die Sattelschlepper. Sie haben »Henniez santé« geladen, das natürliche alkalische Mineralwasser gegen Leber-, Nieren- und Harnblasenleiden. Es wirkt diuretisch und verdauungsfördernd, und ganz Vevey gesundet an den Erzeugnissen aus der Plastikflasche, nur der arme Jean-Jacques nicht mehr, der zeitlebens an der Blase gelitten hat.

In Vevey gastiert der Zirkus »Nock«; der Clown lacht, wenn er traurig ist, er weint, wenn ihn die Freude überkommt. Auf dem Müllhaufen im Weinberg liegen Coca-Cola-Dosen, Brasi-Long-Schachteln, Valflora-Tuben. Sechs Arbeiter bereiten den neuen Boden. Zwei von ihnen hacken die Erde, zwei andere streuen Humus und zwei weitere pflügen zwischen den Stöcken. Ein kleiner Motor zieht den Pflug an einer Trosse, die Auspuffgase und der künstliche Dünger verpesten die Luft. Im Weinberg liegen die leeren Düngertüten, die Erde hat andere Namen angenommen. Sie heißt Fertisol und Nitard, auch sie leidet am Lateinischen und an der Perfektibilität.

Als Sechzehnjähriger hatte Rousseau der Stadt und dem See den Rücken gekehrt. In Annecy war er Frau von Warens unter die Augen getreten, am Palmsonntag 1728.

Zwar wachsen auch heute noch Kastanienbäume und Birken an der geheiligten Stelle, es blühen Stiefmütterchen, und der Efeu hängt über die Mauer; es gibt den Steg über das Wasser, und die große Glocke tönt gemessen, wie es sich am Sonntag gehört; aber hinter dem Idyll wächst ein Wohnblock in die Höhe, die Résidence SCI Jean-Jacques Rousseau mit 37 Appartements und einer Einkaufsgalerie »dans un cadre exceptionnel« mit Garagen und Parkplätzen. »Der Charme der Altstadt und der Komfort von heute«, das ist der Werbespruch von Annecy, Jean-Jacques hätte sich doch besser um seine Findelkinder selber gekümmert.

Chambéry ist trübselig und düster, die Menschen und die Mauern sind muffig und unwirtlich. Die Restaurants sind geschlossen, im Hotel gibt es kein Geld auf Euroschecks, das

Haus des Grafen von Saint-Laurant ist eine Bettelecke. In Rousseaus Dachkammer mit Holzverschlägen und handgemachten Riegeln steht ein kleines blondes Mädchen unter der angegilbten Unterwäsche, die dort aufgehängt ist. Es steht auf den verrotteten Dielen und zeigt seine Zahnlücken. Unten im Hof zwischen M. Girardets Glaserei und M. Routins Weinhandlung, zwischen dem Tapeten-Hauptdepot und dem hauptstädtischen Presbyterium betteln die Findelkinder des neuen Jahrhunderts, welches das Jahrhundert des Kindes sein sollte.

Es ist kein Wunder, daß Rousseau aus dieser Stadt aufs Land floh. An einem Sommertag des Jahres 1735 stand er mit Frau von Warens an der hohen Treppe, die nach »Les Charmettes« hinaufführt. Noch immer ist die Treppe steil und hoch, Schulkinder und Hausfrauen erscheinen auf den Stufen, vor dem Café an der Ecke parken drei Motorräder. Madame Oliva mischt Grenadine und Limonade mit einer Flasche Bier, die jungen Männer stehen am Bordstein, sie plaudern und trinken ihren »Monaco«. Linker Hand an der Treppe hat ein Katasterbeamter sein Büro, vielleicht gibt es noch eine Akte, die der brave Jean-Jacques bearbeitet hat.

M. Aubert, der Konservator im Savoyischen Museum, genehmigt filmische und fotografische Aufnahmen im Sommerhaus der Frau von Warens. Er setzt seine Unterschrift wie einen Notenschlüssel, und wir singen eine Oktave. Das Landhaus von »Les Charmettes« liegt mitten zwischen blühenden Apfelbäumen, die Sonne ruht auf dem Dach, die Blätter flirren, fast sieht es nach einem Rousseaufrühling aus.

General Oudot wohnt im Nachbarhaus, er ist Landwirt geworden, ein Jünger Rousseaus, der »lieber einen Baum auf eine Terrasse als eine Fahne auf eine Bresche« pflanzt. Seine Tochter trägt ein Kopftuch über dem schwarzen Zopf, sie zeigt nach dem schmalen Haus, sie zeigt nach dem kleinen Garten, sie zeigt nach einem Pfad auf der gegenüberliegenden Talseite und erklärt, daß dies der »Pfad der Liebenden« sei.

Isabelle Oudot zeigt das Haus, den Garten und den Pfad mit soviel Liebreiz, daß sich sogar der Fotograf für einen Augenblick in Rousseau verwandelt.

Auf dem Pfad riecht es streng nach Knoblauch; aber während sich die Liebhaber im wilden Knoblauch wälzen, baut der General Erbsen und Karotten und zähmt die ungestüme Natur. Sein Gegenüber ist nicht so charmant wie er, er scheucht den Fotografen und die Kameraleute aus seinem blühenden Löwenzahn, nein, sein Hof ist nicht »Charmettes«.

Im Garten von »Les Charmettes« steht M. Bontron, der Museumswärter, und rezitiert das Gedicht vom »Apfelhain der Frau von Warens«. Er sagt: »Ihr Tage, köstlich süß, mit Schatten überall! / Der schmeichelnde Gesang der zagen Nachtigall«, dann greift er sich an sein Herz und ruft aus: »das schmeichelnde Geschwirr der pfeilgeschwinden Quelle / entfachen in der Brust verführerische Helle.« Er ruft es auf französisch, aber es klingt gar nicht nach Rousseau.

In Rousseaus Zimmer liegt die Morgensonne. Das Zimmer ist feucht, und der Fußboden mußte erneuert werden. »Schade«, sagt M. Bontron, »sonst ist alles noch, wie es war«, und er schaut wie ein Reptil. David Martins Kupferstich hängt über der Kommode, auf der Kommode blüht Immergrün in einem Tontopf, ja, es ist schade, daß nicht alles so bleibt, wie es ist. Auch das Morgenlicht verschwindet zu schnell von der Kommode, der Fotograf bedauert es mit seinem blauen Augenaufschlag. Der Schachtisch, an dem Rousseau mit dem Prinzen von Conti gespielt hat, fault in der Ecke, die Diener haben über Jean-Jacques im Verschlag geschlafen, sie haben die Decke ramponiert und die Tapete zerfetzt.

Unten im Hof radelt der dreijährige Sohn des Hausmeisters in seinem Plastikauto. Er heißt Jean-Jacques, und seine Mutter sagt: »Er hat schon jetzt ein sanftes Wesen.« Der kleine Jean-Jacques Marin trägt eine amerikanische Armeemütze, er wälzt seinen Schnuller wie Kaugummi im Mund und radelt achtlos über das blühende Immergrün. Ich sitze in der Sänfte der Frau von Warens und fürchte mich vor dem sanften Wesen des kleinen Marin.

Ein junger Mann fegt den Hof mit einem Reisigbesen, dann steigt er auf die Leiter und schneidet den wilden Wein. M. Bontron zeigt sein Reptilgesicht und streckt den Finger nach dem jungen Mann aus. »Er ist ein Wintzenried«, sagt er, »ein richtiger Wintzenried, wie der Wintzenried, der Rousseaus Platz bei Frau von Warens eingenommen hatte. Blond und fad«, sagt M. Bontron und zitiert Rousseau wörtlich, »er hat sogar Pickel im Gesicht«. Der junge Arbeiter hat es mit angehört, er steigt von der Leiter herab und legt die Baumschere auf die Mauer. Er lacht, er legt dem Reptil die Hand auf die Schulter, und er sagt: »Aber Pickel hab ich keine.«

Am Boulevard de Lémenc steigt Rousseau einen Felsen herab, er ist aus Bronze, schon zweimal restauriert, aber unverwüstlich. Er steigt mitten in eine savoyische Wiese mit lauter Gänseblümchen hinein. Savoyen ist grün geworden, vielleicht hält der Frühling Rousseaus doch länger an.

Unter blühenden Bäumen, zwischen Wein und Stachelbeeren bewegt sich ein alter Bauer. Er schwingt die Hacke über dem Kopf, er zieht eine Egge mit der Hand, er sät rote Rüben aus einer Plastikschüssel. Womöglich haben die Anverwandten ihn längst vergessen, und er ist froh, daß wir ihn hier gefunden haben. Er sorgt für das zukünftige Grün auf seine Weise, nicht wie die Männer in M. Lavergnats utopischer Salat- und Gemüsefabrik in Bossey. Plastikzelte wölben sich über dem Salat, ein Mann im blauen Anzug handhabt die Gießkanne, andere harken und hacken und produzieren das Grün des 21. Jahrhunderts.

Annecy, Chambéry, Les Charmettes, der dreißigjährige Rousseau ging nach Paris, in die »häßliche, stinkende« Stadt. Aber als Frau von Epinay ihm das Gartenhaus ihres Schlosses von Montmorency zur Wohnung anbot, verließ er die Stadt, »um nie wieder in ihr zu wohnen«. Er hatte sich mit seinen Freunden überworfen, seine fünf Kinder ins Findelhaus gesteckt, sein Harnröhrenleiden zur Ausflucht seines Lebens gemacht.

In Montmorency begann seine Zeit als Schriftsteller: mit der *Neuen Heloise* schrieb er den Roman der neuen Empfindsamkeit, mit dem *Gesellschaftsvertrag* den Roman der neuen Politik, mit dem *Emile* den Roman der neuen Pädagogik. Er lebte sechs Jahre lang in Montmorency, zuerst in der Ermitage der Frau von Epinay, dann in seinem Haus in Montlouis.

In Montmorency ist Sperrmülltag, als wir ankommen. Aber nicht nur verrottete Betten und vergilbte Zeitungen liegen auf den Straßen, auch der ganze moderne Schrott in den Schaufenstern wartet auf den Abtransport. Im Souvenirladen »Heloise« in der Avenue Emile sind nicht Julie, Clara und St. Preux zum Verkauf ausgestellt, sondern Johnny Halliday, Mike Brant und Edith Piaf. Rousseau steht auf seinem Sockel, von Hélène Guastala in Sandstein gemeißelt, in seiner Linken trägt er einen Blumenbund, in seiner Rechten eine Lupe, botanisierend steht er über dem Asphalt, und alle motorisierten Findelkinder fahren achtlos um ihn herum.

Die Ermitage ist eine luftige psychiatrische Klinik, Montlouis ein muffiges Museum. M. Rowe, der Konservator, setzt sich nicht auf Rousseaus Stuhl, schreibt nicht an seinem Tisch, legt sich nicht in sein Bett, nein, das wäre ein Sakrileg. M. Rowe erzählt die Geschichte von Rousseaus Blasenoperation und von der Umarmung der Frau von Houdetot unter der Akazie von Eaubonne. Die Akazie hat sich inzwischen in eine Eiche verwandelt, sie ist aus dem Garten von Eaubonne auf die Hügel von Andilly gewechselt, sie heißt heute »Baum der Freiheit«, 1848 vom Bürgermeister gepflanzt und vom Pfarrer geweiht. Dafür sind die Gärten von Andilly nach Eaubonne heruntergekommen, ein teurer Tausch.

»Les Jardins d'Andilly« steht auf einem Bauschild geschrieben, zwei rote Äpfel zeugen für schwellende Natur, hier kann man rund um eine Terrasse herum wohnen, noch gibt es Wohnungen zu verkaufen: die Gärten von Andilly sind Wohnblocks über dem Einkaufscenter.

Ein Neger geht vor dem Schild vorbei, der schöne Wilde ist aus dem Supermarkt getreten. In seinem Einkaufswagen liegt eine Pappschachtel, darauf steht gedruckt ein deutsches Erzeugnis: »10 × 20 Negerküsse«, das sind 200 Negerküsse, in Pappendeckel verpackt. Ja, die Gärten erheben sich über der »escale 95«, im »jardinery« sind Zimmerpflanzen und Kunstdüngersäcke gestapelt für die Schlafboskette und die Wohnrabatten der »Garten«bewohner. Vor einem Spalierobsthain steht ein Schild: »Stationnement interdit aux nomades«. Aber die Jungs in den Lederjacken sind seßhaft, und ihre Yamahas sind keine Komödienwagen.

Rousseau blieb sechs Jahre in Montmorency, dann floh er in die Schweiz. Das Parlament von Paris hatte seinen *Emile* verurteilt, die Polizei hatte die Auflage beschlagnahmt, es bestand Haftbefehl gegen den Autor, auch in der Republik Genf.

Rousseau, der Bürger, fand ein Asyl in einem Bauernhaus in Môtiers im Tal von Travers preußischem Fürstentum Neuenburg. Es regnet in Môtiers, wir sitzen im »Hotel des six Communes«, trinken einen Trester und starren auf die Straße. Längst gibt es nicht mehr das weiße Haus mit den grünen Fensterläden, in dem der junge Boswell den Philosophen gefunden hatte, weil er wußte, daß auch der kleine Emile ein solches Haus bewohnen sollte. Aber die Wirtin weiß auch uns nichts zu erzählen, genauso wenig wie Boswells Wirtin vor zweihundert Jahren.

Madame Montandon ist die Beschließerin des Rousseauhauses. Sie verweist uns an Richter Favarger. M. Favarger, im Vorsitz der regionalen Rousseau-Gesellschaft, läßt nach Neuchâtel telefonieren. Madame Curtit, im Dekanat für Literaturwissenschaft, fragt nach Professor Matthey, der allein die Fotografiererlaubnis erteilen darf. Aber der Professor ist nicht aufzufinden, vielleicht läßt er sich verleugnen, wer weiß.

Nein, M. Rousseau ist in Môtiers noch immer nicht beliebt; auch wir sind nicht erwünscht, es fliegen aber keine Steine, und auch der Pfarrer tritt nicht auf die Straße und hebt beschwörend die Hände gegen uns auf.

Wir sitzen im »Hotel des six Communes«, die Leute aus Couvet und aus St. Sulpice, aus Buttes und aus Bouveresse, aus Fleurier und aus Môtiers sind willkommen; sie sitzen da und spielen Karten, ein Trupp Kinder reitet vorbei, der alte Schuster schaut aus dem Fenster, zwischen den kahlen Platanen auf dem Kirchplatz fegt der Wind die Konzertplakate zusammen. Am 13. singen die Zigeuner in Couvet, am 22. singen die Gosses de Paris in Verrières, am 26. singt Jacques Debronckart in Môtiers. Alle sind willkommen und erwünscht, nur wir stehen im Regen und haben keinen einzigen Fürsprecher.

»Ici on loge à pied à cheval« heißt es auf dem alten Wirtshausschild über den fünf Arkaden, wir sind aber mit Autos gekommen, und vor uns auf dem Tisch stehen Bücher und Kameras anstatt Gläser und Flaschen.

Im Regen schlendern wir das Ufer der Areuse entlang, wir tragen Cordmäntel und Parkas und atmen die frische Luft wie seinerzeit Boswell, der sogar aus Schottland gekommen war, um den Dichter zu sehen. Boswell hatte seinen scharlachroten Rock und die Beinkleider aus Buckskin angelegt, er hatte Rousseau die Hand gedrückt und ihm auf die Schulter geklopft, weiß der Himmel, so leutselig wollten wir gar nicht sein. Und doch sind wir lästig in Môtiers wie damals der schottische Dichter mit Kragen und Pelzbesatz.

Aber dann reißt der Himmel auf, und aus Buttes eilt Professor Matthey herbei. Es ist schon später Nachmittag, aber der Professor hat jetzt erst Kunde von unserer Anwesenheit bekommen. Da langt er an und hebt den Finger und ist der heilige Matthey der eidgenössischen Literaturwissenschaft. Die Bauernstube Rousseaus wird hell im Scheinwerferlicht und in den Geistesblitzen des kundigen Professors. Beim Fotografieren hält er die Tür, damit Rousseaus Statuette nicht verdunkelt ist, er putzt die Scheibe auf dem Pastell von Quentin de la Tour mit seinem Taschentuch, fast legt er die Hand auf die Büste von Houdin, so vertraulich möchte er sein mit dem sonst so geschmähten Dichter.

Doch Rousseau floh aus dem Tal von Travers, und wir folgen ihm auf die Petersinsel im Bieler See. Wir wohnen im »Hotel Schloßberg« in Erlach und essen gebackene Eglifilets. Herr Stämpfli, der das alte Gut auf der Insel bewirtschaftet, heißt uns willkommen wie einst der Steuereinnehmer den gejagten Jean-Jacques.

Hier war die Botanik zu seinem müßigen Studium geworden; er beobachtete und sammelte, er warf sich auf die Erde und streifte durch das lichte Gehölz. Er wollte den Naturzustand der Pflanzen vor dem Anbau und ihre Entstellung durch die Hand der Menschen, ja er wollte die ganze »Flora Petrinsularis« beschreiben, ein Buch über jeden Grashalm, so wie »ein Deutscher über eine Zitronenschale ein ganzes Buch geschrieben« hatte.

Er lag einst müßig im Kahn, die Ruderer vom Bieler Wassersport aber sind geschäftig in ihren Booten. Im breiten Nachen sitzt der Eglifischer und hantiert mit seinen Netzen, vor der Küste kreuzen die Landefahrzeuge der Schweizer Armee. Auf der Bieler Seite rauscht der Zug der Helvetischen Eisenbahnen vorbei, Vögel zwitschern, die Kuhglocken läuten, aus dem Schilf schreit eine aufgescheuchte Schwarzfußente.

Herr Stämpfli fährt im Unimog zur Käserei nach Erlach, die Insel Rousseaus ist keine Insel mehr. Die Senkung des Wasserspiegels bei der Juragewässerkorrektion hat einen schmalen Damm freigegeben, Herr Stämpfli bringt Butter und Käse trockenen Fußes aus Erlach mit. Die ersten Frühlingstouristen sind auf der Insel angelangt, sie sind hungrig und durstig, Herr Stämpfli bewirtet sie im malerischen Innenhof.

Die Schlüsselblumen blühen, die Kuckucksblumen sind aufgegangen, aber die Farben wechseln. Der Weißdorn blüht rot und das Sinngrün blau, der Wanderer mit dem Rucksack auf dem Rücken geht mit langen Schritten am Haus vorbei. Er trägt Kniestrümpfe und Bundhosen und hat einen weiten Weg vor sich. Er achtet nicht auf die Plastikbecher, die auf dem Tisch stehen. Auf den Bechern ist ein Polizist zu sehen, der alle Blonden und Brünetten um sich versammelt hat. Er sagt: »Zyt isch da!«, und er sagt es auch auf französisch, er sagt: »C'est l'heure!« Ja, die Zeit ist gekommen, die Stunde hat geschlagen. Aber der Becher besitzt in- und ausländische Patente, es ist ein Schweizer Becher, ohne Umweltgefährdung, »sans danger pour l'environnement«, ein Becher für Jean-Jacques Rousseau.

Unten auf der Wiese dröhnt die Sämaschine, Herr Stämpfli nutzt die Juragewässerkorrektion. Der motorisierte Sämann trägt Kopfhörer, die für ihn den Lärm der Maschine dämpfen, ein agronomischer Pilot aus einem Science-fiction-Film.

Rousseau hatte die Insel über alles geliebt: »Ich betrachte diese zwei Monate als die glücklichsten meines Lebens«, sagte er, »so glücklich war ich, daß mir dieser Aufenthalt für mein ganzes ferneres Dasein genügt hätte.« In Nidau, wo er sich aufs Trockene gesetzt fühlte, weil er jeden Tag, den er außerhalb der Insel verbringen mußte, als verloren ansah, ist auch die »MS Jean-Jacques Rousseau« von der Bieler Dampfschifffahrtsgesellschaft auf Dock gesetzt. Ein Arbeiter im Schutzhelm spritzt den Rumpf, ein großer Feiertag steht dem Schiff bevor.

Am 2. Juli jährt sich der Todestag Rousseaus zum 200. Mal. Môtiers, Petersinsel, England, immerzu war er vor sich selbst und vor seinen imaginären Feinden geflohen. Am Ende seines Lebens kam er nach Ermenonville, einem kleinen Dorf in der Nähe von Senlis im Valois, auf Einladung des Grafen von Girardin. Der Graf hatte einen Park im Stile der *Neuen Heloise* anlegen lassen, mit Steinbänken und arkadischer Wiese, mit Grotten und Kaskaden, mit einem Tempel der Philosophie und einer Pappelinsel. Rousseau war zum einsamen Spaziergänger geworden, hier lebte er noch sechs Wochen.

Für die Pappelinsel, auf der sein Grabmal steht, für die Bank, auf der Marie Antoinette saß und das Grab betrachtete, für die Grotte der Najaden und für den Tempel der Weisen wirbt heute der Touringclub de France. Er wirbt mit Prospekten und Plakaten, denn hinter dem Park breitet sich sein Campingplatz aus. Die Linie der Wohnwagen und der Superzelte zieht sich über dem Wasser hin, Tulpen blühen in Kunststoffrabatten, aufgeblasene Multiples sind auf das Grün gestreckt. Da liegen sie, auf diesem falschen Grün der Luftmatratzen, in langer Reihe, in ihren bunten Puppenstuben zwischen Blech und Plastik, da liegen sie, die Findelkinder des ganzen Jahrhunderts.

III

Auswärtsspiele

Sulzbach, August und Dezember 1986
Herr Krämer, der Sulzbacher Schreibwarenhändler, sagt zu
mir: »Ihr Buch ist bei mir dies Jahr der absolute Bestseller.
Sonst Jahrs hab ich als ein paar Konsalik nachbestellen müssen, aber dieses Jahr wollen die Leut nur Harig lesen.«
    Es ist Herbst. Der Dichter begibt sich auf Lesereise. Er
packt das Buch ein, das er geschrieben hat, besteigt das Flug-
zeug, den Eisenbahnwaggon, sein Auto, je nachdem, wohin
ihn die Reise führt, und das Abenteuer der Auswärtsspiele
beginnt. Vorbei sind die beschaulichen Heimspiele, auch die
künftigen Rückspiele zu Hause werden nicht weniger unge-
trübt vorübergehen, weder die in Sulzbach noch in Saarbrücken, die in Ottweiler und die in Saarlouis, in Brebach und
in Homburg, ja selbst in Kaiserslautern wird es respektvoll
und freundlich zugehen. In Saarburg wird eine Dame sagen:
»Soso, Sie sind also ein Heide, aber ich habe den Eindruck,
als sei noch nicht alles verloren«, und in Trier wird ein Herr
anmerken: »Die Saarländer sind ja unsere Nachbarn, aber uns
sind sie zu fix; wenn wir nach rechts schauen, sitzen sie links,
und wenn wir mal nach links schauen, was selten vorkommt,
sitzen sie schon wieder rechts.«
    Bei der Sulzbacher Musikwoche las ich vor lauter Hellhöri-
gen, und auch auf der Jubiläumsfeier der Staatlichen Schule
für Schwerhörige brauchte ich nicht tauben Ohren zu predi-

gen, was aber kommt jetzt? Nun werde ich mein angestammtes Publikum nicht wiederfinden, nun werden die Umgebungen fremd sein, und ich werde wohl meine kalkulierten Kopfbälle und die raffinierten Einwürfe nicht ungeschoren wiederholen können. Herbstsaison, Auswärtsspiele: Wird mir ein eisiger Wind um die Nase wehen, eine Brise von Häme und Haß entgegengeschlagen? Ich will's nicht hoffen.

Mal reise ich solo, mal sind wir zu zweit. Brigitte begleitet mich in der ersten Halbzeit, die zweite muß ich alleine durchstehen. Das wird allgemein bemerkt. Einmal, als ich mit dem Koffer über die Türschwelle trete, sagt Frau Schöner, die unseren Haushalt besorgt: »Der Herr Harig wird immer rarer, wie der Schah von Persien.«

Marburg, 7. September

Marburg ist Märchenstadt; im Schloß und in der Ritterstraße fand Otto Ubbelohde seine Motive, als er um die Jahrhundertwende die Märchen der Brüder Grimm zu illustrieren begann. Marburg ist Märchenstadt geblieben, immer, wenn ich die gotischen Filialen der Philipps-Universität aufragen sehe, weiß ich, daß Wilhelm Solms nicht fern ist, der hier Märchenforschung betreibt und dabei ein veritabler Prinz von Geblüt ist.

Wir übernachten im Gästehaus Müller, und da logiert auch ein Herr, der tagsüber lila Strumpfhosen und darunter einen ritzeratzeroten Slip trägt, und alles ist durchsichtig. Der Herr lächelt herausfordernd, mal steht er im Wintergarten, mal sitzt er im Frühstücksraum, mal schlendert er durch den Flur, immer lächelt er, als sei er von der »Versteckten Kamera« engagiert und solle mit seinen lila Strümpfen irgendwen zu unüberlegten Handlungen provozieren. Vielleicht ist er der treue Heinrich aus dem Froschkönig oder der König Drosselbart, wie er am Ende in Pantoffeln herumläuft.

Ich lese im Café Vetter. Es ist eine Sonntagsmatinee, wie sie die Neue Literarische Gesellschaft saisonweise veranstaltet. Das Café ist bis auf den letzten Platz besetzt, zuerst klirren noch die Tassen, klingen die Kaffeelöffelchen, dann tritt eine angenehme morgendliche Stille ein, und die Leute lauschen gebannt. Herr Legge, der Präsident der Gesellschaft, sitzt seitab, er sieht nichts, er hört nichts, er ist in die Wörter versunken, die ihm bedrohliche Abgründe auftun, und dort unten, wo das Unheimliche west, stören ihn weder die scheppernden Tassen noch die Zuckerdose, die dem Dichter direkt vor der Nase steht. Er lauscht dem Tönen der poetisch bewegten Stimmbänder, die ihm Sonntagsmorgenglocken sind. Dann rauscht und rasselt es wieder, die Matinee ist zu Ende, die Leute eilen an den Mittagstisch. Wir essen mit dem Prinzen Dampfnudeln im Wiener Café, später, zum Nachmittagskaffee, gibt es Himbeer- und Heidelbeerkuchen im Hause Legge. Ja, Marburg ist Märchenstadt, wir folgen den Fußspuren Otto Ubbelohdes; abends erst, in der »Sonne«, bei Ratatouille und Rinderbraten, sprechen die Realitäten wieder.

Friedberg, 9. September

Ein interessiertes, ein dankbares Publikum habe ich in der Bindernagelschen Buchhandlung in Friedberg in Hessen. Zur Erinnerung daran schenkt mir Herr Herrmann einen Bildband über Friedberg, den er, wie er es bei jedem Autor tut, wie er selbst sagt, mit einem Sprüchlein versieht, damit die Beschenkten das Buch nicht gleich weiterverkaufen.

In der Nacht fahren wir durch einen Duftschleier von Rosen, der über der ganzen Landschaft liegt. Er wallt und weht, er dringt durch die Lüftungsschächte des Wagens, als wolle er uns, ein Friedberger Nachtgruß, vor lauter Dankbarkeit im Wohlgeruch ersticken.

Bensheim, 11. September

Herr Böhler aus Bensheim war auf allerlei gefaßt, doch so wie es dann kommt, hat er es sich nicht vorgestellt. »Literarische Weinstunde« heißt seine Zusammenkunft, die er alljährlich zum Weinfest im »Walderdorffer Hof« veranstaltet. Dort lese ich vom Essen und Trinken in den fünfziger Jahren; ein Mann aus Böhmen schlägt sich dabei ein ums andere Mal auf die Schenkel, daß es durch die ganze Gaststube schallt, er lacht laut auf und schaut sich daraufhin verdutzt im Lokal um, als habe er zu laut gelacht, dann prustet er los und kann nicht mehr an sich halten, so daß die anderen Leute, angesteckt von dieser böhmischen Heiterkeit, gleichfalls zu lachen anfangen. Auch Herr Böhler lacht, erst lacht er, dann lacht er nicht mehr, er freut sich seines Erfolgs bei der Wahl des Rezitators, doch fürchtet er auch, die Bücher, die er zum Verkauf mitgebracht hat, könnten nicht reichen. Der Winzer steht hinter der Theke und schmunzelt, die Winzerin trägt immer mehr Wein auf, ich lehne am Treppengeländer in halber Höhe zwischen dem unteren und dem oberen Schankraum und strapaziere meine Stimmbänder.

»Das war eine richtige saarländische Überraschung«, sagt Herr Böhler am Ende, »ich hatte schon geglaubt, die Bergsträßer seien die fröhlichsten Menschen von der Welt.« Herr Böhler ist Sachse.

Schaffhausen, 13. September
Vor Schaffhausen, im Hotel »Bellevue«, haben wir Quartier gemacht, mit Zimmerblick auf den Rheinfall. Um acht am Abend sitzen wir im Speisesaal, bei Eglifilets und Blattspinat, unter uns rauscht der gespaltene Katarakt, es ist ein surrealistisches Bild. Weißer als weiß leuchtet das Wasser, grell ist es angestrahlt, so erscheint das wirkliche Geschehen als ein erfundenes und ist zum Schauspiel geworden, ein weißes Tischtuch, tausendfältig zerknittert, über das sich fortwährend ein perlender Wein ergießt. Darüber steht, im aufgeklappten Wolkenfenster, der Halbmond, fahl und falsch. Eine Gardine aus Dunst schiebt sich davor, und das Nachttableau ist mit einem Male zerstört.

Wir essen, wir trinken, was soll werden? Zum Glück gibt es zur Orientierung die alten Stiche des Wasserfalls auf den Speisekarten: die dramatische Version auf der Sommergrillkarte, die romantische auf dem Spezialfischmenü. »Wandrer, hier ist eine Quelle, / wo das grambeschwerte Haupt, / selbst das intellektuelle, / wieder an die Zukunft glaubt«, ist über dem Büfett geschrieben, in leicht geneigter Fraktur. Wir lesen es, wir fühlen uns angesprochen.

Am anderen Morgen hat das Spektakel seinen Schrecken verloren. Enten stolzieren auf den Felsen, über die das Wasser stürzt, sicheren Instinktes. Ein Boot legt ab, Kanus gaukeln auf den Wogen, Angler trotzen dem schäumenden Getöse. Ich lese im »Bücherfaß« in der Webergasse vor lauter jungen Leuten. Herr Freivogel, ein Gesellschafter der kooperativen Buchhandlung, stellt mich vor; es geht ihm eine Sprache von den Lippen, von der wir kein Wort verstehen: Es perlen die Laute, es schäumen die Silben, es poltern die Schaffhausener Brocken in breiten Sturzbächen aus seinem Mund. Doch auch mein Redestrom ist wild und ungebärdig an diesem Sonntagmorgen, die Flutwellen, die sich über die jungen Leute ergießen, hüllen ihre Köpfe nicht in schönen Schaum. Sie lauschen, sie fragen mich aus, dann kreist Herrn Freivogels Schlußsatz wie ein Strudel eine Weile im Raum.

Schorndorf, 22. September

Herr Käfer ist ein feiner Mensch. »Was in diesem Buch nicht alles verborgen ist!« sagt er und schlägt zweimal auf den Deckel meines Romans. Herr Käfer ist in Zweibrücken geboren, hat in Pirmasens eine Großmutter wohnen und fühlt sich mir auf diese Weise nachbarschaftlich verbunden. Er ist enttäuscht, daß nicht mehr als ein Dutzend Schorndorfer zu meiner Lesung ins Atelier der Volkshochschule gekommen sind, und so vergißt er prompt, das ganze übrige Herbstprogramm anzukündigen, obwohl er es sich fest vorgenommen hatte. Eine Schorndorferin hält mein Buch für einen Roman über den Ersten Weltkrieg; da sie lieber einen Roman über den Zweiten Weltkrieg gelesen hätte, fragt sie unentwegt: »Warum haben Sie kein Buch über den Zweiten Weltkrieg geschrieben?« Sie scheint so etwas wie eine intellektuelle Schorndorfer Vorreiterin zu sein, denn alle meine sanften Attacken und die Verteidigungsversuche von anderer Seite überrennt sie mit stürmischer Weiberkraft.

Im scheußlichen Mosaik der »Weiber von Schorndorf« an der Fassade des Rathauses ist dieses Weibsstück drei Dutzend Mal abgebildet. Es schaut entschlossen drein, sogar General Mélac, der französische Wüterich, kapitulierte vor ihr schon im Jahre 1688. Die Anführerin des Widerstands war erst Frau des Bürgermeisters Künkel, dann heiratete sie den Lammwirt. Im »Weißen Lamm«, wo wir Quartier bezogen haben, ist das Zimmer zu eng, der Schlauch der Brause zu kurz, die Bettdecke zu schwer, doch die geschmälzten Maultaschen in der Brühe schmecken uns vorzüglich. Herr Käfer hat einen Trollinger mit Lemberger im Glas, er hat sich mit der Schorndorfer Abstinenz abgefunden. Wir plaudern, Herr Käfer sagt: »Wollen Sie nicht ein Buch über die fünfziger Jahre schreiben?«

Aus dem Schorndorfer Nebel steigen wir in den lichten Welzheimer Wald auf. Die Klingenmühle, tief in der Schlucht gelegen, ist vom Geschnatter der Gänse umrauscht, schwer trägt Frau Holunder ihre schwarzen Beeren, kokett läßt Frau Liesch ihre langen weißen Haare fliegen, plaudernd rauscht das Wasser unter dem bemoosten Brücklein hindurch, fällt über das Wehr und zerspritzt im schroffen Fels. Zwei Fichten liegen entwurzelt im Bachbett, auch sie sehen dem Räderspiel und der Bandsäge entgegen wie die Tanne im Gedicht von Justinus Kerner, das einst hier entstanden ist.

Wir essen zu Mittag »Im Hirschen« am Ebnisee, Kutteln in Trollinger mit Bratkartoffeln. Die Rechnung kommt in einer kleinen Holzkiste, die als Buch verkleidet ist: die Diskretion, die sich als plumpe Indiskretion entpuppt: Die schwäbische Gastronomie versteckt ihren merkantilen Geist zwischen falschen Buchdeckeln.

Künzelsau, 23. September

Ist Heinrich George nicht Götz von Berlichingen persönlich gewesen? In der Götzenburg von Jagsthausen hängen Spielpläne des Festspiels aus, mit Rollenbesetzungen und Bildern, die den Götz als schmalen, modisch ausrasierten Dandy zeigen, und ich erschrecke, weil der im Gedächtnis Aufbewahrte nicht wiederzuerkennen ist. Das Burghotel wirbt für den historischen Götz; ein Aushang neben der Speisenkarte verkündet: »Souvenir von der Götzenburg mit dem bekannten Spruch des Götz von Berlichingen im Restaurant erhältlich!«

Am Abend lese ich in Künzelsau in der Neuen Feuerwache, in der die Volkshochschule untergebracht ist. Ich vermeide jedes Mißverständnis, das ich in Schorndorf provozierte, als ich den Ersten Weltkrieg ins Spiel brachte. Wieder lese ich das Kapitel von Ahnen- und Sippentafel, lese die Episoden von Paris und Rieti, erzähle vom Leben des produzierenden Poeten, führe die Rolle des Luftkutschers vor, rette mich in spielerische Travestie. Ein Zuhörer fragt: »Erkennen Sie sich eigentlich selbst wieder?« Ich antworte ihm so freimütig, wie es mir möglich ist. Noch »Im Ochsen«, beim Viertele, ist die Frage nicht erschöpfend beantwortet. Wie ist es nun mit der Selbsterkenntnis? Hat sich jemand jemals selbst erkannt, oder ist es die Beschaffenheit der menschlichen Natur, die es einzusehen gilt? Wie sieht sie aus? Ist das das Thema für einen neuen Roman?

Gleichgültigkeit darf es keine geben, Götz von Berlichingen hatte unrecht; das heißt jeder, der seinen Spruch als Ausdruck des Desinteresses weiterbenutzt, wird achtlos am Menschen vorbeigehen. Womöglich hat er nicht einmal den eigenen Arsch gewaschen.

Köln, 7. Oktober

Ist auf die Wörter Verlaß?

»Sag Sion, wenn's um Kölsch geht!« steht auf den Bierplättchen geschrieben, die vor mir auf dem Tisch liegen. Ich sitze in einer Wirtsstube in Köln, zwei Häuser neben der Buchhandlung Kaiser, in der ich in einer halben Stunde lesen werde. Ich sage also: »Sion!«, trinke zwei Kölsch und blättere derweil in meinem Buch. Ein Mann von Mitte Siebzig, der mir am Tisch gegenübersitzt, betrachtet den Titel und sagt: »Ordnung ist das ganze Leben. Ja, dat begrüße ich, dat ist dat Beste, was ich seit langem gesehen habe. Dat sollten die Jungen mal lesen.« – »Kennen Sie das Buch?« frage ich ihn, er antwortet: »Nein, aber der Titel genügt mir.« Ich sage: »Da steht allerdings etwas drin, das Ihnen die Ordnung in einem komischen Licht erscheinen ließe.« – Er schaut mich an, mustert erneut das Buch, klopft auf den Deckel und sagt: »Dann sind Sie wohl der Schriftsteller, der dieses Buch geschrieben hat«, hebt den Blick, und über meinen Kopf hinweg ruft er einem Mann, der eben in die Gaststube tritt, laut entgegen: »Jupp, nun setz dich mal hin, hier hast du einen leibhaftigen Schriftsteller vor dir, und der sagt der Jugend mal, wo's langgeht. Da brennt nix an.« Ich fuchtele mit den Händen, ich funkele mit den Augen, ich öffne den Mund, will etwas sagen, etwas erklären, etwas zurechtrücken, die Männer hören mir nicht zu. »Hier in Lindenthal is immer wat los«, sagt der Mittsiebziger, »hier treffen wir uns dienstags zum Skat, ich komme von der Innenstadt, mein Kollege ist aus Nippes, und der dritte Mann kommt von Frechen rüber. Jestern war ein Tierbändiger von Zirkus Krone hier drin, und heute sind Sie da, ein Schriftsteller.« Frechen, Nippes, Hohe Straße: Ich denke an Bense, der eine neue Rheinlandschaft entworfen hat, an Appollinaire, der drei traurige Strophen über die Hohe Straße gedichtet hat.

Die Lesung bei Frau Kaiser in der Buchhandlung ist gut besucht; ich lese das Kapitel, das von meiner Urgroßmutter Johanna Maria Kleinenbroich aus Köln erzählt, die, weil sie katholisch war, Julius Cochlovius, den schlesischen Pfarrerssohn, um sein Erbe brachte. Frau Kaiser bittet um Fragen, ich bitte um Fragen, mein Buch bittet um Fragen; eine Dame sagt: »Das war ein Rausch, wer will denn da noch eine Frage stellen?«

Neuglück, 8. Oktober
Die Literatur geht in den Rausch über, die Menschen sind trunken von Wörtern, ich kann sie nicht ernüchtern, und ich

will es auch nicht. Es ist Mittwochvormittag, ich sitze im Haus »Neuglück« im Wald von Oberpleis, trinke ein Kännchen Kaffee und denke immer noch an Apollinaire, der hier ein Jahr lang Hauslehrer bei der Gräfin Elinor von Milhau war, das Töchterchen Gabrielle belehrte, die Gouvernante Anne Playden liebte, Gedichte schrieb.

»Alles Quatsch mit Soße!« sagt der Wirt von »Neuglück« zu mir. »Dat Historische bringt uns nur Dreck und Arbeit; jedes Jahr kommt das Fernsehen, räumt uns die Bude aus, stellt dat janze Haus auf den Kopp und verbrennt unsern Strom. Unsre Attraktion ist dat Schlachtfest im Oktober und der Jägerball im November, da kommt wat rein.« Ich lese das Einladungsblatt, worauf es heißt: »Zünftiger Jägerball mit Schüsseltreiben, Musik, Preisschießen für Jäger, Treiber, Wilderer, Angler und sonstige Lügner.« Sonstige Lügner?

Verschämt schließe ich mein Notizbuch, zahle, reise ab. Auf den skulptierten Rosenkörben am Hauseingang liegt die Patina der Jahrzehnte, die Schnitzereien im Fachwerk, die Schmiedemuster der Geländer erzählen von ineinander verschlungenen Seelenbünden. Ich fahre durch das Neuglücker Nobelviertel, die Straßen heißen Silberstraße, Kupferstraße, die Hunde in den Vorgärten sehen wie gestriegelte Löwen aus, die Birkenblätter rauschen unter den Reifen, als habe jemand Goldtaler auf die Straße gestreut.

Hof, 16. Oktober

Helle Freude, großer Applaus. Und doch: Hof scheint kein gutes Pflaster für Väter zu sein. Nein, ob heimischer oder zugereister, in Hof hat es ein Vater nicht leicht, geliebt zu werden. Die jungen Hofer Männer sind ungebärdig. Wie ist es mit den jungen Frauen?

Vor Jahren war es das Fräulein Ute aus Döhlau, das mich an den Ohren zog, jetzt ist es ein Utus, Herr Nellesen aus dem Rheinland, den es nach Hof verschlagen hat, und der mir prompt einen Knüppel zwischen die Beine wirft. Fräulein Ute fragte mich damals nach meiner Lesung aus dem Rousseau-Roman, ob ich wohl glaube, einen Volltreffer gelandet zu haben; jetzt, da ich einen Volltreffer gelandet habe, fragte Herr Nellesen, ob es nicht besser wäre, keinen gelandet zu haben. »Ich bin zwar zehn Minuten zu spät gekommen«, sagt Herr Nellesen, »aber als ich dann mitten in den Ersten Weltkrieg geriet, glaubte ich, nicht recht gehört zu haben.« Flammenwerfer, Handgranaten, Bajonette: ob man wohl einen Vater lieben dürfe, der damit umgegangen und im Kopf nicht davon abgegangen ist? Es hilft kein Erklären, kein Zurechtrücken, Herr Nellesen ist leider so unbelehrbar, wie Vater es zeit seines Lebens war. »Sind Sie nun besser als Ihr Vater oder schlechter?« fragt Herr Nellesen, »erheben Sie sich über ihn, oder unterwerfen Sie sich ihm?«

Da stehe ich dumm da mit meinen Jean Paulschen Kankerspinnwarzen, aus denen ich Vaters Lebensgeschichte ausgesponnen und abgezwirnt habe, Herr Nellesen hat nichts übrig für diesen Symbolismus, wie er sagt, er fragt nach dem besseren Menschenbild, doch das kann ich Herrn Nellesen nicht zeigen, so gern ich auch möchte. Später, beim kleinen Büfett, beißt Herr Nellesen in ein Schmalzbrot, faßt mich am Arm, führt mich ans Fenster und flüstert mir ins Ohr: »Wissen Sie, diese Hofer! Aber Sie wissen ja schon.« Herr Nellesen ist Promovierter, er malt, er schreibt auch, er war einmal zweiter Mann im Römisch-Germanischen Museum in Köln, erzählt er mir, und jetzt ist er erster Mann in Hof. Es gibt Hofer, die Herrn Nellesen für einen Zyniker halten: o diese Hofer!

Jetzt, nach einem Schmalzbrot und einem Glas Frankenwein, habe ich ihn fast schon in mein Herz geschlossen.

Freiburg, 18. November
Hans begleitet mich nach Freiburg. Es ist strahlend blauer Novembertag, Weinhänge und Bergkuppen, Waldstücke und Weideflächen liegen in satten Herbstfarben, »wie Körper«, sagt Hans, »bekleidet und gerüstet, in Samt, in Seide, in Filz, in Kupfer, in Messing, in Bronze«. Sein Malerauge geht durch die Landschaft spazieren, im Walde von Notschrei werden

ihm die frisch geschnittenen Sägesplitter zu phantastischen Stadtlandschaften, die verrotteten Wurzelstöcke zu Gnomen und greulichen Krüppelwesen.

Im »Roten Bären« zu Freiburg essen wir zu Abend. Mariniertes Rinderfilet gibt es in Basilikumöl, Rahmsüppchen von Brunnenkresse, Geflügelleberparfait an Blattsalaten: doch der ausgefallene Gebrauch der Verhältniswörter mißfällt uns, und so essen wir gefüllte Schwarzwaldforelle auf Rieslingsauce, und tatsächlich, der Fisch liegt nicht in, sondern auf der Sauce, die nur, als köstlicher Sud, den Boden des Tellers bedeckt. Zum Abtrennen von Zeichnungen aus dem Skizzenblock brauchen wir eine Rasierklinge, wir laufen von Pontius zu Pilatus, erst ein Friseur in Oberlinden öffnet eine Schublade, entnimmt ihr ein Päckchen Tondeo special aus Solingen und sagt: »Rasieren mit Klinge ist wieder ein Kult. Also führe ich auch die Kultgegenstände.«

Obwohl ich in der Buchhandlung Vogel ein gemischtes Programm vortrage, dreht sich das Gespräch nur um die Schützengräben des Ersten Weltkriegs. Die Zuhörer wollen noch mehr davon hören, sie fragen nach Vaters Entschuldigungen, nach seinen Rechfertigungen, doch Vater fühlte keine Schuld, hatte nichts zu rechtfertigen, die Zuhörer wollen begreifen, warum der Krieg so fest saß im Leib meines Vaters. Ich weiß keine andere Antwort als die, die im Buche steht. Ist das eine Antwort? Oder wirft das Buch nur Fragen auf? Einer Dame, die fragt, wieso sie nichts höre von der Auseinandersetzung der Geschlechter, vom Zusammenprall der Generationen, von Seelenkämpfen im Politischen, antwortet ein junger Mann mit der Gegenfrage, ob sie wohl den Eindruck habe, nach etwas anderem zu fahnden als nach dem, wovon der Roman erzähle und die ganze Zeit die Rede sei. Hans schüttelt den Kopf, die Dame fragt: »Warum schütteln Sie den Kopf?« Hans antwortet nicht, später sagt er: »Ich möchte nicht in ihrer Haut stecken.«

Hans steckt in seiner eigenen Haut; er trägt grünes Hemd, grünen Pullover, grüne Jacke, jedes Grün ist ein anderes

Grün, das zu jedem anderen Grün paßt. Hans grünt, ihn ficht der Widerspruch von Wahrheit und Ästhetik nicht an. Als wir mit Ursula Geißner auf die Straße treten, wirft um uns herum ein bunter badischer Herbst seine Blätter auf den Weg.

Essen, 20. November

Von Freiburg bis Essen ist ein weiter Weg, im eigentlichen und im uneigentlichen Sinne, wobei das uneigentliche Entferntsein noch größer ist als das eigentliche. Die Speisenkarten weisen Hackbraten und Schweinemett aus, und getrunken wird Gaffekölsch und Gatzweiler Alt. In der Wirtschaft »Auf halber Höhe« in Werden steht Onkel Albert am Spielautomaten. Erwin streitet mit dem Wirt um sein letztes Spiel: Er hatte einen Null-Bon und der Wirt wollte ihm keinen Groschen nachwerfen. »Erwin«, sagt er, »jetzt ist Onkel Albert mal dran.« – »Gut«, sagt Erwin, öffnet die Tür zu den Toiletten und sagt: »Da kann ich ja raus an die Klagemauer gehn.« Er kommt zurück, sieht mich am Tisch sitzen und schreiben, tippt mit dem Finger zuerst nach mir und dann an seine Stirn und ruft: »He! sind Sie vielleicht der Journalist von der Ruhrzeitung, der die große Sauerei über Schalke geschrieben hat?« Erwin drängt Onkel Albert vom Spielautomaten ab, er hat aus seinem Sparkäßchen der Deutschen Bank, das an der Wand hängt, zwei Fünfmarkstücke nötig, doch die Käßchen sind fest verschlossen, so bittet er den Wirt um Wechselgeld und wirft die Fünfmarkstücke in den Automaten ein. Es kullert und piepst, die Geldstücke verschwinden auf Nimmerwiedersehen in den geheimen Kanälen. Erwin sagt zu dem Wirt: »Mach mir noch ein Töpfchen fertig und hol auch noch zwei Fünfmarkstücke aus der Kasse.«

Am Nachmittag sitze ich mit Erich Thieles Sohn und Schwiegertochter in deren Haus in Werden. Heino Thiele erzählt von seinem Vater, dem Kompanieführer und Freund meines Vaters, jenem schwierigen, lebensuntüchtigen Mann, staatstreu, prinzipienfest, behördengläubig, dem die Ehefrau, eine Pastorentochter, in allen praktischen Dingen beistehen

mußte. Nur einmal, in höchster Not, als die aus Schlesien ge-
flohene Familie im April 1945 in Hamburg unterzukommen
versuchte, entschloß Erich Thiele sich, den Verwaltungsweg
zu ignorieren: Er brachte die Familie in einem Gebäude unter,
das nur militärischer Verwendung zur Verfügung stand. War
das der Erich Thiele, den ich aus Vaters Erzählungen her
kannte, der Kompanieführer, der an der Somme einen Flam-
menwerferangriff führte, bei Lassigny die Stellung hielt, vor
Verdun, im heftigsten Angriff des Gegners, eine Ablösung
aus dem ersten Graben durchführte?

Wir steigen auf den Dachspeicher und sehen Erich Thieles
Hinterlassenschaft, seine mehr als hundert Tagebücher liegen,
numeriert, chronologisiert, registriert, im alten Militärkof-
fer; es ist ein grüner Holzkoffer mit starken Eisenbeschlägen.
Thiele schrieb die wenig bekannte Kurzschrift der Gesellschaft
»Sprechspur«, eine Stenographie, die so aussieht wie die Spra-
che klingt, ein T ist ein harter Aufwärtshieb, »das geht:
zack!« sagt Heino Thiele, ein A ist lang, »das fällt langsam
ab«. Die letzten Zeilen des Neunzigjährigen rutschen nach
unten weg, sein allerletztes Wort ist nicht mehr zu entziffern.
Neben der Militärkiste stehen Kartons voller Postkarten,
Briefe, Fotos, Prospekte seiner Weltreise von 1929, da gibt es
Personalakten und Urkunden, Gedichte und Übersetzungen,
Verträge und Einsegungstexte, Reden zu Familienfeiern.

Thiele war Jugendbewegter aus dem Victoria-Gymnasium
in Potsdam, nach dem Ersten Weltkrieg arbeitete er an einer
Reformschule der zwanziger Jahre, er war ein weithin, ein all-
zeit geehrter Lehrer; zu seinem neunzigsten Geburtstag fei-
erten ihn Schüler aus fast vergessenen Jahren, noch als Acht-
zigjähriger, um die siebziger Jahre, als es in der Schule über
Tische und Bänke ging, unterrichtete er als Lateinlehrer an
einer Rudolf-Steiner-Schule die Abiturklasse.

Heino Thiele erzählt vom alten, ererbten Familienkonflikt,
es ist der Tonio-Kröger-Konflikt zwischen künstlerischer
und bürgerlicher Existenz; Erich Thieles Söhne wollten, wie
der Vater, aus dem braven Bürgerleben ausbrechen: Der Älte-

ste war Schauspieler, bevor er Lehrer wurde, Heino wollte ins freie Unternehmerleben, er ist promovierter Jurist, heute entwirft und ratifiziert er Verträge als Angestellter der Ruhrgas AG, nur der jüngste Sohn und die Tochter fanden sich früh mit dem geregelten Berufsleben ab.

Auch Erich Thiele wollte Schauspieler, Regisseur, Dichter werden, »bis ins hohe Alter verkannte er seine eigentliche Begabung, die im Pädagogischen lag«, sagt der Sohn, »doch bis zuletzt beschäftigte er sich mit der Dichtkunst.« Kurz vor seinem Ende, als er nicht mehr sprechen konnte und seine Söhne bei ihm im Pflegeheim weilten, setzte er sich mit einem Gedicht auseinander, es war eine englische Ballade von einem Zeitgenossen Shakespeares, und es dauerte lange, bis Heino Thiele es schließlich gefunden hatte, es heißt »King Cophetua and the Beggar-Maid« und erzählt die Geschichte eines Königs, der eine Bettlerin heiratet. Auf dem Sterbebett bewegte Erich Thiele seine Lippen, hob die Hände über die Bettdecke, als wollte er noch etwas Lebensentscheidendes über dieses Gedicht sagen; doch er konnte nicht mehr erklären, was es war, das ihn an dieses Gedicht hatte denken lassen. »Über seine eigenen Gedichte haben wir immer gespottet«, sagte Heino Thiele, »das war nichts Besonderes in unseren Augen, jetzt erst, nachdem in Ihrem Roman einiges davon veröffentlicht ist, sehe ich, daß es gar nicht so schlecht war. Doch jetzt ist Vater tot, und ich kann es ihm nicht mehr sagen.«

Nach meiner Lesung bei Baedeker in Borbeck entspinnt sich wieder ein kleines Gespräch mit den Hörern; doch wieder ist es nur der Krieg, der die Gemüter beschäftigt, jeder erkennt in Vater seinen eigenen verschwiegenen Vater, seinen verschlossenen Großvater, seinen introvertierten Onkel. »Wissen Sie«, sagt ein Mann meines Alters später zu mir, »der Bruder meiner Mutter hat als Stoßtruppführer vor Verdun gekämpft, der hatte sein Leben lang einen Knacks weg, der hat nie mehr als drei Worte gesagt, wenn er wach war; aber wenn der träumte, dann hat er geschrien und rumkommandiert, und manchmal stand er mitten in der Nacht am Fenster und hat um Hilfe gerufen.« Frau Sutter, die Gattin des Buchhändlers, lädt mich zum Essen bei Köster ein; dort sitzt ihr Gatte mit Geschäftsfreunden und tafelt. Bei Köster ist alles anders als sonst in Essen: Anstelle der Buletten gibt es filetierten Lachs in Kressenschaum, anstelle der Sparkassen eine Computertafel mit den neuesten Börsenkursen. Jedes Wort, das in meine Ohren dringt, kommt doppelt und dreifach aus meinem Munde hervor, kommentiert, karikiert, persifliert.

Kassel, 21. November

Ab nach Kassel! »Vaternahm« heißt die Buchhandlung, die Herr Moog in Kassel leitet: ein gutes nomen, ein gutes omen. Ich lese, dann gibt's württembergischen Wein. Später sitzen wir noch eine Stunde mit Christine Brückner und Otto Heinrich Kühner im Ratskeller. Schon vor Tag fahre ich nach Essen, um meine Proust-Übersetzungen im Folkwang-Museum zu lesen, fahre nach Saarbrücken, um am Abend zu Hans Zenders Geburtstag im Saarländischen Rundfunk zu sprechen. Doch noch ist die Tournee nicht zu Ende, noch stehen drei bayrische Tage bevor. »Vaternahm« ein treffendes nomen, ein treffendes omen.

Erlangen, 28. November

Am Morgen erreicht mich im Verlag in München die Nachricht, daß mir der Stadtschreiber-Literaturpreis des ZDF und der Stadt Mainz zuerkannt worden ist. Unsere Pressereferentin überschüttet mich mit enthusiastischen Rezensionen. Rundfunkjournalisten bitten um Interviews, Fernsehredakteure bemühen sich um Drehgelegenheiten, Fotografinnen werben um Fototermine: Ich schwelge in PR.

Am Abend, in Erlangen, lese ich wiederum die gleichen Passagen aus dem Roman wie in München und Fürstenried. Herr Opfermann, ein Autor, wie man mir sagt, fragt mich: »Sind Sie nicht frustriert, einen solchen Roman geschrieben zu haben?« Ich räkele mich auf meinem Stuhl, breitbeinig, preisselig, und betrachte mir Herrn Opfermann, wie er da sitzt, auf der vordersten Kante des Stuhls. Er allein wird wissen, wie er auf diese Frage gekommen ist. Ich kann sie ihm nicht beantworten, nicht zu seiner Befriedigung. Herr Opfermann muß ungetröstet, muß unerlöst bleiben. Er ist, so nah am Ende meiner Lesetournee, kein Kunstgriff, keine Kunstfigur meiner spielerischen Laune. Herr Opfermann lebt, nicht einmal seinen Namen habe ich erfunden.

So endet eine Reise, die mit Stein gewordenen Opfermännern begonnen hat, mit einem realen Opfermann. Nichts ist romanhafter als das Leben selbst. Wem soll man noch vertrauen, was soll man noch für wirklich halten, die Substantive und Adverbien oder das Fleisch und Blut?

IV

Stürmisch rauscht der Blätterwald

Mannheim, Elisabeth-Gymnasium. Ich lese aus meinem Roman *Weh dem, der aus der Reihe tanzt:* Schanzen am Westwall, Arbeitsdienst in Ibersheim, Gefangenschaft im Allgäu. Anschließend spreche ich mit den Schülern, ergänze, erläutere, beschreibe meine Herkunft, auch die literarische, auch die philosophische. Als ich sage: »Ich habe auch einen Roman über Rousseau geschrieben«, stöhnt ein Mädchen auf und sagt: »Um Himmels willen, auch das noch!« Ich schaue sie an. Sie schlägt sich auf die Schenkel, hebt beschwörend die Hände und seufzt: »Der ist uns auch reingedrückt worden.« Dann nimmt sie ihre Brille ab, hält sie auf Armlänge vor die Augen, als könne sie auf diese Weise etwas sehen, was sie sonst nicht wahrnehmen kann, und fragt: »Haben Sie das gern getan?«

Es ist Sommeranfang. Alles ist grün. Die Autobahn nach Bingen führt durch Weingärten und Rübenäcker. Von der Pfeddersheimer Talbrücke aus schaue ich in Richtung Ibersheim. In der Ferne, weit hinter Weizenfeldern, ragen die Kathedralen auf und begrenzen die rheinische Himmelslinie: rechter Hand der Dom zu Worms, linker Hand die Moschee von Biblis. Auf der Raststätte »Wonnegau« feuerrote Geranien in Blumenkübeln: verräterische Schönfärberei.

Lana, 27. Juni

Lana liegt mitten in Apfelgärten. Es ist Reihen- und Spalier-
obst, auf Kopfhöhe geschnitten. Ich kam mit dem Eurocity
vom Brenner nach Südtirol herunter, Skabiosen und Wald-
weidenröschen blühten am Bahndamm. Nun sind es die Ap-
felbäume, die blühen, oder sind es schon die kleinen Früchte,
die im Etschtal von Bozen nach Meran hinauf an den Zweigen
glänzen?

Im »Schwarzen Adler« zu Lana, einem breitgemauerten
Haus am Marktplatz, habe ich Quartier bezogen: Die Tür-
klinken sind aus Messing und blinken, die Betten aus Eiche
und knarren. »Deutsch ist die Saar«, sagt der Hotelier, ein
alter, grauhaariger Herr, als er meinen Ausweis mustert,
»deutsch immerdar.« Er sagt es mit Feuer, seine Augen leuchten, sein Kinn bebt, ein tirolerisches Deutschsein erwärmt
plötzlich sein Blut: »Deutsch immerdar«, sagt er und betont
jeden Laut mit Nachdruck, als wollte er hinzufügen: »Von der
Etsch bis an den Belt.«

Lana ist ein kleiner Ort mit vielen Cafés. Unter bunten
Markisen sitzen Männlein und Weiblein im arbeitsfähigen
Alter, keiner rührt die Hand weiter als bis zum Campariglas.
Der Ort feiert sein Tausendjahrfest, in der Gaulschlucht wird
das historische Stück *Jutta von Braunsberg* aufgeführt, der
Männergesangverein wird im Kulturhaus, der Madrigalchor
in der Kirche singen. Ich lese, frech und alternativ, im Buch-
laden »Zum Bücherwurm«. Joseph Zoderer ist aus dem Pu-
stertal heruntergekommen; er lauscht den Episoden meines
Vaterromans, reibt die Hände und schüttelt den Kopf vor
Vergnügen. »Jahrelang dachte ich, nur das große Thema gäbe
Stoff für einen Roman her«, sagt er später im Gespräch, »seit
heut' weiß ich's besser.« Wir sitzen in einem nächtlichen
Weingarten, es kommen Platten mit Mortadella und Parma-
schinken, Käse und Kirschen: Wir essen und trinken, ein
Hauch von heimischer Eintracht stimuliert die Südtiroler, die
sonst, wie man hört, störrisch und konfliktfreudig sein sol-
len, sie fassen sich bei den Händen, klopfen sich auf die Schul-

tern und lachen schallend. Oswald Egger, der mich eingeladen hat, sagt zu Zoderer: »Pepin, ich bin glücklich, daß es ein solcher Abend geworden ist.«

Gottlob hatte ich meine Haustürschlüssel vom »Schwarzen Adler« eingesteckt, denn als ich zurückkehrte, war das Haus verschlossen und dunkel. »Es war halb zwölf, als Sie nach Haus kamen«, sagt die Wirtin am nächsten Morgen zu mir, »das ist ja noch eine christliche Zeit.«

Auf der Eisenbahn, 28. Juni

Mir steht eine Zugfahrt von Lana nach Graz bevor, eine Tagesreise mit Zugwechseln, Umsteigen, Grenzüberschreiten. Von Italien nach Österreich ändert sich die elektrische Spannung. »Aus militärischen Gründen«, erklären mit die südtirolischen Freunde lächelnd, »ja, immer noch.« Nur wisse man nicht, ob zu befürchten sei, die Österreicher könnten im Ernstfall unaufhaltsam bis nach Rom, oder die Italiener, ohne gestört zu werden, bis nach Wien durchfahren – was beides aber höchst unwahrscheinlich sei.

Es ist eine Bilderbuchreise, eine Reise in Bücher und tief in ihre Geschichten hinein. Bozen kehrt mir seine Zypressen zu, die Franzensfeste droht mit Mauerklötzen, über Innichen türmen sich Dolomitengipfel. Ich schaue aus dem Fenster, mir ist, als lese ich Landschaftsgedichte, Ritterromane, Bergnovellen. Nach dem Regen über Lienz reißt das Gewölk auseinander, Spittal liegt im Frühnachmittagslicht, sauber ausgeschnitten wie aus Schreibers Modellbogen, und prahlt mit seinem See. Spittal! Hier ist doch Peter Rosegger zum erstenmal auf dem Dampfwagen gefahren, als er noch der Waldbauernbub war!

Ich habe die Geschichte auf die Reise mitgenommen, wollte sie lesen an »Ort und Stelle«, lesen im selben Buch wie in der Kinderzeit. Immer, wenn ich ein Gedicht, eine Geschichte, einen Roman wiederlese, greife ich nach dem Buch, worin ich sie zum erstenmal gelesen habe. Ich erinnere mich: In keiner noch so sorgfältig edierten Ausgabe lese ich Eichendorffs

Taugenichts lieber als in meinem alten Reclam-Heftchen von 1941; kein noch so schön gebundenes Buch bietet mir Otto Gmelins *Gespräche am Abend* angenehmer dar als die auf längst vergilbtem Papier gedruckte Kriegsausgabe aus Eugen Diederichs »Deutscher Reihe«; und wenn ich ein Märchen von Andersen lesen will, greife ich nach den beiden roten Bändchen, die Heinrich Wolgast zu Anfang des Jahrhunderts, das Stück zu 25 Pfennig, herausgegeben hat. Um mich so recht in Roseggers Geschichte vom Dampfwagen versetzen zu können wie vor fünfundzwanzig Jahren, suchte ich eine Stunde lang die Broschüre *Hundert Jahre deutsche Eisenbahnen 1835–1935* unter den alten Lesebüchern und Heften, die ich aufbewahrt habe. Mutter hatte mir zwei Groschen gegeben, ich war acht Jahre alt, durfte mir das Heft kaufen und las es in einem Rutsch aus. Es gibt Erzählungen und Gedichte darin, Tagebuchaufzeichnungen eines Eisenbahners und einen historischen Abriß von Hans Dominik, doch die schönste Geschichte ist von Peter Rosegger, sie habe ich nicht vergessen. Ich fand das Heft schließlich und packte es in meine Reisetasche.

Nun sitze ich im Zug und lese. Der kleine Peter und sein Pate Jochen fahren im Spitalerboden. Ich lese – und fahre im Spitalerboden. Beim Senninger Bahnhof sehen sie das Tunnelloch. Ich lese – und sehe das Tunnelloch. Sie spüren das Erdbeben. Dann schließe ich das Heft und schaue auf. Da ist das Beben nur noch ein sanftes Zittern, ein Tunnelloch will nicht mehr erscheinen, so lange wir auch fahren. O Schreck, das Tal, in dem wir fahren, ist gar nicht der Spitalerboden, es ist das Tal der Drau. Spittal ist nicht Spittal, ich habe mich geirrt, habe die Ortschaften verwechselt, die Landschaften vertauscht. Nur ein t ist dazugekommen und hat alles weggenommen, was meine Phantasie in Aufruhr versetzt hatte.

In Villach wechselte ich den Zug, da bricht das schöne Wetter zusammen. Über Klagenfurt gehen Blitz und Donner nieder. Von Bruck an der Mur bis nach Graz herrscht Götterdämmerung, Wolkenbrüche überschwemmen Straßen und Felder: Die Reise endet als Schauerroman.

Weil es mir nicht aus dem Kopf gehen mag, daß ich mich auf eine falsche Spur gesetzt habe, um Peter Rosegger zu finden, miete ich in Graz ein Auto und breche frühmorgens nach dem richtigen Spital auf.

Nun bin ich selbst der Waldbauernbub, ein spätgeborener allerdings, wohlversehen mit Bildern und Büchern und im feuerroten Volvo auf dem Weg ins Gebirge. Aus dem Tal der Mur steigt die Straße in Spitzkehren nach Alpl hinauf. Hier ist das Geschützte zugleich das Zerstörerische: Tannen, in Moospolstern verwurzelt, haben den Felsleib gesprengt, der in Kettenhemden aus Maschendraht zusammengehalten ist. Giftgelb fleckt Habichtskraut den Wegrain, hin und wieder blinzelt stahlblau ein Büschel Ehrenpreis aus dem Grün. Es ist Sommer, der Fußpfad zu Roseggers Vaterhaus führt steil in die Dickung, er ist schmal und schweißtreibend. An Baumstämmen wächst Efeu; ich denke an Efeu aus Roseggers Geschichte, der das Kaninchen vergiftete. Am Wegrand liegt ein geschälter Stock; ich denke an den Stock, mit dem der kleine Waldbauernbub ins Tal hinabging. Leben ist Literatur, Literatur ist Leben, es gibt keinen Schritt, der nicht zugleich auch ein Satz in einem Buche wäre.

Zum Roseggerhaus ist es eine Dreiviertelstunde Wegs. Je höher ich komme, um so breiter ist der Bärlapp, um so dicker die Schmeißfliege, um so gelber die Butterblume. Das Roseggerhaus ist auf Bruchsteinsockel gebaut, die Holzbalken, mit Astlöchern übersät, hat der Holzwurm durchbohrt, das Wetter zerspellt. An den Wänden im Innern des Hauses hängen Haspel und Stechhacke, Schafschere und Beerenriffel. Die Räume sind eng und niedrig, Stube, Bett und Kleiderkasten scheinen aus dem Zwergenhaus zu stammen.

Ein junger Mann führt eine Wandergruppe durch die Räume. Er steht in der Mitte der Stube, spricht steirisch und zeigt nach den Dingen, von denen Rosegger erzählt: In der Ecke lehnt die Standuhr, in welcher der kleine Rosegger sich versteckt hatte; auf dem Bord steht der Topf, in dem die Mutter das weiße Mehl aufbewahrt hat. Ich sehe den alten Tisch mit den ungehobelten Bänken, die Wiege mit der rotweiß gewürfelten Decke: Alles ist klein und zierlich, und je mehr der Steirer davon spricht, um so kleiner und zierlicher werden die Dinge vor meinen Augen. Sie zerstieben und verwandeln sich in Wörter eines Buchs. »Pflug und Spaten umgaben mich, Dreschflegeln und Mistgabeln waren auch da, doch an diesen Gegenständen habe ich nie eine Freude gehabt... Meine Freude war nur immer bei den Büchern und dem Schreibzeug.«

Als ich aus der Tür trete, schlägt mir greller Sonnenschein entgegen. Aus dem Bachgrund tönen Kuhglocken herauf, von St. Kathrein herüber schlägt es Mittag. Ich fahre ins Tal hinunter, wende mich nach rechts, biege links ab nach Ratten und Rettenegg und folge dem Waldbauernbuben und seinem Paten über das Stuhleckgebirge. Ich sehe die Wallfahrtskirche Maria Schutz, sehe das Gasthaus am Semmering, sehe die Tunnellöcher beim Semmeringbahnhof, steige aus dem Wagen und spaziere am Bahndamm entlang, auf mürbem Schotter, in vergilbtem Gras. Rauchgeschwärzt sind die Steine des Tunnelmundes, über jeder Röhre prangt der österreichische Doppeladler, in strenger Manier aus dem Sandstein gehauen. »Kalt wie Grabesluft wehte es aus dem Loch«, schreibt Peter Rosegger, »wir erschraken baß.« Und da kommt auch schon der D-Zug von Wiener Neustadt herauf, und es hängen, wie der Pate erschrocken rief, ganze Häuser dran.

Ich schließe die Augen, höre das Rattern der Räder, das Rauschen der Wagen. Für einen Augenblick nur tauche ich anderthalb Jahrhunderte zurück in eine Vergangenheit, die ich aus dem Geschriebenen hervorhole. Peter Rosegger saß damals zum erstenmal auf dem Dampfwagen. Er schreibt: »Ich betrachtete den Zug von innen, und ich blickte in die fliegende Gegend hinaus, konnte aber nicht klug werden.« – »Jegerl und jerum!« rief der Pate, »da ist ja schon das Spitalerdorf! Und wir sind erst eine Viertelstunde gefahren!« Auch ich bin in Spital angelangt, dem richtigen Spital. Am Berghang führen die Doppelgleise in weitem Bogen um den Ort herum, die Schienen flirren in der Mittagshitze, kein Mensch weit und breit.

Der Bahnhof ist von April bis November geschlossen; es wächst Gras zwischen den Schwellen, aus dem Kies sprießen Büschel von Spitzwegerich.

Saarbrücken, 4. September

»In welchem Jahr hast du diesen Roman geschrieben?« fragt mich Oskar Lafontaine bei der Buchvorstellung im Saarbrücker Schloß. »Erstaunlich«, meint er, nachdem ich es ihm gesagt habe, »es ist, als hättest du die Entwicklung in der alten DDR vorausgesehen«, und betont in seiner kleinen Rede die Aktualität des Themas.

Ich bin kein Prophet gewesen, als ich mein Buch schrieb. Indoktrination als Thema ist für die Gesellschaft ein Dauer-, für den einzelnen ein Lebensthema.

Frankfurt, 4. Oktober

Buchmesse: Auf einen Schlag erscheinen die noch fehlenden Rezensionen; eine abfällige ist dabei. Nun gibt es, im schönsten dialektischen Doppelspiel, zur löblichen Meinung vom Roman der starken Gefühle wie Dankbarkeit und Scham die tadelnde Ansicht vom »Roman ohne Seele«. Diese gegensätzliche Paralysierung der Urteile erinnert mich an einen Essay von Virginia Woolf, *Bücher besprechen*, den ich vor dreißig Jahren gelesen habe. Was bedeuten Rezensionen für einen Autor? Welche Lehren kann er ziehen? »Lob macht den Tadel wett, und Tadel das Lob«, schreibt Virginia Woolf, »es finden sich so viele Meinungen über sein Werk, wie es Rezensenten gibt. Er gelangt bald dahin, weder Lob noch Tadel in Rechnung zu stellen; sie sind beide gleich wertlos. Er schätzt eine Besprechung nur noch der Wirkung wegen, die sie auf seinen Ruf und den Absatz seiner Bücher hat.«

Ist es bei mir auch so? Empfinde ich das gleiche wie Virginia Woolf? Oder arbeite ich nicht vielmehr meinen Ärger und Zorn im Schreiben darüber ab, attackiere von neuem und mit

Tränen in den Augen die sperrigen Wörter und tue nach außen so, als habe mich das abfällige Urteil nicht im mindesten berührt? So ist es wohl, und deshalb gefällt es mir, daß Virginia Woolf das Geschäft des Rezensenten als ein Ausweiden und Abstempeln beschreibt und in mir das Bild des Metzgers erzeugt, während sie vom Autor als einem höher entwickelten Organismus spricht. Dabei regt sich in mir stürmisch die Seele, von welcher der Verächter meint, daß ich vergessen hätte, sie in meinem Roman zur Geltung zu bringen. Ja, mir geht's wie Arno Schmidt: Er freute sich über die guten und ärgerte sich über die schlechten Kritiken, und wenn's besonders viel gute sind, wie diesmal, ist die Freude naturgemäß riesengroß.

Gesprächstermin mit Journalisten und Prominenten am Stand der *Welt*. Am Tisch sitzen ein forscher Publizist, eine sanfte Japanerin und Erich von Däniken, der von neuen Spuren außerirdischer Invasoren schwadroniert. Sie seien irgendwo im südamerikanischen Regenwald entdeckt worden, ein Dank den Baggerführern des Räumkommandos der Brasilian Road Corporation! Ob diese Außerirdischen nicht irgendwann einmal eine Beißzange hätten liegenlassen, einen Schraubenzieher verloren, vielleicht eine extraterristrische Thermosflasche vergessen, möchte ich wissen. Doch Däniken lächelt mitleidslos und sagt: »Schauen Sie sich doch unsere Erde an, zwei Drittel Wasser, dazu die Wüsten und Urwälder, da bleibt nicht mehr viel übrig, wohin eine außerirdische Beißzange hätte fallen können.« Er wendet sich mir gnädig zu, das Licht des Kojenscheinwerfers fällt auf seine malerische Bauchseite, worauf die texanische Spange seines Halstuchs jählings aufblitzt, er sagt: »Das würde Ihnen so passen, die Beißzange eines Außerirdischen finden zu können, womöglich mit dem Aufdruck ›Made in Jupiter‹.« Zum Abschied wird das Stammbuch gereicht. Der Publizist setzt seine Signatur, die Japanerin malt ihr Bilderrätsel, Erich von Däniken schreibt sein Däniken, und ich dichte: »Alles fällt aus der Welt.« Oder habe ich geschrieben: »Alles fällt in die Welt?« Ich habe es schon vergessen.

Mit Walter Boehlich sitze ich am Hanser-Stand. Boehlich ist aggressiv und aufgeräumt zugleich: Er zieht an seiner Pfeife, die, wie immer, kalt ist. Das ist Boehlichs Art: Aus der kalten Asche zieht er neue Glut, welch sympathische Sisyphosmentalität! Mit Rückert, sagt er mir, hätte ich ihm Unrecht getan. Vor Jahren, bei einer Tagung der Deutschen Akademie in Regensburg, dachte ich, Boehlich sei ein Rückert-Verächter. »Nein, nein, mein Lieber«, sagt er jetzt zu mir, »so einfach ist die Sache nicht.« Ein Dichter bleibt nicht derselbe Dichter, ein Buch nicht dasselbe Buch. Wörter fallen, Sätze zerflattern, stürmisch rauscht der Blätterwald!

Herzogenrath, 15. Oktober
Der EC »Parzifal« nach Paris wird in Köln zwanzig Minuten Verspätung haben. Ich muß, um in Aachen meinen Anschluß nach Herzogenrath zu erreichen, einen Nahverkehrszug benutzen. Der Zug ist vollbesetzt, ich stehe, eingeklemmt zwischen Paketen und Plastiktaschen, neben der Abteiltür, die mir fortwährend gegen die Oberschenkel schlägt. Der Schweiß fließt mir in Strömen durch die Rinne im Rückgrat, kandelt unter dem Bund der Unterhose hindurch und weicht mich nach und nach von unten her auf. In Aachen ist der Anschluß verpaßt, ich haste zum nächsten Zug, in Herzogenrath ist kein Taxi am Bahnhof, ich hetze bergauf zur Stadtbücherei. Es ist kein Mensch unterwegs, halb Herzogenrath, denke ich mir, wird in die Bücherei geeilt und längst bereit sein, den Schriftsteller zu empfangen. Der Schweiß rinnt nun auch an den Schläfen herab, feuchtet die Wangen, netzt die Stirn. Ich komme an, öffne die Tür, nehme die Stuhlreihen in Augenschein: Es sind sieben Zuhörer gekommen, zwei Männer und fünf Frauen, die Kursleiterin der Volkshochschule eingeschlossen.

Herzogenrath: Ist nicht hier ein berühmter Fußballspieler geboren? Karlheinz Schnellinger, Jupp Capellmann, Berti Vogts? »Herkenrath. Sie verwechseln Herzogenrath mit Herkenrath, und Herkenrath ist auch nicht in Herzogenrath geboren«, erklärt mir freundlich einer der beiden Herren, aber das schließe nicht aus, daß es möglicherweise doch einen Fußballspieler gebe, der aus Herzogenrath stamme. Er sei eigentlich Literatur-, kein Fußballanhänger, sagt der Herr, und plötzlich sieht es so aus, als sei ich nach Herzogenrath gekommen, um nach genealogischen und landsmannschaftlichen Zusammenhängen zwischen Fußballspielern zu forschen.

Nachdem ich ein Kapitel aus meinem Roman gelesen habe, sagt eine Dame in vorgeschrittenen Jahren, bei aller Ergriffenheit müsse sie doch hervorheben, daß sie als Berlinerin ungleich mehr und vor allem Sensationelleres im Dritten Reich erlebt habe als ich auf dem platten Lande. »Das würde einen Roman geben, wenn ich erst mal auspacke«, sagt sie und schaut mich gnädig an, »wir zu Hause waren nicht für Hitler wie Sie und Ihre Familie, wir waren dagegen, und mich hätten Sie nicht ein einziges Mal in BDM-Uniform gesehen.«

Ich sitze da, verloren im fernen Herzogenrath, die Dame aus Berlin mustert mich mitleidig und sagt: »Ich hätte meine Autobiographie längst schon geschrieben, müssen Sie wissen, aber da kam immer etwas anderes dazwischen. Wenn ich mal nichts Besseres zu tun habe, werde ich damit anfangen, das bißchen Feilen am Stil wird ja so schwierig nicht sein.« Der Schweiß, der gerade getrocknet war, dringt mir wieder, heftiger und reichlicher als zuvor, aus allen Poren und macht mir Herzogenrath für alle Zeit unsympathisch.

Weiskirchen, 20. Oktober

Karlsberg Kulturtreff '90. Schöne Künste in der Gaststätte: Viermal insgesamt trete ich mit der Musikgruppe »espe« auf, nach dem Programmheft »ein Geheimtip auf unserer ›kulturell-kulinarischen Speisekarte‹ von Karlsberg«. Heute, im Kurzentrum von Weiskirchen, erhält jeder von uns einen Bon für einen »Toast Hawaii« und zwei Getränke. In der Rotisserie sitzen wir zwischen Yuppies und jovialen Herren in grauen Anzügen und grauen Schnurrbärten; die Serviererin, eine unscheinbare, doch resolute Person mit schmalen Lippen, tritt an unseren Tisch und fragt: »Was wollen Sie trinken?« Walter, der Gitarrenvirtuose, bittet um die Weinkarte, doch als die Kellnerin ungnädig ihre Lippen schürzt, als wollte sie etwas Abschätziges entgegnen, sagt Walter: »Bringen Sie uns bitte einen Rothschild Laffitte 1959.« – »Das geht nit«, erwidert das Spitzmäuschen, »ich hab' Order, daß nit übertrieb' wird.«

So sitzen wir Karlsberg-Künstler bescheiden vor einer Portion Hawaii-Toast. Und ein Viertel elsässischer Riesling ist genehmigt. Die kulturell-kulinarische Speisekarte hat keinen Höhepunkt, kein gastronomisches Nonplusultra erfahren: der Toast ist nur halb getoastet, der Schinken nur halb gewärmt, die Ananas nur halb gereift. Und über all dem liegt die Käsescheibe wie ein Fladen geschmolzenen Gummis, mit zwei blutroten Phantasiekirschen garniert.

»Hat's geschmeckt?« fragt das Mausezähnchen.

In Thüringen, 26. Oktober

Wir fahren durch Thüringen. Es ist ein graues Land. Vor Arnstadt sind Anstreicher damit beschäftigt, das Dunkelgrau einer Hauswand in Hellgrau umzuwandeln. Am Giebel des Hauses steht geschrieben: »Helmi, Helmi, nimm uns an der Hand, führe uns ins Wirtschaftswunderland!«

Arnstadt erinnert uns an die dreißiger Jahre in Deutschland. Kopfsteinpflaster in der Hauptstraße, gestampfter Schotter in den Seitengassen, geschnitzte Balkone, bemalte Haustüren. Im Marktbrunnen steht der steinerne Arnstädter Ritter mit der Adlerstandarte und schaut verdrossen auf die Fußgänger, die begehrlich in die frisch dekorierten Schaufenster blicken: »Das West Einsteiger Paket zum Kennenlernen. Test the West!« Alle Schaufenster sind noch in Holzrahmen gefaßt, sie gliedern die Maße, beleben das Bild der Fassaden auf angenehme Weise. Es sieht südlich aus, wenn wir nicht deutsch sprechen hörten, könnten wir denken, im Ausland zu sein. Im Eck des Marktplatzes liegt das Geburtshaus der Marlitt, es ist ein Arkadenbau mit Phantasiesäulen und Schieferfassade wie ein Haus aus ihren Romanen; im Eck gegenüber der »Güldene Greif«, ein verludertes Gebäude mit Fachwerkerker und Tonnentor, wo Karl Liebknecht am 25. September 1905 eine Rede hielt, von der er sich wohl mehr versprach, als am Ende dabei herausgekommen ist. Mitten zwischen Trauben- und Bananenständen hockt Johann Sebastian Bach in Bronze auf einem Steinsockel und sieht aus wie Rummenigge.

Im »Löwen« von Ilmenau feierte Goethe seinen letzten Geburtstag, im Ilwa-Eckhaus HO lernte Cornelia Schroeter ihre letzte Rolle, in der Volksbuchhandlung »KM« werden die letzten Ladenhüter der DDR-Literatur feilgeboten. Lauter letzte Dinge? Am Kiosk der Volksfürsorge gibt es schon die neuen Rubbellose, ein fliegender Holländer verhökert Bettdecken aus Nylon, ein cleverer Arnstädter verkauft Dresdner Stollen aus Würselen, Rheinland. Am Ortsrand frage ich einen Wanderer, der in zünftiger Kleidung daherkommt: »Wie kommen wir bitte auf den Kickelhahn?« – »Sie überqueren die Ilm, dann immer geradeaus, dann erreichen Sie den Goethe-Wanderweg, dem folgen Sie immerzu, und schließlich finden Sie oben im Wald die Goethe-Hütte, an die Goethe sein Gedicht geschrieben hat«, rät uns der Wandersmann in Bundhosen und Bergstiefeln. »An die Hütte?« frage ich. »An die Goethe-Hütte«, sagt der Wanderer, »da gibt's einige Hütten, aber Goethe hat sein Gedicht natürlich nicht an irgendeine Hütte geschrieben, sondern an die Goethe-Hütte, das ist ja wohl logisch.«

Stille. Kaum ein Hauch. Nur ein Anflug des Pesthauchs der thüringischen Industrie.

Reutlingen, 9. November
Manchmal bremst der Zug so stark, daß die Erntemaschinen, die in gegenläufiger Richtung auf den Feldern ackern, doppelte Fahrt aufzunehmen scheinen. Auf der Strecke nach Stuttgart, bei der Wäscherei vor Karlsdorf, fällt einem Herrn beim Bremsmanöver der Lokomotive sein kombiniertes

Stöpselsystem aus den Ohren. Er schrickt zusammen, flickert mit den Augen, zuckt mit den Mundwinkeln: Irgendein fein gesponnener Faden aus Tönen ist abgerissen, der Herr stopft die Knöpfe rasch wieder in die Ohren, doch der Faden scheint verloren, die Musik hat sich längst fortgezeugt, es gibt kein Wiedererkennen, kein Wiederfinden mehr. Der Herr legt die Kopfhörer neben sich auf das Polster, behält den Recorder aber in den Händen, als hüte er den kostbarsten Schatz, den er mit seinem Leben verteidigen würde. Er sieht aus wie Max Bense in jüngeren Jahren, mit schwarzen Ringellöckchen in Stirn und Nacken, der sich aber nicht zu erkennen geben will und sich hinter grauem Schnauzer und Kinnbart verbirgt. Nun blitzt er mit den Augen, und als er mich schreiben sieht, fragt er: »Führen Sie Tagebuch?« Schließlich, nach Raten und Vermuten, gibt er sich zu erkennen. Es ist Georg Stefan Troller auf der Lesereise zwischen Kiel und München. Das Kassettenband enthält Ludwig Tiecks gesammelte Erzählungen. In Stuttgart trennen wir uns; während Troller seinen schweren Koffer über den Bahnsteig rollt, entschwebe ich mit leichtem Gepäck. Frau Kiderlen, die Bibliothekarin, holt mich am Bahnhof ab. Im Ratskeller zu Reutlingen gelüstet es mich nach Linsensuppe von der Mittags- und sauren Nierchen von der Abendkarte. Der Kellner sagt: »Auf der Abendkarte sind die Linsen nicht mehr dotiert.« Nicht der Kunde, sondern die Karte ist König in Reutlingen, und Frau Kiderlen sagt enttäuscht: »Ich würd's verstehn, wenn's in der DDR passiert wär'.«

In der Stadtbibliothek lese ich in der Reihe »konkrete poesie«. Gerhard Rühm und Eugen Gomringer waren ein paar Wochen vor mir da, Frau Kiderlen erzählt mir, Rühm habe Lautgedichte und Chansons angestimmt, Gomringer die unantastbare Theorie an Beispielen exemplifizert. Ich lese eine längere Passage aus den *Sprechstunden* und die Stelle über den Fahnenrausch aus *Weh dem, der aus der Reihe tanzt*, ohne zu ahnen, wie nah sich in Sprachhaltung und Sprechrhythmus die zwanzig Jahre auseinanderliegenden Texte sind. Die Zuhörer quittieren es erfreut und erstaunt zugleich. Sie hören mit Vergnügen, daß Bense schon damals in den Fünfzigern, den Drang ins Erzählerische und Biographische bemerkend, zu mir gesagt hat: »Ludwig, reiß dich zusammen.« Die konkrete Poesie, mathematisch strukturiert, musterhaft und methodisch, duldet keine Emotionen; im kalkulierten Spiel erfüllt sich ihr Sinn. Ich denke dankbar und auch mit etwas Wehmut an diese Zeit zurück. Max Bense eröffnete mir die Möglichkeiten der »Stuttgarter Schule«, von denen er am Ende seines Lebens nicht mehr viel wissen wollte. »Ach ja«, sagte er an seinem 80. Geburtstag, kurz vor seinem Tode, zu mir, »da gab's ja außer den Semiotikern und den Computerfachleuten auch noch die Literaten.« Er hätte so gern seine poetische Natur verleugnet und wäre am liebsten nur der weise Wissenschaftstheoretiker gewesen. Warum eigentlich?

Anderntags, Bahnhofsvorplatz. Friedrich List, mit Kräuselhaar und Halsschlopf, ein bißchen Troller, ein bißchen Bense, auf hohem Podest zu Bronze erstarrt, lehnt an schrunnigem Eichenstamm. In der Linken hält er eine Schreibrolle, die Rechte ist in schwäbisch gebremster Geberlaune ausgestreckt. Jemand hat ihm den Wulst eines Kondoms als Ring über den Zeigefinger gestülpt. Ein schlechter Witz? Ein konkreter Einfall? Ein poetischer Wink? Und: Wie ist der Aktionskünstler dort hinaufgekommen?

Kiel, 18. November

Ich reise im Abendzug. In Hannover steigen betrunkene Schlachtenbummler in den Speisewagen, bestellen Bier und Malteser und singen: »Kling, Glöckchen, klingelingeling«. Sie sind völlig unmusikalisch, doch offenkundig hat ihre Mannschaft in einem Punktspiel gesiegt, nun stehen sie breitbeinig an der Theke, räuspern und schneuzen sich und lassen sich nicht anfechten vom gedämpften Gespräch an den Seitentischen. »Kling, Glöckchen, klingelingeling«, singen sie, der Melodie des Weihnachtsliedes folgt ein trivialer Text, den ich nur halb verstehe, der aber von unabweisbarer Schlüssigkeit ist und in lapidarer Logik die Freude des Siegers über das Leid des Geschlagenen offenbart.

Anderntags im Café Fiedler in Kiel. Drei Personen treten an den Nebentisch, ein Herr mit zwei Damen. Sie nehmen Platz. Ohne einen Blick in die Karte geworfen zu haben, sagt der Herr zur Serviererin: »Tee Nr. 2, Kännchen bitte für mich, und je eine Tasse Nr. 4 für die Damen.« Er hat's im Griff, er übersieht die Lage: Kling, Glöckchen, klingelingeling! Ich blättere so unauffällig wie möglich in der Teekarte: Nr. 2 ist ein Edler Pettiagalla, ein Herbstgewächs, vollmundig reif, mit herber Fülle und prickelndem Flavour; Nr. 4 ein Edler Darjeeling, ein Tippy Golden Flowery Orange Pekoe. Der Herr trinkt in großen Schlücken, die Damen nippen geziert an den Tassen. Rundum in den Vitrinen stehen schokoladene Nikoläuse mit roten Mänteln, mit schwarzen Stiefeln, mit weißen Bärten, streng nach Größe und Preislage aufgereiht. Hier, im Norden, ist die Welt noch in Ordnung, Kling, Glöckchen, klingelingeling!

Eingeladen von Buchhändler Eckart Cordes, lese ich im Sophienhof das Kapitel »Juda verrecke!«. Es ist die Geschichte vom verführten jungen Menschen, mir selbst, der von der Rassenhygiene des Nazismus überzeugt war. Nach der Lesung sagt ein junger Mann: »Ich hätte nie und nimmer für möglich gehalten, daß Sie sich getrauen würden, dieses Kapitel vorzutragen.«

Braunschweig, 20. November

Ein grauer Tag, feldgrau. Abstecher nach Mecklenburg ins Patriotische. Gadebusch: verrottende Wohnblocks, bröckelnde Backsteinhäuser, in der Ortsmitte die mächtige Kirche, das breitgiebelige Rathaus. Hier saniert die VEB-Gebäudewirtschaft, Architekt J. Kuck, Lübeck.

Hinter Lützow, im dichten Niederwald, fiel Theodor Körner am 26. August 1813. Ein Obelisk markiert die Stelle, die Vorderseite zeigt eine Plakette mit Körners Kopf im Profil, Lockenhaar, steifer Kragen; die Rückseite trägt die Widmung des Stifters: »Hier fiel ein deutscher Mann.« Ein Holzschild zitiert die berühmte Strophe: »Das Schwert an meiner Linken«, dann heißt es: »Körners Gedichte erfüllten viele Menschen seiner Zeit mit jenem patriotischen Gefühl, das sie zum nationalen Kampf gegen die Fremdherrschaft begeisterte.«

In Ammergauer Manier ist es mit heißem Stichel ins Holz gebrannt, ein Satz für die Jugend der alten DDR, der nun ins allgemeine Deutsche emporgehoben und jedermann in Deutschland zur Nacheiferung empfohlen ist. Haben wir letzthin das Wort »Patriotismus« nicht häufiger gehört als in den vierzig Jahren zuvor? Oder wird der Spruch von der Tafel getilgt im Namen der neuen Zeit? Der Ort ist weit abgelegen, nur ein schmaler Holperweg führt durch die lehmgelben Felder; es ist nicht der Gefechtsort der alten Schlachtgemälde, wie ich sie aus dem Zigarettenalbum meiner Kinderzeit kenne. Was ist geworden aus Körners Schwert an seiner Linken? Ist es verrostet, verrottet? Stellt ein Museum es aus? Oder ist es zur Pflugschar umgeschmiedet, die schon die Erde von Lützow beackert?

Das Vaterländische, der Fremdenhaß: Im Museum von Braunschweig lese ich das Kapitel vom kleinen René, den wir als Erstkläßler gequält und aus unserem Kreis ausgeschlossen hatten, weil er anders war als wir. Die Zuhörer bleiben zu einem Gespräch; ein früherer Adolf-Hitler-Schüler gibt sich zu erkennen, stehenden Fußes verläßt er den Raum. Ich hätte gerne gewußt, ob aus Empörung oder aus Scham.

Aachen, 22. November

Noch einmal: Der eigentliche Skandal des Romans ist das Liegen im Gras. Wörtlich heißt es: »Immer, wenn ich das Wort Freiheit höre, denke ich an unbekümmertes Liegen im Gras.« – »War das alles?« fragt eine junge Frau im Evangelischen Gemeindehaus in Aachen, »wie wollen Sie jemals ein überzeugter Demokrat geworden sein?« Wir unterhalten uns über die Zusammenbrüche, Verstörungen, Lernprozesse, wir diskutieren über die Aufhebung von Widersprüchen. »Sie wollen also das Demokratische gelernt haben?« fragt die Frau, »und wie war das mit der Herzensbildung?« Ja, wie war das noch mit der Reinwaschung und der Herzensbildung? Ich müßte ein Buch darüber schreiben.

Essen, 27. November
Peter, ein junger Buchhändler, stellt eine Frage, die ich nicht beantworten kann. Er will etwas über die Widersprüche erfahren, die sich in meinem Erinnerungsprozeß aufgetan haben müßten, ihn interessieren die Risse und Brüche und wie ich sie empfunden und im dialektischen Schreibvorgang aufgehoben hätte. Um mich nicht in fadenscheinigen Erklärungen und unglaubwürdigen Ausdeutungen winden zu müssen, wehre ich die Frage mit sanfter Entschiedenheit ab und gebe vor, es sei besser und förderlicher, lieber mit sich selbst im Zweifel zu sein und zu bleiben, als die kreative Unschuld zu verlieren.

Ein anderer junger Mensch erhebt sich und sagt: »Ihr Roman ist ein Skandal, und das ist gut so. Hier ist nämlich der Nagel auf den Kopf getroffen. Doch nicht die Kapitel über Euthanasie und Judenvernichtung, welche Sie in Ihrer kindlichen Verblendung durch Haß und Rassenwahn der Nazis gutheißen, rufen das Ärgernis hervor, es ist das Kapitel, in dem Sie von Ihrer Befreiung erzählen, die Stelle, wo es heißt: Das also war die Freiheit, sich ausstrecken im Gras unter blühenden Apfelbäumen; und wo Sie schreiben: Ich hätte nicht gedacht, daß die Freiheit etwas so Banales sein würde. Sie machen sich selbst und dem Leser nichts vor. Sie haben nämlich gar keine Wahl. Sie schreiben, wie's wirklich war. Aber der Nachkriegsdeutsche sagt Ihnen immer wieder: Das kann nicht wahr sein, das darf nicht wahr sein. Er hätte es gern anders. Ihm wäre es lieber, erst dem Entsetzten, dem Enttäuschten, dem Verratenen und dann dem Schuldbewußten, dem Zerknirschten, dem Trauernden zu begegnen. Der Leser würde sogar eine Lüge akzeptieren, weil sie ihm moralischer erscheint als die Wahrheit.«

Hamm, 3. Dezember

Je länger die Lesereise andauert und ich mit meinen Zuhörern debattiere, um so bedrückender wird mir bewußt, wie inflatorisch sich ein Vokabular auszubreiten beginnt, das, von der Tagespolitik geborgt, auch die literarischen Gespräche erobert. Ungebremst springen die hehren Begriffe, die gewaltigen Wörter von den Lippen der Leute, zumeist sind es Volkshochschüler, die nicht satt werden, sich an ihnen zu delektieren. Friede und Freiheit, Vertrauen und Verantwortung heißen die Hauptwörter, hie Patriotismus, dort Völkerfreundschaft, auf jeden Fall Europa. Vom Sozialen wird gesprochen, einem guten, einem schönen Wort, das sich in anspruchsvollen Verbindungen suhlt: soziale Marktwirtschaft, soziale Gerechtigkeit, soziale Sicherheit. Wir brauchen Chancen für morgen, tönt es auf, und noch einmal klingelt es voller Wohllaut: im Vertrauen auf unseren Glauben, in Verantwortung vor unserem Gewissen. Mein Mund ist versiegelt, es gehen mir diese Wörter nicht von den Lippen, und ich weiß nicht, ob ich sie je niedergeschrieben habe ohne ironischen, ja ohne satirischen Beiklang. Warum eigentlich nicht? »Das also war die Freiheit, sich ausstrecken im Gras unter blühenden Apfelbäumen«, heißt es in meinem Roman, und: »Ich hätte nicht gedacht, daß die Freiheit etwas so Banales sein würde.«

Als ich in Hamm ans Ende meiner Lesung gelangt war und das Buch zuklappte, was ja immer einen Knall erzeugt, der wie ein Pistolenschuß in großer Stille wirkt, schrak ein Herr in Grau aus dem Schlaf auf, fuhr sich mit der Hand über die Augen und fragte sofort nach meiner Verantwortung und welche Lösungsvorschläge ich bereit hätte, all den Scheußlichkeiten zu begegnen, von denen meine Bücher erzählten, und was ich zu unternehmen gedächte, um wirkungsvoll für Frieden und Freiheit einzutreten.

Zum erstenmal war ich überrascht, überrumpelt, übertölpelt, denn der Graukopf, ein Herr in meinem Alter, hatte vor einer halben Minute noch fest geschlafen; oder hatte er mit geschlossenen Augen gelauscht und war nur etwas unsanft aus seinen Meditationen gerissen worden? Wir verständigten uns rasch, allerdings nur darin, was unser beider Konsequenzen aus dem Erlebten angeht, nicht, was die Rolle der Literatur betrifft. Uns beiden ist die Ehrfurcht vor Symbolen ein Greuel geworden, Rituale und Hymnen verleidet, Fahnen und Medaillen verekelt. »Aber warum erklären Sie das nicht Ihren Lesern?« fragt der rüstige Sechziger, »warum rühren Sie nicht die Trommel für eine aufgeklärte Gesellschaft?«

Ja, warum rühre ich wohl nicht die Trommel?

Frankfurt, 5. Dezember

Marcel Reich-Ranicki hat mich nach Frankfurt eingeladen. Im Jüdischen Gemeindezentrum, vor fast zweihundert Zuhörern, lese ich die Kapitel »Und die Fahne flattert uns voran!« und »Juda verrecke!«. Am Ende herrscht Schweigen, keine Hand rührt sich. Elisabeth Borchers sagt: »Hier sind Menschen, die nicht nur etwas von der Sache, sondern auch etwas von der Literatur verstehen.«

Bochum, 6. Dezember

»Watt«, sagte der Taxifahrer am Bahnhof, »Sie suchen die literarische Gesellschaft? Hier iss alles literarische Gesellschaft, philologische Gesellschaft, philosophische Gesellschaft oder wie datt alles sich nennt. Hier iss alles Uni. Hätt ich auf mein Vatter gehört, dann wär ich getz auch im weißen Kittel am Rumlaufen.«

Bochum beeindruckt durch realitätsgesättigte Direktheit: das Bier ist kräftig, die Würste sind würzig, die Germanistik ist von sympathischer Robustheit. »Ein Schuldloser bekennt sich zur Schuld«, sagt Professor Müller-Michaels und beendet die Kontroverse um Widerstand und Mitläufertum mit paradoxer Schlüssigkeit.

Tiefer Schlaf im »Hotel Arcade«. Heiße Dusche, deftiges Frühstück. Zeitig unterwegs zum InterRegio nach Bielefeld. Eben wird auf dem gegenüberliegenden Bahnsteig ein großformatiges Plakat aufgezogen: Es zeigt das Gesicht Gabriela

Sabatinis, ernst und herb, mit fleischiger Nase und breitlippigem Mund; sie schaut aus den Augenwinkeln zur Seite, als habe sie dort etwas Verabscheuungswürdiges erblickt. Doch was sie dabei denkt, ist angenehm, es steht in Gänsefüßchen zu lesen: »Tennis is my game! This parfum is my love!« Die Parfümflasche steht neben ihrem Kopf auf einem Pappkarton: Sie sieht, über zwei Geleise hinweg, wie ein gefülltes Bierglas aus, Bochumer Bier, Fiege-Pils. So wirkt das Plakat, als sei es für Bochum geschaffen.

Lippstadt, 11. Dezember
Etwas Elementares nennt ein Herr mein Liegen im Gras. Eine Frau bestätigt diese Einschätzung. Sie habe Ähnliches empfunden nach einer schweren Enttäuschung. Eine andere Frau sprach davon, sie habe eine solch banal gefühlte Erleichterung nach dem Todesfall eines geliebten Menschen erlebt. Ein Lehrer sagte, ihm sei es in den siebziger Jahren so ergangen, als seine Weltanschauung zusammenbrach.

Sulzbach, 12. Dezember
Die Reise geht zu Ende, ich sitze im Zug und genieße die letzten Kilometer. Lesezeit ist anregende Zeit, ich habe sie ausgekostet. Die Zeit des Sprechens darüber war aber schon vorbei, nachdem die immer gleichen unbeantwortbaren Fragen mich zum wiederholten Male herausgefordert hatten. Ich war stets höflich und hilfsbereit und hatte das Unerklärbare geduldig zu erklären versucht; doch nur das Buch selbst kann die Fragen beantworten. Jedesmal, wenn ich in Sulzbach aus dem Zug aussteige, meine Füße die Platten des heimatlichen Bahnsteigs treten und ich, handgeschrieben auf dem Elektrokasten, der dort an einer Stahlstütze hängt, zwischen Hakenkreuzen und Verabredungen zu Liebestreffs, den Vers lese: »Ein Skinhead springt / von Ast zu Ast, / bis ihm der Ast / ins Arschloch paßt«, bin ich glücklich, daß ich ihn niemand auszulegen brauche, nicht einmal mir selbst.

Briefe sind gekommen. Leute wundern sich, entrüsten sich, weisen mich zurecht. Es sind so viele Briefe, daß ich sie gar nicht beantworten kann, auch nicht beantworten mag. Nur meine jüdischen Freunde verdienen eine Antwort. Während nämlich Georges-Arthur Goldschmidt mir sagt, wie sehr er sich als Knabe nach einer Jungvolkuniform gesehnt habe, die er als Judenkind aber nicht tragen durfte, wollen vorgebliche Verweigerer mir ihre Abscheu davor suggerieren; während Edith Aron mir eine Antwort zitiert, die Heinrich Böll in einem Interview Kurt Vonnegut gegeben hat: »Die Leute sprechen immer von den Nazis. Wer waren denn die Nazis? *Wir* waren die Nazis«, geben sich meine Briefschreiber als geheime Widerstandskämpfer aus. Ich bin bestürzt, wie tief immer noch das Bestreben sitzt, sich zu entschuldigen, zu rechtfertigen, reinzuwaschen von eigener Schuld.

V

Der Dichter von den Antillen
und der Pastor von Postelwitz

Im Sommer 1955, nach einem Studienaufenthalt in Paris, begann ich mit der Übersetzung eines längeren Prosagedichts von Willy Alante-Lima, *Manzinellenblüten*. Lima, ein schwarzer Schriftsteller von der Antilleninsel Guadeloupe, hatte mir sein Buch in Paris geschenkt, lesend verlor ich mich in die poetische Beschwörung einer mir bislang völlig fremden Weltgegend, in der es nicht so arglos zuging wie in den deutschen Landschaftsgedichten der damaligen Zeit. Da hißten Fregattvögel breite Piratensegel, läuteten rostige Enterhaken zu Beutezügen, balancierten die Sterne auf den Rahen der Stille: Götter, die ihre schwarzen Kinder im Stich gelassen haben, siechen kraftlos dahin und schrumpfen wie der Schleim ans Ufer gespülter Quallen zusammen. Es kamen Briefe aus Paris mit Worterklärungen von unbekannten Bäumen, Blüten und Früchten, begleitet von Illustrationen aus Büchern, ergänzt durch Zeichnungen von Alante-Limas Hand.

Was sind Affenbrotbäume, was sind Filaoswälder, was sind Manzinellenblüten? Kein Lexikon, kein Biologiebuch, kein Dictionnaire gab mir eine befriedigende Antwort, da konnte mir nur unsere Universitätsbibliothek helfen! Ich beantragte eine Benutzerkarte, erhielt die Ausweisnummer H 0077 und betrat den Katalogsaal mit fliegenden Pulsen. Nach gründlichem Durchstöbern der Karteikarten fand ich endlich das

Buch, von dem ich mir die gehörige Auskunft erhoffte: *Des Ritters Carl von Linné vollständiges Pflanzensystem* in vierzehn Bänden. O nein, dieses Werk könne unter keinen Umständen ausgeliehen werden, sagte der Bibliothekar, als ich den Bestellzettel abgab, »eine Ausgabe von 1777 darf nur im Lesesaal angeschaut und studiert werden.«

Auf einem vierrädrigen Wagen schaffte er die Bücher aus dem Magazin herbei, opulente Bände im Kanzleiformat, die sich heute, mehr als vierzig Jahre später, da sie mir für ein, zwei Stunden wieder gebracht werden, als ganz normale Bücher in Foliogröße herausstellen. Und auch ein Wagen ist nicht nötig, sie vom Magazin in den Lesesaal zu befördern. Ein junger Bibliotheksangestellter trägt sie in zwei Etappen zu je sieben Bänden auf dem Arm an meinen Tisch, ohne Anstrengung, ohne Verschnaufpause, und straft meine Erinnerung Lügen. Doch was mich damals bei der Lektüre so faszinierte, durfte für mein Gedächtnis all die Jahre nicht in gebräuchlichen Folianten niedergeschrieben sein! Für meine Vorstellung mußte ein stabiler Metallwagen mit übergroßen Wälzern her!

Nur in Wälzern für Riesen konnten die haarsträubenden Eigenschaften dieses Manzinellenbaums festgehalten sein: Wer Krebse verspeist, die von seiner Frucht gefressen haben, erleidet schreckliche Qualen; wem ein Tropfen seiner Milch auf die Hand fällt, erkrankt an fiebrigem Blasenbrand; wer in seinem Schatten ruht, riskiert bösartige Übelkeiten; wem sein Saft in die Augen dringt, verliert das Augenlicht. »Und Boerhave erzählet, daß ein Mensch, welcher seine Nothdurft verrichtet und mit einem Blatt von diesem Baume den Hintern abgewischt, davon eine Entzündung und den Brand bekommen habe, worauf der Tod erfolget.« Dieses Zitat setzte ich als Motto meiner Übersetzung der *Manzinellenblüten* voran, meinem ersten Buch, erschienen im Frühjahr 1960 bei Paul Heinzelmann im Steinklopfer Verlag, Fürstenfeldbruck.

Seit dieser Zeit ist mir die hiesige Universitätsbibliothek eine unersetzliche Stätte der Auskunft, ein Ort unentbehrlicher Botschaften. Was mein Freund Fred Oberhauser nicht in seiner Privatbibliothek, was Dieter Staerk nicht in der Sulzbacher Stadtbibliothek findet, gräbt mir bestimmt mein Bibliothekar der Universitätsbibliothek aus. Und wenn das gesuchte Buch nicht im Saarbrücker Magazin aufzufinden oder gar überhaupt nicht vorhanden ist, hilft er mir, eine Fernleihe zu beantragen. Aus Göttingen, aus Wolfenbüttel, aus Freiburg, aus Württembergischen Fürsten- und Bayrischen Klosterbibliotheken kamen Bücher an, die ich wiederlesen mußte, um mich des Eindrucks früherer Lektüren zu vergewissern. Als ich meine autobiographische Romantrilogie schrieb, las ich voller Grausen *Hitlerjunge Quex* von Schenzinger und die *Rassenkunde des jüdischen Volkes* von Hans F. K. Günther wieder, versenkte mich noch einmal in Kants Diskurs über die Frage, warum die Neger schwarz sind, und mit angenehmen Erinnerungen an meine Seminarzeit wiederholte ich mein Studium des *Orbis pictus* von Comenius – einem Lehrbuch der Sprache, von dem man nur schwärmen kann. Und so zauberte mir mein Universitätsbibliothekar mit Hilfe seiner Kunst des Bibliographierens einen Zukunftsroman herbei, den ich zur Konfirmation geschenkt bekommen und in spannungsgeladenen Stunden mit meinem Bruder gelesen hatte. Zwei von drei Daten genügten, ein Buch zu suchen, erklärte mir der Bibliothekar, entweder Verfasser und Titel, oder Verfasser und Erscheinungsjahr, oder Titel und Erscheinungsjahr. Ich konnte mich an den Titel erinnern und an das Erscheinungsjahr: *Dünn wie eine Eierschale*, erschienen 1941, dem Jahr meiner Konfirmation. Der Autor heißt Rudolf Heinrich Daumann – wie sich herausstellte, als das per Fernleihe georderte Buch ankam.

Es bleiben die offenen, die umstrittenen, die unerforschlichen Fälle, die so lange in der Schwebe bleiben, bis eine immer wieder neu angesetzte Fahndung, vielleicht ein zum guten Ende doch noch glücklicher Zufall sie lösen hilft. Eine schlichte Auskunft, eine trockene Notiz, eine nüchterne bibliographische Bemerkung gab mir Anfang der neunziger

Jahre einen Erinnerungsschub, verbunden mit einer starken Gemütsbewegung. Im Oberschlesischen Literatur-Lexikon von Franz Heiduk, einem biographisch-bibliographischen Handbuch, Teil 1, A–H, las ich anläßlich eines Besuchs der Würzburger Universität folgenden Eintrag:

»COCHLOVIUS, Carl Friedrich (*30.4.1765 Konstadt, † 16.9.1811 Postelwitz, Kr. Oels). V.: Krämer. Stud. theol. Halle. 1788–89 Diakon in Konstadt, seit 1789 Pastor in Postelwitz. *Schriften:* Karl von Burgfeld oder Wie kann man zu einer Frau gelangen? (R.), 2 Tle., Halle 1787. *Literatur:* Goed. 4/1, 621.«

Ist das die Menschenmöglichkeit? dachte ich, denn ein ganzer Schwall von Erinnerungsfetzen flog durch mein Hirn. Ich dachte an das Jahr 1941 zurück, als ich von amtlicher Seite her aufgefordert wurde, meine Ahnentafel anzulegen. Mein Pate kümmerte sich damals um die Vorfahren von Vaters Mutter, einer geborenen Cochlovius, deren Großvater aus Oberschlesien stammte. Mein Pate schrieb Briefe, wälzte die schlesische Predigergeschichte, studierte die Berliner Presbyteriologie und fand heraus, daß ein Cochlovius der Lehrer Kants auf dem Gebiete der Logik im Collegium Fridericianum in Königsberg gewesen war, daß ein anderer seinen Namen im Pokal der Lützower Jäger eingraviert gefunden, und schließlich ein dritter dieser Pfarrerdynastie den im Jahre 1787 in Halle erschienenen Roman *Karl von Burgfeld oder Wie kann man zu einer Frau gelangen* geschrieben hatte.

Vor einigen Jahren schon war es mir die Auskunft meines Paten wert, diesen Roman eines Urahns aufzuspüren, nicht zuletzt aus Neugierde auf Stimmung und Stil, auch auf inhaltlichem Wagemut und moralischer Integrität des geistlichen Herrn. Mich interessierte die Geistesverfassung meines Urvaters Cochlovius, der sicherlich eine spielerische, wenn nicht bizarre Intelligenz besaß, hatte doch sein Schüler Kant von der Kuriosität seiner Logik profitiert und den Aufsatz über die Hautfarbe der Neger mit wundersamen Begründungen gespickt. Ich schickte über Fernleihe eine Buchbestellung an die Universitätsbibliothek von Halle, sandte einen Brief hinterher, versuchte zu telefonieren: Es gab keine Antwort, keinen Anschluß, es kam kein Brief, kein Buch. Ich konnte nicht erfahren, wie sich der Pastor von Postelwitz die erfolgreiche Suche nach einer Frau vorgestellt hatte. Oder hatte Pate Willi den Buchtitel falsch zitiert, denn ich erinnere mich an den Titel *Karl von Burgfeld oder Wie könnte man wohl zu einer Frau gelangen?*, und es kann gut und gern so gewesen sein, daß man den skeptischen saarländischen Konjunktiv nicht mit dem geradlinigen Hallenser Präsens in Einklang bringen konnte. Nach dem Fall der Mauer und mit Hilfe von Herrn Heiduks Signatur im Oberschlesischen Literatur-Lexikon versuchte ich es noch ein zweites, im vorigen Jahr noch ein drittes Mal, vergebens.

Nein, meine freundlichen, überaus hilfsbereiten Gewährsleute der Universitätsbibliothek des Saarlandes wurden nicht fündig, und mein netter Bibliothekar leider auch nicht. Wo ist dieser Roman des Pastors von Postelwitz hingeraten? Wo könnte ich ihn doch noch aufspüren? Ist der Titel dieses Buchs meines Urvaters nicht ein Reiztitel, eine Herausforderung zu erotischen Gedankenspielen? Ist es nicht das Reizthema an sich, das dieser Titel widerspiegelt: *Karl von Burgfeld oder Wie kann man zu einer Frau gelangen?* Heutzutage lauten die Titel der Bücher, die sich mit diesem Thema befassen, anders. Es sind Sachbuchtitel: *Partner fürs Leben* und *Wie finde ich meine Dualseele, Sieben Wege zum Traumpartner* und *Wie man eine Frau aufreißt.* Aus einem Roman sind Anleitungen zum Positivtraining erfolgreicher Partnersuche geworden.

Wer ist übrigens der in Franz Heiduks Lexikon zitierte Theo Harych aus Doruchow bei Kalisch, ein schreibender Autor, Kraftfahrer und Heinrich-Mann-Preisträger, der zur DDR-Zeit mit autobiographischen Romanen herausgekommen ist? Harych: Verbirgt sich in seinem Namen nicht mein

eigener in anderer Schreibweise, sind seine Vorfahren vielleicht aus dem Saarland nach Schlesien ausgewandert? Oder
kamen einst die Harychs mit der Familie Cochlovius aus
Schlesien ins Saarland – und ich muß, falls mich meine Erz-
väter über den Pastor von Postelwitz weiterhin beschäftigen,
die schlesische Spurensuche meines Paten zum viertenmal
aufnehmen? Doch wenn sich das Buch dann doch nicht findet, wird mir nichts anders übrigbleiben – als es selbst zu
schreiben.

VI

Die Poesie ist unser Asyl

Es ist vierzig Jahre her, seit ich Marcel Reich-Ranicki zum erstenmal leibhaftig vor mir sah. Es war bei einer Tagung der Gruppe 47 in Aschaffenburg. Ich hatte einen experimentellen Text gelesen, den ich damals für revolutionär und unübertrefflich hielt, und saß – wie es die Sprachregelung gebot – auf dem elektrischen Stuhl, einer fast geschlossenen Phalanx von Kritikern gegenüber. Wie Wurfgeschosse flogen mir die Wörter des Tribunals um die Ohren, ich litt die Qualen eines Verurteilten, der nach eingeübtem Brauch der Gruppe 47 kein einziges Wort der Verteidigung vorbringen durfte.

In einer Lesepause ging ich aufs Pissoir, stand über die Rinne gebeugt und hörte, wenn die Aborttür sich öffnete, die auf- und abschwellenden Stimmen aus dem Saal. Es würgte mir im Hals, ich war nahe daran, mich in die Rinne zu erbrechen. Da ging die Tür wieder auf; Heinrich Böll trat herein und stellte sich neben mich. Er sah mich dastehen, zitternd und käseweiß, schaute mich an, zog an seiner Zigarette, die er zwischen Daumen- und Zeigefingerkuppe hielt, und sagte: »Kopf hoch!« Mir schwindelte, doch nicht mehr vor Elend. Ich betrachtete seinen lächelnden Mund, aus dem der Zigarettenqualm gegen die vergilbten Wandplättchen wölkte, und im gleichen Augenblick schlug der Gestank der Aschaffenburger Pißrinne um in den Wohlgeruch berauschenden Tabakdufts.

Ich erinnere mich, daß ich ein paar Tage später in einer Besprechung der Aschaffenburger Tagung – ich weiß nicht mehr, ob in der *Zeit* oder in der *Welt* – den Satz gelesen habe: »Wer ist verantwortlich für den jungen Mann, der die Beschreibung der weiblichen Geschlechtsorgane für Literatur hält?« Nach diesem Satz habe ich in den letzten Wochen vergeblich gesucht, die Dame im *Zeit*-Archiv konnte ihn nicht finden, das Telefon des *Welt*-Archivs war ständig besetzt. Nun stehe ich da, verlasse mich auf meine Erinnerung, kann aber nicht sicher sein, ob sie mich trügt oder nicht. Marcel Reich-Ranicki wollte ich nicht belästigen; schon vor ein paar Jahren, als wir darüber sprachen, korrigierte er den Wortlaut, den ich anders im Gedächtnis behalten habe als er. Nach der Lektüre seines Buches *Mein Leben* vermute ich, daß er sich genauer erinnert als ich. Er hat sich im Gegensatz zu mir nichts vorzumachen: Ich hätte gern, daß dieser Satz so und nicht anders gesagt worden wäre, und muß auf ihm bestehen, obwohl er vielleicht ein erfundener Baustein unter vielen anderen erfundenen Bausteinen ist, aus denen ich mir mein Leben zusammenbaue.

Sie werden bei meiner Vorstellung von Marcel Reich-Ranicki zu Recht fragen, warum ich Ihnen diese belanglose Geschichte überhaupt erzähle. Ich tue es einmal, um Zeugnis abzulegen für Reich-Ranickis phänomenales Gedächtnis, das ihn zu einer Autobiographie von bewundernswertem Ausmaß an Genauigkeit und Bekenntnistreue befähigt hat, und zum anderen, um seine haarscharfe Beobachtung zu bestätigen, die Sie auf Seite 305 nachlesen können. Reich-Ranicki schreibt: »Ich habe noch nie einen Schriftsteller kennengelernt, der nicht eitel und nicht egozentrisch gewesen wäre – es sei denn, es war ein besonders schlechter Autor. Die einen tarnen ihre Eitelkeit und verbergen ihre Egozentrik, andere bekennen sich zu diesen Schwächen ostentativ, mit Humor und ohne Pardon.« Sie sehen, mir bleibt, um ja nicht in den Verdacht zu geraten, ein schlechter Autor zu sein, gar nichts anderes übrig, als meine Eitelkeit und Egozentrik freimütig zu bekennen, auch wenn ich damit eine Eule nach Athen trage.

Aber mißachten wir nicht diesen Vogel, der auch im Dunkeln zu sehen vermag, dieses Sinnbild der Klugheit und des kritischen Verstands. Marcel Reich-Ranicki, der in den allerdunkelsten Stunden seines Lebens die Augen offengehalten hat, zu sehen und zu unterscheiden vermochte, ist zeitlebens ein Zwillingsbruder dieses Vogels gewesen. Als Sohn jüdischer Eltern in Polen geboren, dort in einer evangelischen, deutschsprachigen Volksschule erzogen, hat er die Botschaft der klugen Eule frühzeitig vernommen und verstanden. Für ihn war diese Botschaft von Anfang an in deutscher Sprache abgefaßt, sowohl in Polen wie später in Berlin, wohin die Familie 1929 übergesiedelt war. »Wohin ich kam, war deutsche Literatur«, schreibt er in seiner Autobiographie und formuliert seine Botschaft, die zugleich sein Lebensbekenntnis ist, folgendermaßen: »Die Literatur ist mein Lebensgefühl. Das lassen, glaube ich, alle meine Ansichten und Urteile über Schriftsteller und Bücher erkennen, vielleicht auch die abwegigen und verfehlten.«

So wie ich etwas später, vergaffte er sich schon früh in Rilkes *Cornet*, begeisterte sich für Schillers *Räuber* und den *Wilhelm Tell*, las Theodor Storm und Gottfried Keller und sang auf Ausflügen des Jüdischen Pfadfinderbunds »Die Glocken stürmten vom Bernwardsturm« und »Jenseits des Tales standen ihre Zelte« – wie ich in der Hitlerjugend. Doch mitten in dieser deutschen Gegenwelt fand er ein wirksames Potential, er nennt es den Kräftezuwachs, der ihm aus der deutschen Literatur zugeflossen sei: Lesend begreifen zu lernen, was ihm das Deutsche in seinen wesenhaften Zügen bedeutet als verehrens- und als verachtenswert. In der Literatur, die er verehrt, erkennen und finden wir sein verschlüsseltes eigenes Leben wieder; in der Literatur, die er verachtet, ist das chiffrierte Leben seiner Widersacher zur Sprache gebracht. Eindringlicher als jeder andere hat er, zwischen diese beiden Pole des Eigenen und des Fremden gespannt, sein Leben als deutscher Jude erlitten und erzählt.

Seine Beispiele zeigen deutlich, wie unbestechlich und scharf, oft mitleidslos er mit seinen Augen die Ereignisse sieht, die er so ergreifend, in überzeugender Klarheit und Sicherheit erzählt. Ein Beispiel zeigt anschaulich, wie entschieden er sich gegen die gutgemeinten Versuche wendet, im gesellschaftlichen Leben des Dritten Reichs sanfte Spuren des Widerstands zu entdecken und als intellektuellen Protest zu deklarieren – wo es sich im Grunde nur um die schönfärberisch ausgemalte Episode eines Theatereffekts handelt. Reich-Ranicki erzählt vom allabendlichen Beifall des Theaterpublikums anläßlich der Aufführung des *Don Carlos* im Deutschen Theater 1937 bei der Stelle, an der Marquis Posa sich mit den Worten an den König wendet: »Geben Sie Gedankenfreiheit.«

Der Darsteller des Königs habe jedesmal ziemlich lange warten müssen, bis das applaudierende Publikum sich beruhigt hatte und er endlich die Worte »Sonderbarer Schwärmer« sprechen konnte – was eine eindeutige Antwort des Königs ist und nicht von ungefähr im selben Blankvers rezitiert wird: »Gedankenfreiheit! Sonderbarer Schwärmer!«

Aber, fragt Reich-Ranicki, »war das wirklich eine Demonstration gegen den Staat der Nazis?«, und sagt weiter: »Ja, sehr wahrscheinlich. Nur wäre es lächerlich anzunehmen, das sei den Machthabern entgangen. Goebbels hat sich über diese Inszenierung in einem Tagebuch anerkennend geäußert, und der Reichsdramaturg Rainer Schlösser soll gesagt haben, nach den vielzitierten Worten Posas habe das Publikum schon zu Schillers Lebzeiten kräftig applaudiert. Der *Don Carlos* konnte zweiunddreißigmal gespielt werden ... Es wäre absurd zu vermuten, hier und da sei es gelungen, die Nazis übers Ohr zu hauen. Was der Zensor nicht versteht – und das gilt für alle Diktaturen –, versteht das Publikum erst recht nicht. Nur hält es der Polizeistaat bisweilen für opportun, nicht einzuschreiten.«

Ganz ohne Pathos, ohne Schwulst, ohne Anbiederung an den ritualisierten Geschmack zeitgenössischer Selbstbeschreibung erzählt Marcel Reich-Ranicki auch die Ereignisse menschenverachtender Grausamkeit im Warschauer Ghetto, deren leibhaftiger Zeuge er als Zweiundzwanzig-, Dreiund-zwanzig-, Vierundzwanzigjähriger gewesen ist. Beim Lesen dieser so geradlinig und schmucklos erzählten Vorkomm-nisse habe ich mich gefragt, wie es überhaupt möglich sein konnte, daß Menschen zu solchen Greueltaten fähig waren, von denen Marcel Reich-Ranicki berichtet.

Sein Rapport jener Zeit und ihrer Katastrophen hat mir in erschütternder Deutlichkeit vor Augen geführt, was ich 1942 selbst als Fünfzehnjähriger aus dem Mund deutscher Solda-ten erfahren habe: Im Osten könne man hören von Verbren-nungsfabriken, und die Juden seien geliefert mit Haut und Haar. Vielleicht weil ich meine Kindheit und Jugend als in-doktrinierter Hitlerjunge und Schüler einer nationalsozia-listischen Lehrerbildungsanstalt so schonungslos erzählt habe, begleitet Marcel Reich-Ranicki meine autobiographischen Romane interessiert und kritisch. Seine genauen Analysen und sein entschiedenes Urteil genieße und schätze ich: Seinem Ein-treten für den autobiographischen Ansatz meines Erzählens in der *FAZ* und im *Literarischen Quartett* habe ich es zu ver-danken, daß meine beiden ersten autobiographischen Ro-mane eine so weitreichende Anerkennung gefunden haben.

Leider hat er – zu Unrecht, wie ich denke – meine experi-mentellen Anfänge getadelt, doch bei seiner Laudatio auf den Hölderlinpreis hat er freimütig bekannt, daß er sich womög-lich geirrt habe mit seiner früheren Bemerkung, niemand werde ihm einreden können, man müsse erst einmal viel Kraft vergeuden, um zu sich selber zu finden – und sagte: »Heute bin ich so sicher nicht, vielleicht war der lange Um-weg tatsächlich nötig.« Meinen dritten autobiographischen Roman hat er zwar hart kritisiert, doch nicht auf die schmäh-liche Weise wie seine Mitstreiter im *Literarischen Quartett*. Wer jedoch darauf wartet, daß ich die Gelegenheit dieses Abends nutze, mich für erlittene Unbill zu rächen, indem ich an stilistischen Schwächen seiner Autobiographie herum-mäkele, den muß ich enttäuschen: Sein Buch hat mich so tief berührt, daß ich – ein Erzähler des eigenen Lebens – die Kunst lobe, mit der Marcel Reich-Ranicki den Zugriff auf die grausame Wirklichkeit seines Lebens in wahrhaftigem Erzählen einlöst, ja beglaubigt.

Kritik schärft die Wahrnehmung des Eigenen, natürlich auch die der eigenen Eitelkeit und Egozentrik. Reich-Ranicki zitiert den Literaturwissenschaftler Georg Lukács und sagt: »Für den Schriftsteller ist im allgemeinen eine ›gute‹ Kritik jene, die ihn lobt oder seine Nebenbuhler herunterreißt, eine ›schlechte‹ jene, die ihn tadelt oder seine Nebenbuhler fördert.« Und er selbst folgert daraus: »Es ist eine alte Geschichte, doch bleibt sie immer neu: Was ein Autor von einem Kritiker hält, hängt davon ab, was dieser Kritiker über ihn, zumal über sein letztes Buch geschrieben hat.« Er erzählt eine Anekdote, die beispielhaft ist für diese Behauptung. Heinrich Mann, Arthur Schnitzler und Hugo von Hofmannsthal gingen am Starnberger See miteinander spazieren. Sie sprachen über literarische Kritik und fragten Hofmannsthal, was er von der Tageskritik halte. Hofmannsthal antwortete: »G'lobt soll mer wern.«

Es ist nicht einfach für einen Autor in seiner Eitelkeit und Egozentrik, einen Kritiker vorzustellen. Die Reibungsverluste sind groß, auch in meinem Fall kompensieren sich positive mit negativen Urteilen. Ich weiß, daß im Bewußtsein der meisten Leser immer die negativen die größte Aufmerksamkeit erregen – die wenigsten registrieren die positiven, aus denen der Autor, falls sie aus der Feder qualifizierter Kritiker stammen, neben der Bestätigung seiner Arbeit die Anerkennung schöpft, die ihm neue Kraft gibt.

Wie der Literaturkritiker Marcel Reich-Ranicki den Vorwurf annimmt, ein solch einflußreicher, ja für einen Autor lebensentscheidender »Großkritiker« oder gar »Literaturpapst« zu sein, beantwortet er in seiner Biographie eher mit skeptischer Enttäuschung als mit selbstsicherem, ja selbstgerechtem Trotz. Er schreibt: »Es war keineswegs sicher, ob es sich hierbei um respektvoll-freundliche Bezeichnungen handelte oder doch eher um böse, höhnische Schmähworte. Der ironische,

der abschätzige, der spöttische Unterton dieser mir zuge-
dachten Kennmarken oder Aushängeschilder entging mir
nicht: Ich konnte mich des Verdachts nicht erwehren, daß alles, was man mir nachrühmte, mir zugleich vorgeworfen und
zur Last gelegt wurde. Je größer mein Erfolg war, desto häufiger bekam ich Neid und Mißgunst zu spüren und mitunter
auch unverhohlenen Haß. Ich habe darunter nicht selten gelitten.«

Im Gegensatz zu den kleinmütigen Nachbetern, die geradezu andächtig zu ihm aufblicken und ihn lammfromm zitieren, weiß es Marcel Reich-Ranicki selbst, daß er nicht ausge-
stattet ist mit dem Vorrang päpstlicher Unfehlbarkeit, die
erbarmungslos in dem Satz des Papstes gipfelt, die Kirche sei
nicht für die Menschen da. Daß aber die Literatur, von Menschen geschaffen, für die Menschen da ist, bekräftigt Marcel
Reich-Ranicki auf jeder Seite seines Buches: Die Poesie ist unser Asyl, bezeugt er mit den Erfahrungen seines eigenen Lebens. Eine Episode über Heinrich Böll, den er leidend leiden
macht, gibt ein Beispiel auch für Versöhnung in fast aussichts-
loser Situation: Reich-Ranicki erzählt: »Als er mich sah, ging
er gleich auf mich zu und fragte halb drohend und halb treu-
herzig: ›Geben wir uns noch die Hand?‹ Ich antwortete:
›Aber ja, natürlich.‹ Doch gab er mir die Hand nicht, noch
nicht. Vielmehr kam er näher, ich wußte nicht, was er wollte.
Ich wartete, wohl ziemlich unsicher, was nun passieren
werde. Einen Skandal wollte ich unbedingt vermeiden. Aber
nein, Böll tat mir nichts. Nur flüsterte er mir etwas ins Ohr,
ein einziges, beim deutschen Volk seit eh und je besonders be-
liebtes Wort: ›Arschloch!‹ Dann sagte er laut und lachend:
›Jetzt ist alles wieder gut.‹ Und er umarmte mich. Ich habe viel
von Böll gelernt, auch die simple Einsicht, daß es zwischen
einem Autor und einem Kritiker Frieden oder gar Freundschaft nur dann geben kann, wenn der Kritiker niemals über
die Bücher dieses Autors schreibt, und wenn dieser sich damit
ein für allemal abfindet.« Diese Autobiographie eines leiden-
schaftlichen Literaturanhängers ist auch ein Buch der ge-

scheiterten Freundschaften. Marcel Reich-Ranickis Wesen und sein Beruf haben es ihm schwer-, wenn nicht unmöglich gemacht, lebenslange Freundschaften zu schließen.

Seine Heimat, seine Sehnsucht, seine unzerstörbare Leidenschaft ist die Literatur, genau gesagt: die deutsche Literatur. Ich bekenne mich zu ihm in seinem Eingeständnis, daß die Beschäftigung mit dieser Literatur lustbetont und zu allen Zeiten tief befriedigend ist. Er schreibt: »Es decken sich hier ganz und gar: das Hobby und der Job, die Passion und die Profession.« Marcel Reich-Ranicki nimmt es in Kauf, der Anmaßung, ja des Machtmißbrauchs bezichtigt zu werden. Doch nie verrät er die Quelle seines Lebensgefühls, die ihm die Kraft gibt und seine Leidenschaft über alle Widrigkeiten hinaus wirksam speist. Er – ein geistiger Nachfahr Heinrich Heines – hat es auch vermocht zu zeigen, daß der Humor etwas ganz anderes ist als die überanstrengte Lustigkeit unserer Spaß- und Lachkultur. Überall dort, wo er sich als Agnostiker, ja als Atheist zu erkennen gibt, beglaubigt er Jean Pauls Wort, daß nämlich der Humor auch eine Erhebung gegen den Himmel ist: Nur geht man, wie der Vogel Merops, mit dem Hintern zuerst.

Am Anfang der Vogel der Athene, am Ende der Vogel des Merops: Zur Weisheit kommt der Humor, zur Fähigkeit, in der Finsternis zu sehen, kommt die Gabe, aus luftiger Höhe in die Tiefe zu blicken, wo sich die Menschen in den kunterbuntesten Gesellschaften tummeln. Wißbegierig – wie stets in seinem Leben – betrachtet er das Getümmel und fragt: »Was gibt's Neues?«

Die Geschichten werden weitererzählt

Achtziger und neunziger Jahre

»*Was im augenblick zum Abdruck kommt, hat den Sinn, Zeichen eines neuen Seins oder Zeichen eines Widerstandes gegen das alte zu sein. In beiden Fällen wendet man sich gegen das neue deutsche Nivellement. Dieses Nivellement äußert sich in der politischen Stimmung, die keine Gesinnung ist, in den ökonomischen Wundern, die weder Erstaunen noch Mißfallen erregen, in den sozialen Flirts, die nicht auf Folgen bedacht sind, in den artistischen Regressionen der Literatur, Kunst und Philosophie, die sich auf Traditionen, statt auf Experimente beziehen, in der metaphysischen Gemütlichkeit, die den Autoritäten zugesteht, was sie der eigenen Existenz nicht zu überlassen wagt.*«*

Max Benses Manifest gegen das neue deutsche Nivellement, abgedruckt in der Nummer 1 seiner Zeitschrift augenblick *vom März 1955, beendete meine politische Zurückhaltung, in der ich die Nachkriegsjahre zugebracht hatte. Mit leidenschaftlichem Engagement übertrug ich Gedichte schwarzer Lyriker, dichtete Bebop-Schreie aufbegehrender Jazzmusiker und schrieb* Haiku Hiroshima, *ein experimentelles Poem gegen den Atomtod. In den frühen sechziger Jahren liefen wir mit den Ostermarschierern durch Saarbrücken, sangen abends in der Burbacher Turnhalle* »Wir sind die Moorsoldaten«, *und ich schrieb den Text* Guten Tag, Herr Hitler! *gegen das Wiedererwachen des Nazismus. In den späten Sechzigern saß ich aufmerksam vor dem Radio, hörte die Reden und Reportagen der Trauerfeierlichkeiten für Adenauer und komponierte das Originalton-Hörspiel* Staatsbegräbnis *gegen den reaktionären Geist einer auslaufenden Ära.*

Meine experimentellen Schreibversuche sollten Angriffe auf die politischen Mißstände, mehr aber noch Angriffe auf die antiquierten Schreibweisen dieser Epoche sein. Schreibend begriff ich das Wesen des Sprachspiels, fand heraus, daß es nur den Regeln seiner ihm eigenen Darstellungsform gesellschaftlicher Ereignisse folgt – und nichts zu tun hat mit unterhaltsamer Spielerei. In seinen Wortverläufen drückt es die seltsamen Verhältnisspiele der Welt aus, ohne Erklärungen und Rechtfertigungen veranschaulicht es, wie paradox das Leben ist.

Die schönere Zukunft, von der ich in meinen Büchern spreche, ist kein Wohnen im Wolkenkuckucksheim. Schon Ernst Blochs Prinzip Hoffnung *suggeriert die Idee einer Weltschöpfung, die erst anzufangen beginne. Nach meiner Lebenserfahrung ist sie angetrieben und gesteuert vom Geist des Gegensatzes. Sie ist verstrickt in unauflösbare Widersprüche, und alle haben sie ein offenes Ende, wie meine Bücher. Nach der metaphysischen Gemütlichkeit der fünfziger Jahre kam die politische Aufregung der sechziger, nach den Hoffnungen der siebziger die Enttäuschungen der achtziger Jahre. In den Neunzigern füllten sich die Bankkonten, zu Anfang des neuen Jahrtausends sind sie schon wieder leer. Schönere Zukunft bedeutet für mich, fröhlich mit den Zufällen, den Widrigkeiten, den Paradoxien zu leben, stets bestrebt, die Hand im Spiel zu behalten.*

Zu Beginn der achtziger Jahre, nach Aufenthalten in Paris, Berlin und Texas, fing ich an, mein Leben zu erzählen. Es begann eine Erkundungsfahrt im rechten, im glücklichen Moment, eine Erkundungsfahrt mit offenen inneren Augen.

So ist mein Wörterspiel zum Lebensspiel geworden. Ich schreibe nicht nur der Schreiblust wegen, jetzt schreibe ich, weil mein Leben davon abhängt. Ich sage: »Ich!« Ich erzähle. Ich bin Schriftsteller, ein schreibender Mensch mit großer

Scheu, ja Abscheu vor hochtrabenden Begriffen, seien sie auch noch so rechtschaffen, noch so gutgemeint, noch so politisch korrekt. In meinen drei autobiographischen Romanen erzähle ich mein Leben, ohne etwas zu erklären. Hannah Arendt, die so viel über Auschwitz geschrieben hat, bekannte: »Das übersteigt das Verständnis. Ich verstehe es nicht, daß Auschwitz sein konnte.« Nein, man kann es nicht verstehen, nicht erklären. Man soll es verschweigen, oder man muß es erzählen! Also begann ich, Geschichten meines Jahrhunderts zu erzählen, Geschichten, die sich aus der Kindheit heraus bis heute fortsetzen und nicht aufhören, so daß ich sie weitererzählen muß, solange ich am Leben bin. Es sind Geschichten von Menschen, die ich erzähle, damit sie in der Erinnerung fortleben. Ich habe mich einen Märchenerzähler genannt. Obwohl es in allen meinen Geschichten um wahre Begebenheiten aus einer historischen Wirklichkeit geht, schwingt im Erzählen das Ungewisse erfundener Möglichkeiten mit.

I

Saarbrücker Sightseeing

Nicht nur in Berlin und in der Serengeti, auch in Saarbrücken gibt es Sightseeing, mit Fremdenführer und Lautsprecheranlage, zweieinhalb Stunden vom Bus aus. Unsere Saarbrücker Mauern und frei herumlaufenden Kamele sind zwar nicht so attraktiv wie die Mauern in der Berliner Ackerstraße und die Kamele am Viktoriasee, auch ist unsere Saarbrücker Ackerstraße nur eine Dorfstraße in Burbach und der Viktoriasee ist in Saarbrücken nur eine Viktoriastraße, aber unser Saarbrücker Sightseeing ist über alle sonstigen Sightseeings hinaus ein doppeltes, ein antithetisches Sightseeing: wir haben nämlich ein offizielles und ein alternatives Sightseeing in Saarbrücken, und das verdient eine allseitige Beachtung. Samstags fährt der von der Stadtverwaltung Saarbrücken geheuerte Bus der Gesellschaft für Straßenbahnen im Saartal AG und zeigt, worauf die Saarbrücker stolz sind; und sonntags fährt der von der Volkshochschule Saarbrücken geheuerte Bus der Firma Becker & Steiner OHG aus Spiesen und zeigt, wofür sich die Saarbrücker schämen müssen.

Wer ist nicht stolz auf seine Vergangenheit, wenn diese Vergangenheit eine galloromanische ist mit Heidenkapelle und Römerkastell, eine mittelalterliche mit Stift und Ordenshaus, eine Renaissance-Vergangenheit mit Alter Brücke und Schloß, eine Barock-Vergangenheit mit Ludwigskirche und St. Johanner Markt und eine preußische mit Rathaus und Bergwerksdirektion? Überall zeugen die Namen der Straßen von stolzer Vergangenheit: Römerkastell, Römerbrücke, Römerstadt. Arnulfstraße und Odoakerstraße führen durch die mittelalterliche Vergangenheit, Abtsdell, Komtursteig und Heuduckstraße beschwören die Ordensritter und Bismarckstraße, Kaiserstraße und Großherzog-Friedrich-Straße erinnern an die Wilhelminische Ära.

Nur die heiklen Zeiten sind schamhaft ausgeblendet, selbst der Widerstand gegen Gewaltherrschaft und Barbarei bleibt seltsam verschwiegen, wenn er nicht gerade katholisch war wie im Falle Willi Grafs, des Aktivisten der »Weißen Rose«; aber auch sein Andenken ist ramponiert, kein Gabriel und kein Raphael, so paradies- und heilbringend sie sonst auch sein mögen, hält die schützende Hand über sein Gedächtnis: im Schriftzug des Willi-Graf-Hauses in der Großherzog-Friedrich-Straße ist seit Jahren schon das T heruntergefallen, und es bleibt nur noch ein SCHU ZENGELHAUS. Da ist es Moltke, dem preußischen Generalfeldmarschall, und Roon, dem wilhelminischen Kriegsminister, besser ergangen, und auch das ehrende Gedenken der Hohenzollern ist in Saarbrücken pfleglicher bewahrt.

Und was war mit dem Widerstand gegen den Nationalsozialismus an der Saar? Sollten die Saarbrücker, diese unaggressiven Wechselreiter, überhaupt eine nationalsozialistische Vergangenheit gehabt haben? Haben nicht diese, wie alle Saarländer, umsichtigen Chamäleons immer, wenn besondere Umstände eintraten, erst ihre Stellung, dann ihre Plätze verändert, genau wie die richtigen Chamäleons aus Alexandrien, und genau wie diese ihre Farbe infolge tiefer Gemütsbewegung und schwankenden Allgemeingefühls gewechselt, von Rot über Rostbraun bis zu Schwarz und Schillerfarben, und nicht aus oberflächlichen und äußerlichen Erwägungen heraus?

Was war während der Weimarer Zeit, und was war während der Hitlerzeit im Saargebiet eigentlich geschehen? Nach dem Saarstatut des Versailler Vertrags sollte das Gebiet an der

Saar von 1920 an für fünfzehn Jahre vom Deutschen Reich abgetrennt und der Verwaltung einer internationalen Regierungskommission des Völkerbundes unterstellt werden; dann gab es den »Saarabstimmungskampf«, die Alternative zwischen dem Reich und Frankreich und den Status quo, für den die emigrierten politischen Gruppen und Einzelkämpfer aus Deutschland warben. Sie warnten heftig vor einem Wiederanschluß an das Reich, in dem die Nationalsozialisten herrschten.

Aber der 13. Januar 1935 brachte die folgenschwere Entscheidung: die Saarländer sagten »Nix wie hemm!« und kehrten »Heim ins Reich!« Ihre sogenannte Bauchlinie ändert sich ebenso wenig wie die des Chamäleons vom Mittelmeer. Ja, die Bauchlinie bleibt unbefleckt, auch wenn der Kopf mal schwarz, mal braun, mal rot ist, der Bauch ist der wahre Indikator des Saarländers, der Bauch setzt die Zeichen seiner Zukunft, das war früher so, und das ist so geblieben. Wohlgenährt, von Frankreich umworben und zu einem imaginären Europa stimuliert, ergriff der Saarländer den Dauerschreiber und setzte sein Kreuz in das Feld, das ihm im Jahre 1955 wieder die deutsche Lösung beschied.

Gerhard Paul, der alternative Reiseleiter, zeigt auf das saarländische Staatstheater und sagt: »Hitler hatte den Saarländern zum Dank für ihre Treue dieses Theater geschenkt«, Klaus Valentin, der offizielle Reiseleiter, zeigt auf die Kongreßhalle und sagt: »Adenauer hat den Saarländern zum Dank für ihre Treue diese Kongreßhalle geschenkt.« Die Saarländer applaudieren, samstags der offiziellen und sonntags der alternativen Auskunft, es sind zweierlei Menschen, die ihre Vergangenheit besichtigen, und womöglich geht wie eh und je der zarte Riß quer durch die Familien hindurch.

Auch mein Herz flattert nach beiden Seiten, mein Vater floh vor der antideutschen Propaganda von 1935 in den *Mythus des 20. Jahrhunderts*, und ich selbst floh in der klerikalen Bevormundung von 1955 in die Wohlstandsideologie des Bonner Staates: so ist mein Saarbrücker Sightseeing eine ineinandergetauschte Reise in historische Fragwürdigkeiten, ein Ausflug ins Ungewisse, eine doppelt verschränkte, eine zwiefach gekoppelte Fahrt ins Blaue. Gerhard Paul und Klaus Valentin widersprechen sich in meinem Kopf, und nicht nur ihre Busse schieben sich auf eigenartig lavierende Weise ineinander, als ob man zwei Fotografien übereinander kopiere. Der eine erzählt von Dichtern und Denkern, der andere von Richtern und Henkern; aber sind die Deutschen nun das eine oder das andere, oder sind sie nicht vielleicht das eine und das andere gewesen? Die Vogelperspektive der Sieger wechselt mit der Froschperspektive der Opfer, sie wiederholen und vertauschen sich im Wechselspiel der Straßennamen, das die Hinfälligkeit der Interessen nacherzählt. Es kehrt wieder in der Logik der Benennungen; die Kaiserstraße geht folgerichtig in die Karl-Marx-Straße und die Scharnhorststraße konsequenterweise in die Straße des 13. Januar über.

Diese Straße des 13. Januar führt von der Polizeikaserne, die zu Anfang der dreißiger Jahre ein Emigrantenquartier und bei Kriegsende ein Russengefängnis war, schnurstracks zu den Schlachthöfen der Stadt. Die Emigranten, »Kriminelle«, »Sexualverbrecher« und die Russen, »Abschaum«, »Untermenschen« in den Augen vieler Einheimischer, gingen von hier aus ins Elend und in den Tod. Der Schlachthof ist ein Backsteinquader, in rotem Klinker gebaut, an kunstvoll gemauerter Vorderwand zeigt ein gemeißeltes Bildnis die Schicksalsverbindung von Kuh und Bäuerin. Während Gerhard Paul die historischen Zusammenhänge erklärt, liest der Busfahrer *Bild am Sonntag*. Eine Mauer wirbt für »Schwamm's Fleischwurst – Frische in Qualität, Schwamm's Kalbsleberwurst – probieren Sie mal!« Mächtig ragt der Schröder-Turm. Unter dem Ellbogen des Busfahrers hindurch lese ich die Schlagzeile von *Bild am Sonntag*, sie heißt: »Nackt lag die tote Fatima im Luxusbett«. Der Bus überquert die Mainzer Straße, rechter Hand erheben sich Kaninchenberg, Eschberg und Rotenbühl. In diesem St. Johanner Viertel liegt der »Kieselhumes« mit dem altehrwürdigen Sportstadion. Gerhard

Paul erinnert an die letzte Status-quo-Kundgebung vor der Saarabstimmung 1935, Klaus Valentin beschwört die fünfziger Jahre mit den gigantischen Fußballschlachten des 1. FC Saarbrücken gegen Hajduk Split und Belo Horizonte. Gerhard Paul führt uns auf den Alten Friedhof, Klaus Valentin in die Kirche Maria-Königin.

Auf dem Alten Friedhof ist Willi Graf begraben, hingerichtet am 12. Oktober 1943 nach dem Urteil des Volksgerichtshofs. Das Grab liegt unter Tannen und einer Birke, die mit Efeu umrankt ist, ein Gedenkstein aus rosa Granit steht in geharkter Erde. Der Boden ist mit Torf gelockert, welke, gelbe Birkenblättchen liegen im Torf, verschämt in einer Ecke zeigt eine kleine Schildplakette an: »Stadtpflege«. Hier liegen Kriegsgefangene neben Volkssturmmännern, der Stadtpfarrer der Deutschen Christen und die Bierbrauerfamilie Bruch.

Maria-Königin, in Form einer aufgehenden Blume gebaut, flankiert die noblen Wohnviertel am Kopfende von Kohlweg und Habichtsweg. »Das letzte Mal hörten wir eine Orgel«, sagt Klaus Valentin, als wir in die Kirche eintreten. Farbig strahlt der Innenraum, eine Frau aus Bayern sagt: »Ja so was!«, und eine Dame aus Amerika meint: »Very nice!« Architekt Rudolf Schwarz hat dicke und dünne Steine verwandt, sie symbolisieren die großen und die kleinen Seelen von St. Johann. »Eine schöne Harmonie, trotz der modernen Bauweise«, sagt der Reiseführer und mahnt zum Aufbruch.

Er führt uns stadtauswärts durch das Stubenwäldchen und den Kobenhüttenweg zum Eschberg hinauf. Auf dem Rotenbühl erinnert er an Heinrich Schneider, den deutschnationalen Anschlußpolitiker von 1955. »Es war eine wirre Zeit«, sagt Herr Valentin, »der Saarländer mußte in der Politik echte Aussagen machen.« Er zeigt die alte Röchlingsche Villa und die Traumhäuser der Neureichen, Treppentürme wie Märchenschlösser, Autogaragen wie Riesenaquarien. Vom Eschberg aus, der neuen Hochhaus- und Bungalowsiedlung mit Fernmeldeamt und Zoologischem Garten, werfen wir einen Blick auf den Halberg. Der rotweiße Mast sendet die Europa-

Wellen nach Reykjavik und Dakar, das große Musikpaket fliegt durch die Atmosphäre, die halbe zivilisierte Welt profitiert an Themen, Tips und Zeitvertreib. Beim Abwärtsfahren lese ich an der Hauswand des Deutsch-Französischen Gymnasiums in der Halbergstraße die Gleichung: »Anarchie = Freiheit«.

Gerhard Paul führt uns vom Alten Friedhof aus stadteinwärts durch die Bruchbrunnenstraße zur elf-Tankstelle in der Martin-Luther-Straße. Gegenüber liegt die Wartburg, das Landesauszählungslokal der Wahl von 1935. Eine Tafel erinnert an den Tag, heute ist Rank Xerox in dem Gebäude untergebracht, die elektronische Datenverarbeitungsmaschine stimuliert Holleriths gefiederte Kristalle, eine Metapher der Kybernetik. An die Reichskristallnacht erinnert eine Tafel am Bekleidungsgeschäft Krutmann in der Kaiserstraße, wo einst die Synagoge brannte. Aber die Tafel ist zu hoch über dem Schaufenster angebracht, das mit Glückspilz-Angeboten wirbt. Gegenüber im City-Schuhhaus ist die Herbstmode ausgestellt: die Stiefelette »Robin Hood«. Als die Synagoge in Flammen stand, spottete die Saarbrücker Feuerwehr mit dem Gartenschlauch. Die *Saarbrücker Zeitung* vom 11. November 1938 spricht von dem »Zwiebelturm, der samt dem darunter befindlichen Gebäude noch nie in unser Stadtbild hineingepaßt hatte«. Die neue Synagoge auf dem Beethovenplatz erinnert peinlich an die Speer-Architektur des Bahnhofsviertels.

Hier sind wir in der Innenstadt, das Geschäftsleben von St. Johann pulsiert in der Bahnhofstraße. Von der Bergwerksdirektion im italienischen Palastbaustil bis zur Fußgängerzone des St. Johanner Markts im holländischen Puppenstubenstil flaniert schickes Stadtvolk unter Arkaden. Einst hieß die Bahnhofstraße Adolf-Hitler-Straße, die Saarbrücker Juden zogen durch sie zum Schloßplatz hinauf, von wo aus sie nach Dachau verschleppt und in die Vernichtungslager transportiert wurden. Ein alter Jude im Nachthemd zog den Bollerwagen dem Zug voraus, ein zweiter saß auf dem Wagen und mußte die Trommel schlagen.

Im architektonischen Brutalismus des Wiederaufbaus präsentiert sich die Wasserfront über der Stelzenstraße der Berliner Promenade. Finanzamt, Staatstheater, Musikhochschule, Moderne Galerie, Langwiedstift: eine lange Reihe moderner Prachtbauten, das neue Saarbrücken. Gegenüber der Galerie liegt die alte Schillerschule, von 1934 bis 1936 jüdische Volksschule, im vergangenen Jahr durch eine spontane Besetzung vor dem Abriß gerettet.

Über die Bismarckbrücke geht's nach St. Arnual. Unten auf dem Grund des Flusses liegt Willi Grafs Abziehgerät, mit dem die Flugblätter der »Weißen Rose« vervielfältigt wurden. Willi Grafs Tagebuchnotiz vom 22. Januar 1943 lautet: »gegen 8 uhr reise nach saarbrücken. ich fühle mich nicht sehr wohl, mich so zu benehmen, aber es geht nicht anders. besuch bei willi, dann mache ich einen weiten spaziergang, um keinem bekannten gesicht zu begegnen: winterberg – hohe wacht, ehrental, deutschmühlenweiher. bei m. dann zu langem gespräch, das aber zu keinem ergebnis führt. zum ende wird es unerquicklich. bei willi bleibe ich zum schlafen.«

Und Willi Bollinger, Sanitätsobergefreiter, vom Landgericht Saarbrücken wegen Nichtanzeige eines hochverräterischen Unternehmens zu einer Gefängnisstrafe von drei Monaten verurteilt, erzählt von diesem Tag: »Willi berichtete über die Ziele der Münchener Widerstandsgruppe. Er übergab mir ein Abziehgerät, mit welchem ich Flugblätter vervielfältigte und an mir bekannte Persönlichkeiten in Saarbrücken verschickte. Ich zeigte diese Flugblätter ebenfalls verschiedenen Sanitätsoffizieren des Reservelazarettes Saarbrücken. Es war bezeichnend für die Haltung des von mir angesprochenen Personenkreises, daß kein einziges dieser Flugblätter die Gestapo erreichte. Sonst wären sie mir während meines Prozesses bestimmt vorgehalten worden. Der Vervielfältigungsapparat war von der Gestapo nicht entdeckt worden, da er sich lange Zeit im Geschäftszimmer des Lazarettes befand.«

Das Gerät liegt auf dem Grund der Saar; das Wasser des

Flusses streicht darüber hinweg, es trägt Schleppkähne und den Vergnügungsdampfer »Salü Saarbrücken«, der das Sightseeing vom Wasser aus betreibt. Herr Valentin führt uns nach St. Arnual, das ein Dorf geblieben ist am Rande der Stadt. In der Stiftskirche präsentieren sich die Standbilder der beigesetzten Grafen und Gräfinnen von Nassau-Saarbrücken, pyknische Herren in strammen Hosen, gestauchte Damen unter züchtiger Haube; auch Elisabeth ist hier begraben, die erste deutsche Prosaschriftstellerin. Herr Valentin lenkt die Blicke auf die Hochwasserlinie im alten Gemäuer, auf die bemalte Pappwand, die das baufällige Chor verbirgt. Die neuen Glasfenster hat der Maler Lehoczky entworfen, eine Frau sagt: »Die siehn wie alt aus.« Sie flüstert in der feierlichen Stille, draußen dröhnt die Stadtautobahn.

Der Bus folgt dem Spazierweg Willi Grafs hinauf nach der Hohen Wacht. Klaus Valentin deutet flüchtig nach dem Gebäudekomplex der Strafvollzugsanstalt auf der Lerchesflur. Gerhard Paul holt weiter aus und erzählt vom Widerstand gegen den Nationalsozialismus, der hier sein Zentrum hatte. Er zeigt eine Tarnschrift von damals, eine Broschüre zu 10 Pfennig das Stück: *Wie unsere Kakteen richtig gepflegt werden müssen*, herausgegeben und den Kakteenfreunden gewidmet von Dr. Burchard & Cie., Chemische Fabrik Köln-Lindenthal, Wissenschaftliche Abteilung. Darin heißt es: »Die Stammformen der Eccoemokakteen sind an humusreichen Boden gewöhnt und man tut gut, die Erde möglichst nahrhaft zu gestalten und durch geeignete Pflanzennahrung Etisso-Kakteendünger, den Humus –«, bricht ab und heißt weiter: »Der neue Weg zum gemeinsamen Kampfe aller Werktätigen für den Sturz der Hitler-Diktatur.« Ein Zitat, anspielungsreich und metaphorisch, leitet das Bändchen ein:

»Laß Blumen sprechen.
Kakteen nicht vergessen.
Lieblich und fein
zieren Kakteen dein Heim.«

Am tiefsten sitzt der Stachel der »Neuen Bremm«. Als die mecklenburgische Prinzessin mitten in der Ginsterblüte ihre Brautfahrt zum französischen Bürgerkönig unternahm, drehte sie sich an der Grenze noch einmal um und rief: »O du schöne goldne Bremm!« Hundert Jahre später errichtete der Nazistaat an dieser Stelle ein Konzentrationslager. Herr Valentin wirft nur einen flüchtigen Blick über die Straße zu dem betonierten Löschteich, um den einst die Inhaftierten den Entengang üben mußten. Er zeigt nach dem spitzen Obelisk mitten auf der N 3, »ein französisches Bajonett, das auf dem Griff steht«, deutet er die weiße Plastik und lenkt die Blicke lieber auf die Wohnsiedlung Folsterhöhe, die aus der Ferne mit bunten Balkonen winkt.

Gerhard Paul dagegen läßt den Bus anhalten und führt die Insassen an den Löschteich heran. Zehn weiße Fahnenmasten stehen im Karree, der Zugdraht schlägt gegen das Holz und wiederholt das Händeklatschen schleifender Unteroffiziere. Gegen den lebhaften Westwind sind junge Pappeln gepflanzt, sie werden wachsen und das öde Gelände verbergen. Als auf einer der letzten Rundfahrten ein Fahrgast erzählte, wieder sei ein Augenzeuge gestorben, sagte ein anderer: »Gott sei Dank, einer weniger.« Und als ein nächster sagte: »Hievon hann ich nix gewißt«, antwortete ein übernächster: »Schwätz doch nit, du hascht doch do Dienscht gemacht.« Das Gras um den Teich herum ist gemäht, der süße Duft des Grummets gemahnt an Spätsommer und Landpartien, an Mahlzeiten und Trinkgelage in lothringischen Bauerngasthöfen. Die Wirtschaft »Neue Bremm« heißt heute »Vietnam«, vorüber rauscht der deutsch-französische Geschäfts- und Reiseverkehr, freundlich und ahnungslos.

Wir überqueren die Grenze nach Frankreich, der Bus steigt zu den Spicherer Höhen hinauf. Am 6. August 1870 erstürmten preußische Füsiliere den Rothen Berg unter entsetzlichen Verlusten; heute sitzen französische und bundesdeutsche Zöllner Tür an Tür in einem kleinen Backsteinhäuschen und besprechen friedlich die täglichen Ereignisse. Der Bus zieht eine enge Kehre, er scheucht ein paar Fasanen auf, vielleicht werden sie morgen schon bei »Woll« in der Pfanne schmoren.

»Woll« ist das Landgasthaus auf der Höhe, hier treffen sich Freunde von hüben und drüben, essen und trinken, die Rechnung wird auf das Papiertischtuch geschrieben. »Bei Woll sitzt man sich gegenüber«, schreibt Manfred Römbell, der Saarbrücker Schriftsteller, »der Wirt sitzt an seinem Tisch und sieht zu, wie sich die Bedienung abmüht. Ab und zu grinst er. Die Bedienung legt Bestecke auf. In den kleinen Karaffen leuchtet der Wein. Schenkt man den Rosé ins Glas, springt die Röte über. Draußen ragt das rote Kreuz in den Himmel. Das Kreuz beherrscht das Land. Für manche ist hier Präsenzpflicht. Wer eine Weile nicht da war, ist out.«

Herr Valentin dirigiert den Bus wieder hinab auf die Metzer Straße, am Rosengarten des Deutsch-Französischen Gartens und am alten Exerzierplatz vorbei geht es in die Stadt zurück. Hinter der »Bellevue«, wo heute die Turnhalle steht, gab der Thronfolger Napoleons den ersten Schuß auf Saarbrücken ab. Er hieß Lulu und war fünfzehn Jahre alt. »Eben hat Louis die Feuertaufe erhalten«, schrieb Napoleon an Eugenie nach Paris, »Louis hat eine Kugel aufgehoben, die ganz nahe bei ihm einschlug. Soldaten weinten, als sie ihn so ruhig sahen.« Später weinten ganze Völker, und zu läppischen Anekdoten kam es immer seltener.

Am Deutschhaus vorbei, durch die Deutschherrnstraße, gelangen wir zum Ludwigsplatz: hier ist Alt-Saarbrücken, im Jahre 1909 mit St. Johann und Malstatt zur Großstadt Saarbrücken vereinigt, ein schmuckes, verspätetes Rokokoensemble der Neurestauration. Die Stadtpalais der hohen Familien, bei einem Luftangriff im Oktober 1944 in Schutt und Asche gesunken, sind wieder aufgebaut samt heutiger Staatskanzlei und Ludwigskirche, wie Hamburgs Michaeliskirche und Dresdens Frauenkirche ein barocker Zentralbau, alles im Porzellanstil der neuen Kunststeinepoche. Wenn der häßliche Neubau des Finanzamtes zwischen Saarufer und Stadtgraben den Blick nicht versperrte, könnte jedermann die

architektonische Achse sehen, die einst zwischen Ludwigskirche und Evangelischer Kirche St. Johann und im rechten
Winkel dazu zwischen Triller und Ludwigsberg bestand. O
ja, das Lustschloß auf dem Ludwigsberg, die Pavillons, die
Gärten, prächtig und geometrisch wie die zu Schwetzingen,
wie trauern die Saarbrücker den feudalen Zeiten nach: aber
die amerikanischen Bomben von 1944 brauchten nicht mehr
zu tun, was schon die französischen Revolutionstruppen General Varennes besorgt hatten, und Herr Valentin sagt: »Wir
würden ganz anders aussehen, wenn die Französische Revolution nicht gewesen wäre!«

Es war auch an einem Oktobertag, dem 7. Oktober 1793, da
brannte das Saarbrücker Schloß. Die alte Burg, die dann Re-
naissanceschloß, später das Barockschloß des Baumeisters
Stengel geworden war, »der lichte Punkt«, wie Goethe sagte,
wurde eingeäschert und als »Bürgerschloß« von Architekt
Knipper wiederaufgebaut. Inzwischen längst brüchig und bau-
fällig geworden, entzündet es einen Parteien- und Gutach-
terstreit über eine neuerliche Restaurierung. Erich Voltmer,
ehemaliger stellvertretender Chefredakteur der *Saarbrücker
Zeitung*, CDU-Mitglied, Jugendbekannter Erich Honeckers,
organisierte, als Initiative zum Neuaufbau nach Stengelma-
nier, eine Informationsfahrt des Stadtverbandes nach Dornburg an die Saale zum Studium eines noch intakten Stengel-
schlosses. Aber die SPD wünscht die Wiederherstellung des
bürgerlichen Knipperbaus und provoziert Franz Mai, den
früheren Intendanten des Saarländischen Rundfunks, zu
einem Grundsatzreferat vor der Akademie für Städtebau-
und Landesplanung, worin es heißt: »Nicht an die Tristesse
des Knipperbaus wollen die Bürger dieser Stadt erinnert
werden, nicht an Revolution, Krieg, Besetzung, an Not und
Elend, sondern an ihre glückliche, stolze Vergangenheit, als
das Stengelsche Schloß Symbol für die politische, wirtschaftliche, kulturelle und sogar europäische Bedeutung dieser
Stadt und dieses Landes war.«

Während der Altintendant die »psychohygienische Bedeu-

tung dieser Frage« hervorkehrt, quasi die vorbildliche Sauberkeit der feudalistischen Verhältnisse beschwört, und Herr
Valentin den denkmalpflegerischen Aspekt von der Kosten-
seite her betrachtet, indem er zu bedenken gibt: »Es ist nicht
gesagt, daß die jetzige Lösung billiger wird!«, steigt Gerhard
Paul mit seinen Businsassen am Nordflügel des Schlosses in
ein teilweise frisch verputztes Gewölbe hinab: es ist der Ge-
stapokeller von 1935, in dem Hunderte von Antifaschisten,
mit Leinensäcken über dem Kopf, zu wochenlangen Verhören geführt wurden.

Die Zelle, zufällig entdeckt, als vor kurzem der Keller aus-
geräumt und von Regalen befreit wurde, ist vom Boden bis
zur Decke mit unzähligen Wandinschriften übersät. Ich ent-
ziffere einen Jean Brouan, eine Kitty Marse, einen Stanislaw
aus Lodz, einen Menschen aus Charkow, die Polen Adam
und Alecki, es gibt hebräische Inschriften, es gibt kyrillische
Inschriften, Initialen, ineinandergeschlungene Herzen. Am
25. März 1944 kratzte ein Franzose in den Putz: »Pour avoir
rendu service à un copain – Gaston.« Außen an der Schloß-
wand, genau über der Gestapozelle, ist zu lesen: »Stimmt alle
ein und Gott vertraut / daß nur nach Stengel wird gebaut.«
Ein Kranz für die Widerstandskämpfer, am Geländer der
Treppe niedergelegt, wurde anderntags im Treppenschacht
gefunden, zertreten und zerschlagen wie Minister Rosemarie
Scheuerlens Gedenktafel für die KZ-Opfer in einem Wasser-
graben der Goldenen Bremm.

Die Saarbrücker Vergangenheitsbewältigung, ihre Trauerarbeit, ihr historiographisches Sightseeing ist inversibel wie
ihre Sprache. Beschwichtigend herrscht die Tendenz zur Um-
kehr, das Unbehagen wird in die Annehmlichkeit gewendet,
das Mißvergnügen in die freudige Erregung. Die Johanna-
Kirchner-Straße wird in die Bülowstraße, die Max-Braun-
Straße in die Großherzog-Friedrich-Straße zurückverwan-
delt, aus den Widerstandskämpfern werden wieder ehrsame
Sinnbilder und Heroen der Vergangenheit. Auf dem Nan-
teser Platz treten zu Ehren der französischen Partnerstadt

Saarbrückens Boule-Clubs zum Wettstreit an, auf dem Tbilisser Platz flanieren eingedenk der georgischen Partnerstadt schnurrbärtige Stadtstreicher im Kaukasier-Look und bedienen die Saarbrücker Parkplatzsucher mit freundlicher Zuvorkommenheit.

In der Saarlandhalle präsentiert SR-Intendant Hubert Rohde die Preisträger der »Goldenen Europa«; die Leute aus dem Showgeschäft kommunizieren auf ihre Weise, Manfred Sexauer philosophiert über Kommunikation und definiert die Unterhaltung als deren »positivste Umsetzungsform«, Katja Ebstein zeigt ihr honigfarbenes Haar, Udo Jürgens seine weißen Schuhe, und Hubert Rohde sagt: »Haben wir die richtige Musik im Programmangebot, so bessert sich ganz allgemein unsere Kommunikationsfähigkeit.«

Während Gerhard Paul sagt: »Die Saarbrücker verdrängen gern, das ist ihre Kommunikationsform«, sagt Herr Valentin, ohne ihn gehört zu haben: »Die Saarbrücker können vergessen, sie tragen nix nach«, und somit ist auch das geklärt. Ja, die beschwichtigenden Saarbrücker! Lothar Steitz, der eine *Grammatik der Saarbrücker Mundart* geschrieben hat, führt an Beispielen vor, wie der Saarbrücker auf eigenartige Weise die Stellung des Tätigkeitsworts und des persönlichen Fürworts im Satz vertauscht, wie er beim indirekten Imperativ die einfache Aufforderung zu viel ausgepichteren Arten der Beeinflussung vermeidet, wie er eine gewiefte Satzmelodie annimmt, »gleichsam beschwichtigend«, sagt Steitz, wie er zur Unterstützung seiner Drohung die fragende Aufforderung erfindet, ein unscheinbares Adverb benutzt und sagt: »Lachschde bal!«, was im Deutschen etwa soviel heißt wie: »Du tätest gut daran, zu lachen statt zu weinen!«, ein Seneca würdiger Imperativ der Ataraxie, der philosophischen Unerschütterlichkeit, wie ihn Wilhelm Raabe als Motto zu *Pfisters Mühle* benutzt: »Und in dem Blick auf das Ganze ist der doch ein stärkerer Geist, welcher das Lachen, als der, welcher das Weinen nicht halten kann.«

Das Saarbrücker Sightseeing ist zu Ende, Gerhard Pauls al-

ternativer Bus hält auf dem Schloßplatz, Klaus Valentins offi-
zieller Bus vor der Kongreßhalle. Die alternativen Gruppen
zerstreuen sich, bunte Vögel, in die Diskos, die offiziellen
Einzelpersonen ziehen die bunten Werbeblätter unter den
Scheibenwischern ihrer Autos hervor und lesen: »Jeden
Samstag Lammspezialitäten aus eigener Zucht und Schlach-
tung, Speisekarte und Menüs zu familienfreundlichen Preisen! Sie wissen doch: Viel Gutes fürs Geld sagt ›Lukull‹, der
Eßkritiker der ›Saarbrücker Zeitung‹.«

Sie folgen dem Lockruf des Froschs aus dem St. Arnualer
»Tabaksweiher« ins Speiserestaurant »Tabaksmühle«: »Sei
kein Frosch! Komm mal vorbei!« steht in der Sprechblase geschrieben. Ja, die Saarbrücker Vogel- und Froschperspektiven
sind wieder ins Lot gerückt, alles hat seine alte Ordnung. Der
Stammtisch zum Dämmerschoppen ist, wie alle deutschen
Stammtische, für die Stammgäste reserviert. Auf einem Saarbrücker Stammtisch steht ein Wimpel mit der aufgestickten
Mahnung: »Do sitze die wo immer do sitze.«

II

Die Fürsten sind wir

Ich bin Sulzbacher. Wenn wir vor dem Krieg Vaters Onkel Wilhelm und Tante Luise in Saarbrücken besuchten, dann spazierten wir manchmal von der Metzer Straße zum Schloß, wo gerade die Freitreppe zum Führerbesuch gebaut wurde. Tante Luise sagte zu Vater: »Louis, wie gefällt's dir hier?«, und Vater sagte: »Iwwerhaupt nit, Tante Luwwis.« Genau hundertfünfzig Jahre früher betrachtete das Gänsegretel von Fechingen, das gerade Duchesse von Dillingen geworden war, das Dillinger Schloß und fragte den Kammerdiener und Leibjäger Johann Ludwig Wahlster: »Louis, wie gefällt's dir hier?«, und Louis antwortete: »Gar nicht, Durchlaucht.«

Meine Damen und Herren, Sie sehen, einem Sulzbacher in Saarbrücken geht es nicht anders als einem Saarbrücker in Dillingen, oder genau gesagt: Das Verhältnis eines Sulzbachers zum Saarbrücker Schloß ist vergleichbar dem eines Saarbrückers zum Dillinger Schloß. Und doch, es gibt einen feinen Unterschied: der Saarbrücker kann erklären, was ihm mißfällt, der Sulzbacher kann es nicht. Es ist nämlich eine Spezialität der Saarbrücker, daß sie jederzeit in der Lage sind, die Umstände ihres Lebens, ihres Denkens, ihrer Anschauungen der Welt auf exklusiv saarbrückerische Art und Weise erklären zu können. Sie sind eben Saarbrücker, und aus der Tatsache, daß sie Saarbrücker sind, erwächst ihnen ihr hauptstädtisches Selbstbewußtsein und aus diesem heraus die Vollmacht, für alles und jedes eine Erklärung zu haben. Leider ist die Erklärung Ludwig Wahlsters, warum es ihm in Dillingen nicht gefiel, nicht übermittelt, doch wer die Saarbrücker kennt, kann sich leicht vorstellen, was Herrn Wahlster damals gegen den Strich ging: Es war – und das ist wiederum etwas Saarbrückerisches – nicht ein massives Etwas, das seiner Anschauung von Herrschaftlichkeit entgegenstand, sondern ein vollkommenes Nichts, nämlich das fehlende Hofleben in Dillingen, das sich ja bis heute nicht entwickelt hat. Doch die Unlust der Dillinger, überhaupt ein solch schrankenloses saarbrückerisches Festefeiern in Prunk und Pomp zu imitieren, hielt nur so lange an, bis die Zeit kam, als die Machtmenschen aus Dillingen und Umgebung in die Landeshauptstadt auf die Thron- und Ministersessel zu drängen begannen.

Seitdem sind sie nicht mehr in Dillingen, in Saarlouis oder in Überherrn zu Hause und blicken scheel, sondern sind in Saarbrücken und halten hof. So wird man Saarbrücker. Meinem Vater, einem Sulzbacher, mißfiel es in Saarbrücken, er ist nie Saarbrücker geworden; Herrn Wahlster, dem Saarbrücker, mißfiel es in Dillingen, er seinerseits ist kein Dillinger geworden. Doch Tante Luise, die einst Sulzbacherin, und Katharina Kest, die einst Fechingerin gewesen waren, sind beide Saarbrückerinnen geworden und – wie jedermann weiß – als gelernte Saarbrückerinnen noch saarländischer als jeder geborene Saarbrücker geworden, was man ja bis heute jedem gelernten Saarländer unverzüglich anmerkt, wenn er sich saarländisch gibt. Kurzum: Nur die Saarbrücker, die es nicht nur als erste begriffen haben, sondern es auch erklären können, haben die Nase vorn, und ganz bestimmt waren es auch die Saarbrücker, die die Parolen der Französischen Revolution als erste aufgriffen und sagten: »Die Fürsten sind wir!«

Meine Frage lautet: Was ist es, das die Saarbrücker so grundlegend begriffen haben? Und was ist es, das sie so einleuchtend erklären können? Alles. Ganz und gar alles! Das liegt einmal in den Saarbrückern selbst und zum anderen in der sonderbaren Form des Saarbrücker Kausaldenkens begründet. Dieses Denkvermögen des Saarbrückers ist so eigenartig ausgebildet, daß es ihn in die Lage versetzt, sogar das Unerklärbare zu erklären. Das heißt: ihr angeborener Sinn für Auslegung ist so speziell entwickelt, daß sie sich nicht scheuen, Phänomene zu erklären, die am besten gar nicht weiter erklärt werden sollten. Doch der höchste Ausbildungsgrad des Saarbrücker Erklärungsvermögens ist die Gabe, mit diesen Erklärungen zugleich das Negative ins Positive zu wenden. Ein Beispiel: das Schloß ist restauriert, Cour d'Honneur, Avant-Cour und Marktplatz wecken auf erhebende Weise das barocke, das klassizistische und das bürgerliche Empfinden. Wird nun das prämoderne Kreiskulturhaus abgerissen? Der Beigeordnete des Stadtverbandes sagt: »Es wärre Bääm devor geplanzt, dann sieht ma's nimmeh.« Das ist Saarbrücker Denken, der plötzliche Umschlag ins Erfreuliche: Es is nix so schlecht, als daß es nit for ebbes gudd wär!

Den Saarbrückern ist nichts selbstverständlich. Mit kritischem Verstand haben sie beobachtet, wie der Stadtverband Saarbrücken sein Schloß, das ja eigentlich das Schloß der Saarbrücker sein sollte, wieder instand gesetzt hat. Sollte es nach Stengel, sollte es nach Knipper, sollte es vom Keller bis zum Dach im postmodernen Stil wiederhergestellt werden? Es wurde geplant und diskutiert, verworfen und diskutiert, neu geplant und wieder diskutiert. Dabei zeigte sich der Geist, der sich der Tradition verpflichtet fühlt: 250 Jahre nach Böhm wird er nach Böhm restaurieren wollen, wie er 250 Jahre nach Stengel nach Stengel restaurieren wollte. Es zeigte sich der Geist, der sich der Zukunft annimmt: 250 Jahre nach Böhm wird er suprapostmodern restaurieren wollen, wie er 250 Jahre nach Stengel postmodern restauriert hat – und an der Stelle des neuen Mittelbaus wird dann vielleicht eine mobile Glashaube stehen mit Rädern unter dem Sockel, damit das »Kulturforum Schloß« bis nach Schnappach und St. Nikolaus fahren und dort die Segnungen der Saarbrücker Logik und der Pragmatik des Stadtverbandes verbreiten kann.

Aufeinandergeschichtet liegt die Zeit, aufeinandergeschichtet liegen die Schöpfungen der Zeit.

Indem Diplomingenieur Nikolaus Rosiny uns erklärt, dieser neue Mittelbau sei als unsere Schicht der Geschichte – die ja nur als ein Gefüge von Geschichtetem begriffen werden könne – dem geschichteten Geschichtlichen hinzugefügt, werden wir gewahr: Hier sind Bauten zeitlich gesehen aufeinander-, räumlich gesehen ineinandergeschichtet, und dieses Schloß, das wir heute in seiner neuesten Schichtung einweihen, ist gar kein Schloß, sondern ein hübsches Ensemble von Bauten, ein Zusammenspiel von lauter Pavillons: vorne zwei Pavillons, hinten zwei Pavillons, in der Mitte ein Pavillon, den die Saarbrücker nicht Mittelpavillon, sondern Mittelrisalit nennen, obwohl es ja ein Pavillon und kein Risalit ist, das Wort Risalit aber einen schönen und gescheiten Klang und ein höheres Ansehen als ein Pavillon hat und wohl als Mittelrisalit in die Saarbrücker Geschichte eingehen wird. Nein, von ihrem Mittelrisalit lassen sich die Saarbrücker nicht wieder abbringen, denn Generationen haben an diesem Mittelbau herumgestengelt, herumgeknippert, herumgeknaubt: Architekten haben ihre Träume verwirklicht, so wie die Bürger es sich gewünscht haben, ja, die Fürsten sind wir! Nun ist der neue Pavillon fix und fertig, doch der Saarbrücker sagt: »Der Mittelrisalit wär ja ganz schön, wenn der Böhm endlich sein Gerüst abschlagen würd.«

Doch das Gerüst ist abgeschlagen. Der neue Pavillon strahlt in postmoderner Durchsichtigkeit. Er ist so feingliedrig und transparent, daß jedem, der durch die Pforte tritt und die marmornen Stufen aufwärts steigt, ein Hauch von feinster Geistigkeit entgegenschlägt: Der Pavillon ist ein erleuchteter Stiegenpalast, durch den der Zephir himmlischer Gefilde weht, er ist transluzid. Weiß ist der Marmor, weiß ist das Geländer, weiß sind die Kugelleuchten, eine Frau aus Spiesen meint, es müßte, weil alles so weiß ist, »noch was hin, e Käntche odder so ebbes, daß ma sich nit stößt«, das Weiß irritiere, es blende, es verhexe einen, man sei es hierzulande gar nicht gewohnt, vor allem, sagt die Frau aus Spiesen, »wenn ma e Brill hat«, und erst recht, wenn man eine zweigeteilte Brille habe.

Hier gibt es noch Figurenreste, die an alte Rokokopracht erinnern, hier gibt es schwarze Flecken, damit man sehen kann, daß es einmal gebrannt hat, hier gibt es Säle zum Feiern, Sälchen zum Tanzen und Emporen, von denen man später einmal auf den Rechtsausschuß spucken kann. Und erst der Festsaal, in dem wir sitzen, der langersehnte Saarbrücker Spiegelsaal, der schöner ist als der von Versailles! Lange noch flog hier eine Taube unter dem Dach. War es die Friedenstaube? War es eine übriggebliebene Bergmannstaube? Gottfried Böhm hat sie an die Decke malen lassen, damit sie allezeit über uns schweben kann als heiliger Geist der bürgerlichen Freiheit. Für acht Lorbeerbäume, das Stück aufgerundet tausend Mark, wurden vor vierzehn Tagen noch Sponsoren gesucht, diese Bäume sollten in die Nischen der Fassade kommen, damit es dort grün sei und die Fanfarenbläser nicht so allein auf den Außenerkern stehen und blasen müßten. Laurus nobilis, heute feiern wir den bürgerlichen Geist in uns, heute feiern wir uns selbst. Denn die Fürsten, das sind wir!

Kurze Zeit nachdem Friedrich Joachim Stengel auf dem Saarbrocken das barocke Schloß erbaut hatte, kam Goethe von Straßburg aus durchs krumme Elsaß nach Saarbrücken herübergeritten; er schrieb später in *Dichtung und Wahrheit*: »Diese kleine Residenz war ein lichter Punkt in einem so felsig waldigen Lande. Die Stadt, klein und hügelig, aber durch den letzten Fürsten wohl ausgeziert, macht sogleich einen angenehmen Eindruck, weil die Häuser alle grauweiß angestrichen sind und die verschiedene Höhe derselben einen mannigfaltigen Anblick gewährt. Mitten auf einem schönen, mit ansehnlichen Gebäuden umgebenen Platze steht die lutherische Kirche, in einem kleinen, aber dem Ganzen entsprechenden Maßstabe.« Das kann man auf einer Bronzetafel lesen, die gegenüber der Wilhelm-Heinrich-Straße in die Platten am Ludwigsplatz eingelassen ist. Die Saarbrücker, in ihrer gnadenlosen Erklärungsmanie, haben den Satz hinzugefügt: »Er meinte Ludwigsplatz und Ludwigskirche.« Steht man in der Ludwigskirche mit dem Rücken zum Altar, dann hat man zu seiner Linken die Staatskanzlei, modern, zu seiner Rechten die »Herberge zur Heimat«, barock, und die gedachte Achse geht richtaus über das Schloß hinweg zum Heizkraftwerk. Steht man im neuen Pavillon mit dem Rücken zum Heizkraftwerk, dann hat man vor sich den Cour d'Honneur, den Avant-Cour und den Marktplatz – ohne die Freilichtbühne, die Vaters Tante Luise damals so stark beeindruckt hatte, und die Achse verlängert sich bis zur Ludwigskirche und wird nur versperrt von Salvas Pizzeria.

Fast ist es so wie damals, als der junge Fürst diese markante Achse zum ersten Male sah! Als der Barockbau fertiggestellt war, gab es das erste Saarbrücker Stadtfest, eine feierliche Einladung des Fürsten an die ganze Bürgerschaft, und nun wird es Zeit, daß ich ein paar Worte über die Fürsten verliere, die im neuen Schloß residiert und das Land regiert haben. Es waren Fürst Wilhelm Heinrich von 1741 bis 1768, Fürst Ludwig von 1768 bis 1794 und Fürst Heinrich von 1794 bis 1797. Wilhelm Heinrich war verheiratet mit Sophie Erdmuthe Gräfin von Erbach, Ludwig war verheiratet mit Prinzessin Wilhelmine von Schwarzburg-Rudolstadt. Was Louise von Freithal, die Tochter eines Saarbrücker Schreinermeisters, für Fürst Wilhelm Heinrich, das war das Gänsegretel von Fechingen, eine Tochter des Landwirts Kest, für Fürst Ludwig: es waren Maitressen, die ihrerseits wiederum nachrückenden Maitressen weichen mußten. Doris Seck schreibt: »Auch ein Fürst ist schließlich ein Mann.« Wie haben sich doch die Zeiten geändert! Niemand braucht mehr um seine unschuldige Tochter zu bangen, weil der Fürst sie begehrt, niemand braucht mehr für einen Fürsten Wild zu treiben, niemand braucht wegen Erregung öffentlichen Ärgernisses die Peitsche zu fürchten, nur Trunkenheit am Steuer wird heutzutage noch mit Geldstrafe belegt, und auf offener Straße darf jedermann rauchen, ohne daß ihm gleich der Büttel auf den Fersen ist. Ja, was vor zweihundert Jahren noch gang und gäbe war, ist als ferne Mär aus alter Zeit in die Geschichtsbücher verschwunden. Geht unser Fürst heutzutage ungehindert seinen Freizeitvergnügungen nach und überläßt die Regierungsgeschäfte seinen Beamten? Steht der große Verwaltungsapparat heutzutage in ungünstigem Verhältnis zur finanziellen Lage des Landes? Setzt der Landesvater heutzutage sein Vertrauen in die falschen Leute? Sind deren Ämter nur noch eine Bereicherungsquelle für ihre Inhaber? O nein, die Zeiten haben sich grundlegend geändert, denn die Fürsten, das sind ja wir!

»Das Ende der Fürstenzeit wurde vom Volk weniger politisch gesehen als vielmehr als Folge des unglücklichen Todes des letzten Erbprinzen«, schreibt Christine Maack. Das ist in Saarbrücken so. Saarbrücker Kontinuität ist Familienkontinuität, die gesellschaftlichen Verhältnisse erschöpfen sich im Familiären, der Saarbrücker geht nicht gern über die Familie hinaus. Und selbst wenn es des Saarbrückers Familiengefühl für seine Stadt, des Saarländers Familiengefühl für sein Land ist, dann drückt sich in ihm der Wunsch nach Geborgenheit, nach dem »Geheichnis« aus: der Saarländer liebt die familiäre Geselligkeit, nicht die politisch institutionalisierte Gesellschaftlichkeit.

An einem Sommertag in den Endsechzigern, als es hoch herging mit Wörtern aller Art, hatte ich einen Streit mit einem Regieassistenten. Gott weiß, warum ich ausgerechnet mit einem Bühnenmenschen, obendrein mit einem Regieassistenten, in die Haare geriet! Wir waren eine vergnügte Gesellschaft, saßen im Wald in kleiner Runde, aßen und tranken und redeten miteinander, und als ich uns so essen und trinken und reden sah, sagte ich es, ich sagte, zum Leidwesen des anwesenden Regieassistenten, wir seien eine vergnügte Gesellschaft. Unter Gesellschaft verstehe er etwas anderes, rief der Regieassistent, schlug auf den Tisch, sprang auf, breitete die Arme aus, wie es nur Theatermenschen zu tun imstande sind, und sagte, unter Gesellschaft hätten wir bitte schön ein unter relevanten Bedingungen zustande gekommenes zwischenmenschliches Ordnungswesen zu verstehen und nicht unseren inkompetenten, uneffektiven Debattierclub, oder so ähnlich. Und in der klassenlosen Gesellschaft, sagte der Regieassistent, seien sowieso alle Gegensätze beseitigt und alle Widersprüche aufgehoben, wodurch nach den Gesetzen der materialistischen Dialektik eine Weiterentwicklung nicht mehr möglich, aber auch gar nicht mehr nötig sei. Ja, das Höchste sei überhaupt das Gesellschaftliche, rief er aus, nämlich das gesellschaftliche Eigentum an den Produktionsmitteln, und dabei schaute er den Produktionsleiter herausfordernd an. Dieser Regieassistent hätte ein Saarbrücker sein können, was seine Erklärungsfürsorge angeht, er war keiner, denn ein Saarbrücker hat ein anderes Verständnis vom Gesellschaftlichen. Der Saarbrücker zieht wie jeder Saarländer das Gesellige dem Gesellschaftlichen vor: Er liebt das sanfte Beharren auf dem freien Beisammensein von einzelnen Menschen, die miteinander sprechen, und verabscheut jede zwanghafte Vereinigung zum Zwecke des Austauschs etwa von politischen Papieren und sonstigem Informationsmaterial.

Ich bin abgeschweift, und eigentlich doch nicht. Denn mit der Geselligkeit bin ich beim Festefeiern angelangt, das ja gerade in Saarbrücken zur höheren Blüte gekommen ist. Wilhelm Heinrich war ein Saarbrücker Fürst, und wie wir es bis in unsere Zeit hinein von Saarbrücker Herren wissen, halten sie sich Kellermeister und Bierbrauer, Mundschenk und Bratenmeister, Hofbäcker und Hofmetzger, Küchenschreiber, Küchenläufer, Küchenknechte, Bratenwender und Kapaunenstopfer. Wilhelm Heinrich war ein Freund der Tafelfreuden, und seinem Koch gewährte er ein fürstliches Salär. »Das waren sie ihm wert«, schreibt Doris Seck: doch da der Fürst nicht nur ein »lebenslustiger Besitzer«, sondern auch ein Freund der schönen Künste war, aß und trank er nicht nur, sondern dichtete auch. Aus Dankbarkeit für die Heilung seines Sohnes Ludwig von den Blattern befreite er die Bürger von Saarbrücken und St. Johann für zwei Jahre vom Zehnten und feierte das Ereignis mit einem Fest, das seine Beliebtheit bei den Saarbrückern noch steigerte, nicht zuletzt wegen eines Gedichts, das er anläßlich des Festmahls verfaßte. Darin gibt es einen Vers, der uns die nun schon sprichwörtlich gewordene Saarbrücker Plausibilität blitzartig erhellt. Wilhelm Heinrich wendet sich an die Saarbrücker und sagt:

>Wann Ihn die Mahlzeit hat geschmeckt,
So hat mirs viele Freud erweckt«,

ein auf zweierlei Weise einleuchtendes Bekenntnis. Einmal spricht der Fürst sein ungeschminktes saarbrückerisches Ja zu Essen und Trinken aus, und zum zweiten legt er durch seine saarbrückerische Erklärungskausalität die tiefe Ursache seiner Freude dar: ihm macht es keine Freude, wenn der Bürger brav ist, fleißig ist, tapfer ist, nein, ihm macht es Freude, wenn er sieht, daß es ihm gut geschmeckt hat.

Unter Fürst Ludwig gab es außer Essen und Trinken und ausschweifendem Liebesleben auch Konzerte, literarische Vorträge und Schäferspiele. Wie eng verbunden mit der Natur, wie ausschließlich das Saarbrücker Festefeiern schon damals ein Tummeln im Freien war, bezeugt ein Gedicht, das von Katharina Kest, dem Gänsegretel von Fechtingen, vorgetragen wurde.

>Ich mit meinen Ringelstöckchen
Setze mich in jedes Eckchen;
Ob ich gleich 'ne Schäfrin bin,
Hab ich doch 'nen frohen Sinn«,

rezitiert sie und erregt damit sogleich unsere Aufmerksamkeit. Bitte beachten Sie, meine Damen und Herren, auch hier das schöne Wechselspiel von Ursache und Wirkung, diese unverkennbare Saarbrücker Sprechweise: So einfach und heiter, scheinbar naiv und unbedarft sich die Favoritin des Fürsten in diesem Gedicht gibt, sie verblüfft am Ende mit einer überraschenden Verknüpfung von Reiz und Reaktion, einem geradezu positivistischen Konditionismus. Sie sagt nicht: weil ich eine Schäferin bin, sie sagt: obwohl ich eine Schäferin bin, habe ich ein frohes Gemüt, was zur damaligen Zeit ja nicht selbstverständlich war. Die Bedingtheit, die sich ausdrückt, ist auf saarbrückerische Weise reziprok: aus dem Minderen macht sie das Höhere, aus dem Allgemeinen das Besondere. Nichts ist so schlecht, als daß es nicht auch für etwas gut sein könnte.

Es ist erstaunlich, wie rasch und reibungslos Schwarzburg-Rudolstädter, Erbacher und Fechinger Mädchen Saarbrückerinnen werden, doch manchmal ist es auch unbegreiflich, wie es jemanden nach Saarbrücken verschlägt, der partout nicht imstande ist, sich in einen Saarbrücker zu verwandeln. Im Frühjahr 1773 kam der sechsundzwanzigjährige Dichter und Jurist Heinrich Leopold Wagner nach Saarbrücken, um die beiden Söhne des Präsidenten von Günderode zu unterrichten. Weiß Gott, wie der Regierungsrat Schöll auf die Idee verfiel, diesen Menschen dem Präsidenten zu empfehlen. Wagner hatte ein Theaterstück *Die Kindermörderinn* geschrieben; er war nun wirklich nicht besonders geeignet, in Saarbrücken die Söhne eines Präsidenten zu erziehen. Wagner, ein Tischgenosse Goethes, kam und klagte nur. »Wer die ersten Pflichten des Naturrechts mit Füßen zu treten gewohnt ist, von dem kann man nicht verlangen, daß ihm das Völkerrecht heiliger sein soll. Und dies ist, leider vollkommen der Fall in dieser Stadt«, schrieb er an den Hofrat Ring nach Karlsruhe. Zum 5. Geburtstag des Erbprinzen Heinrich sollte dieser gleiche Wagner ein Preislied dichten. Doch was tat er? Er machte sich lustig. Und ausgerechnet über die euphemistische Beschaffenheit saarbrückerischer Lobverse, die das Fürstenhaus ja in Hülle und Fülle zu empfangen gewohnt war. Wagner schrieb eine Fabel, »Der Fuchs als Gratulant«, obwohl er alles andere als ein listiger Fuchs war. In diesem Gedicht rühmt jedes Tier den kleinen Sohn des Löwen, außer dem Kater, der dem Fuchs widerspricht.

»Lobt oder schimpft dein dumm Geschwätz ihn mehr?
Ist denn der Löw umsonst sein Vater?«

ruft der Kater aus, und der Dichter folgert:

»Der Kater, Prinz, mag wohl die Ursach sein
Warum wir dir kein Lobgedicht heut weihn.«

»Dumm Geschwätz«, sagt der Dichter Wagner, das ist durchaus saarbrückerische Ausdrucksweise, doch sein Kausalitätsverhalten ist ganz und gar unsaarbrückerisch. Die hintersinnige, die durchaus richtige Kritik des Katers, die den Saarbrücker Weihrauch in Frage stellt, gibt Wagner ja als Ursache dafür an, daß er kein Lobgedicht verfaßt: das ist nun wirklich kein saarbrückerisches Ursache- und Wirkungsverständnis. Ein Saarbrücker hätte herausgearbeitet, was für ihn die Ursache ist, dem Prinzen zwar ein Lobgedicht zu schreiben, das aber so abgefaßt sein müsse, als sei es eigentlich gar kein Lob-, sondern ein Schmähgedicht, was wiederum nicht zu der Annahme führen dürfe, das Werk für eine plumpe Kränkung zu halten, da es dem Dichter eigentlich darauf ankomme zu loben. Das ist für einen Nichtsaarbrücker schwer zu verstehen, und er wird die Hintergründe nur mit Mühe entdecken, wenn überhaupt.

Da war der Hannoveraner Schauspieler und Stückeschreiber August Wilhelm Iffland ein Kerl von ganz anderem Schrot und Korn. Iffland hat sich nämlich das Saarbrückerische so perfekt anverwandelt, daß er nicht fürchten mußte, wegen irgendwelcher fürstfeindlicher Äußerungen des Landes verwiesen zu werden wie der Straßburger Wagner, im Gegenteil. Iffland konnte damit rechnen, daß er eine ansehnliche Pension ausgesetzt bekam: er hätte bleiben können, solange er wollte. Er ging aber lieber nach Berlin und stieg zum Generaldirektor der Königlichen Schauspiele auf. Für Fürst Ludwig schrieb er den Einakter *Luassan*, der dem »Bunde der Eintracht und Liebe der Städte Saarbrücken, St. Johann und

Ottweiler« gewidmet war, ein pompöses Weihespiel, worin im Schlußbild der Aufführung eine Handvoll Nymphen aus der Saar über die Bühne springen und ein großes »L« mit Blumen verzieren. »Es lebe Vater Ludwig!« singt der Chor, und Iffland konnte seiner Pension von 300 Gulden sicher sein.

Was für eine Zeit am Hof zu Saarbrücken! Freiherr Adolf von Knigge schreibt: »Es fehlt am Hofe an keiner Art von Vergnügung, nach den verschiedenen Jahreszeiten, als: Jagd aller Gattung, Fischfang, Schauspiele, Concerte, Tanz, Spiel, Mascaraden, Schlittenfahrten, Land-Partien, nützlicher Unterhaltung und Lectüre. Dabey herrscht in diesen Cirkeln ein freyer Ton, mit Würde und Anstand verbunden. Der Fürst liebt fröhlichen Scherz und gute Laune, ehrt Kenntnisse, ist selbst sehr unterrichtet, belesen und witzig.« Und im Gothaer Theaterkalender von 1789 kann man lesen: »Der Fürst selbst, gehört unter die ersten komischen Schauspieler. Er spielt mit einer Wahrheit, im Kostume und in Auseinandersetzung der geringsten Kleinigkeiten, die den Kenner frappirt. Seine Gemahlin spielt mit vielem Anstande. Sie hat eine interessante Figur und sehr sonore Stimme.«

Doch Christine Maack bedauert die spärlichen literarischen Hervorbringungen der Saarbrücker Fürstenzeit: eine kleine Passage in *Dichtung und Wahrheit*, die kaum jemandem auffällt, ein Gelegenheitstheaterstück, das niemand mehr spielt, eine kurze Fabel, die keiner kennt, eine unbekannte Romanze, von der niemand etwas wissen will – »bei ehrlicher Betrachtung«, schreibt sie wörtlich, »nimmt Saarbrücken in der Literaturgeschichte so gut wie gar keinen Raum ein«. Da kann man froh sein, daß man Sulzbacher ist! Und dabei: wie vieldeutig, wie anspielungsreich wäre es gewesen, wenn wir heute abend diese Fabel und diese Romanze aus dem Munde eines Saarbrücker Schauspielers hätten hören, vor allem aber, wenn wir in einer Aufführung des Staatstheaters dieses vergessene Theaterstück hätten sehen können! Stellen Sie sich vor, meine Damen und Herren, eine Riege von zauberhaften

Saarbrücker Nymphen – vielleicht aus der Schwimmabteilung des ATSV –, die zu Ehren unseres Landesvaters – mit Blumen – vielleicht aus dem Deutsch-Französischen Garten – das große »L« geschmückt hätten, das ja nicht unbedingt »Ludwig« bedeuten muß!

Und erst die Musik! Der arme Dichter Wagner aus Straßburg hatte zwar behauptet, in Saarbrücken verstünde man, »ein paar Tambours und Pfeifer ausgenommen«, wenig von der Musik, wie gründlich hatte er sich geirrt. Schon zu Wilhelm Heinrichs Zeiten erklangen Lieder aus dem Liederbuch der Fürstin Erdmuthe, das ihr von Diderot gewidmet, doch über 150 Jahre verschollen war, bis der Saarbrücker Sammler Fritz Hellwig es in einem Pariser Antiquariat aufstöberte. Übrigens: die Lieder, die Sie heute abend hören, sind Lieder aus diesem Liederbuch. Ich selbst habe die Texte vor zehn Jahren aus dem Französischen übersetzt, und die Gruppe »Espe« singt die Melodien nach der alten Notenschrift, die Wendelin Müller-Blattau entziffert hat. Damit Sie hören können, wie dieses Saarbrücker Rokoko klingt, komme ich zum Ende, um den Musikanten die Bühne zu räumen. Heute erklingen diese Lieder für uns, denn die Fürsten, das sind wir.

Was blickt nicht alles auf unser Schloß! Vorne an der Altneugaß, vor malerischer Bruchsteinmauer, befindet sich ein Brunnen, er ist klassizistisch gestaltet, mit Wasserbecken und Sitzbank, geschwungenem Konsolenaufsatz und einer Amphore, aus der ein ornamentales Gewächs hervordrängt. In die Front des Brunnens ist eine Frauenbüste im Relief eingelassen, ein marmorner Kopf mit hochgesteckter Frisur, deren Form sich in den Steinornamenten des Brunnens spielerisch wiederholt. Über dem Efeukranz, der die Büste mit Schleife im Oval umschlingt, steht eingemeißelt: »Dem Andenken Preussens edler Königin Luise«. Die Saarbrücker haben es sich aber nicht nehmen lassen, der Königin ein Attribut zuzuerkennen, die Eigenschaft, die nach Saarbrücker Weise ihre Verehrung erklärt und zugleich eine Reverenz ist, eine erklärende Ehrerbietung, eine ehrerbietige Erklärung. Edle Königin Luise, die nach dem Schlosse schaut! Die Saarbrücker dachten: »Ma wääß nit, for was es gudd is.«

Dort unten am Saarufer, zu Füßen der Schloßmauer, rauscht nun der Großstadtverkehr über die Stadtautobahn. Der Saarbrücker, mit der Erfahrung seiner speziellen negativen Dialektik, sagt nicht: »Wenn die Autobahn überflutet ist, gibt es jedesmal Verkehrsprobleme«, er sagt: »Unsere Stadtautobahn ist eine hervorragende Errungenschaft, den Verkehr zu entzerren, wenn sie nicht gerade überflutet ist.« Die Vorteile werden erst einsichtig, wenn die Nachteile außer Kraft gesetzt sind.

Meine Damen und Herren, indem ich heute abend die Erklärungssucht der Saarbrücker so schamlos zu diskreditieren versucht habe, bin ich selbst so weit gegangen wie die Saarbrücker, nämlich: alles für erklärbar zu erklären, ja, ich nahm mir auf unverfrorene Weise die Freiheit, sogar das Erklären zu erklären. Ich bitte alle Saarbrücker um Entschuldigung. Nur eins bitte ich in Rechnung zu stellen: Ich brauche mich nicht in einen Saarbrücker zu verwandeln. Ich bin Sulzbacher.

III

Spaziergang mit Oskar

Die Falten würden schon noch kommen, da brauche man sich nicht anzustrengen, sagte Oskar Lafontaine zu mir. Das war vor drei Jahren. Inzwischen hat sich das Brandenburger Tor geöffnet, ist die Mauer gefallen, steht die Vereinigung bevor: alles so erfreuliche Tatsachen, denkt man; doch Oskars frische Wangen, seine unbefangene Jungenhaftigkeit, die kecke macchiavellistische Geste sind nicht mehr so glatt wie einst bei dem lieben Jungen von nebenan.

Oskar Lafontaine empfängt mich auf der Treppe seines Hauses, zwei Polizisten patrouillieren vor der Garage auf und ab, seine Freundin Christa steht in der Küche und putzt Champignons, Oskar lädt mich zu einem Spaziergang ein, und wir gehen den gleichen Weg wie damals in den Stadtwald hinauf. Oskar blinzelt mit den Augen, lächelt mit den Mundwinkeln, die Narbe hinterm rechten Ohr glänzt in der Sonne. Seit dem Attentat vor drei Wochen sind auch das Blinzeln und das Lächeln nicht mehr dasselbe; Oskar Lafontaine sagt: »Ich muß nachdenken«, und es ist nicht allein der Zeitpunkt seines Wiedereintritts in die Politik, der ihn beschäftigt.

»Ich muß Zeit haben«, sagt er, doch er gibt sich einen Ruck und schreitet so kräftig aus, als gelte es, noch heute das Ziel zu erreichen, das er selbst in die Ferne gerückt hat. So vieles hat sich geändert, auch die familiäre Situation. Oskar Lafontaine ist aber kein Übermensch, sondern einer wie du und ich, er lebt mit seinen Widersprüchen, was schwer genug ist, wie jedermann weiß. Er gibt nicht vor, für jeden Fall die bessere Einschätzung zu kennen, die bessere Lösung zu wissen, das bessere Ende für sich zu behalten. Oder doch? Jedenfalls formuliert er die Probleme in klaren Sätzen und spricht sie aus, wo andere herumdrucksen und ihm nachplappern, wenn sie glauben, ihre Zeit sei gekommen.

Was ist nicht alles über die 35-Stunden-Woche, die Sonntagsarbeit, die Nöte der Übersiedler, die Kosten der Wiedervereinigung gesagt worden! Oskar Lafontaine, den man einen Populisten schimpft, hat die wechselnden politischen Lagen rechtzeitig und unpopulärerweise zutreffend beschrieben, plastisch und plausibel. Er mag nach wie vor nicht das abstrakte Begriffsgebilde, er liebt das lebendige Geschöpf: nicht die wiedervereinigten Deutschlands, sondern die wieder zueinander kommenden Menschen in Deutschland liegen ihm am Herzen.

Wir haben die Höhe erreicht und wenden uns zum Heimweg ins Tal. Wieder blüht die wilde Kirsche, doch was damals ein Nashornkäfer war, ist heute ein Mistkäfer, anstatt zweier Frauen kommen uns nun zwei Männer entgegen, der eine schiebt ein Fahrrad, der andere führt einen Hund an der Leine. »Prima, daß es schon wieder klappt«, sagt er zu Oskar, und als der Hund an der Leine zerrt und an Oskars Hosenbein schnuppert, fügt er hinzu: »Bastian, komm her un mach dem Herrn Lafontaine nit die Bux dreckig.« Wird der leidenschaftliche Spaziergänger seine saarländischen und lothringischen Landpartien zu mecklenburgischen und sächsischen Promenaden ausdehnen? Er wird – auch in Gedanken – durch Wald und über Land und durch die Köpfe der Menschen flanieren, nicht mit Troß und Trompeten wie einst Karl Carstens in Bundhose und Wanderstiefeln.

Was ist nun mit der Macht? »Auch darüber muß ich neu nachdenken«, sagt Oskar Lafontaine, in seinen Augen blitzt jetzt wieder der alte Schalk, auf seinen Lippen blüht das Lächeln, und seine Wagen röten sich so apfelfrisch, daß ich sicher sein kann, dank seiner Integrationskraft haben sich die drei Liter fremdes Blut in seinen Adern längst wieder in körpereigenes, in lafontainesches, in saarländisches Blut verwandelt. Ich liebe Oskar, wie er ist. Als Schriftsteller, der liebt und lobt und so ungeschützt heftig lieben und loben darf, wie er möchte, bin ich nicht zu Fach- und Sachlichkeit, zu kümmerlicher Objektivität verpflichtet. Ist Oskar so, wie ich ihn beschreibe? Ich will gar nicht recht haben, ich darf mich irren. »Ich täusch mich gern«, schreibt Karl Krolow in einem Gedicht. »Jeder sieht, was du scheinst; wenige fühlen, was du bist«, sagte Macchiavelli.

IV

Bei Erich dehemm

»Erich Honecker hat Heimweh, weil er immer auswärts sein muß. Wie kommt so jemand dazu, eine Mauer zu bauen? Wie ist es zu erklären, daß jemand, der an Heimweh leidet, eine Mauer zwischen sich und seinen Brüdern errichtet und er nun dieses Heimweh doppelt schwer ertragen muß?« In meinem »Bild des Staatsratsvorsitzenden als Saarländer« warf ich diese zwiefache Frage auf, als mich der *Freibeuter* zum Thema »Zwanzig Jahre Mauer, made in germany« 1981 um ein Porträt Erich Honeckers bat, und ließ ihnen gleich zwei weitere folgen: »Was wird erst sein, wenn Erich Honecker eines Tages sterben wird und er nicht in Wiebelskircher Erde ruhen kann, weil er eine Mauer gebaut hat zwischen sich und dem Wiebelskircher Friedhoff ›uff de Lisse‹? Hat er davor keine Angst?«

»Eine heldische Natur ist der Saarländer kaum, auch nicht der geborene Räsoneur. Draufgängertum hat ihn kaum an die Spitze gebracht. Geistig und habituell wurzelt er auch heute noch ... in dem Milieu, aus dem er aufgebrochen ist. Da ist immer wieder eine gewisse Betulichkeit zu erleben, eine heimliche Sehnsucht nach einer Welt der Idylle, die man als kleinbürgerlich verspotten kann, die allerdings authentisch wirkt. Ein saarländischer Landsmann hat vor einigen Jahren ›Erich mit dem Strohhut‹ als einen unverwechselbaren Mann dieser Landschaft gezeichnet. Als ich Honecker auf diesen Aufsatz ansprach, ergab sich, daß er ihn schon gelesen hatte und sich offenbar durch den Autor richtig verstanden fühlte.« Diese Passage aus Klaus Böllings Buch *Die fernen Nachbarn* von 1983 legt nahe, daß hinter dem geistigen Habitus meines Porträts reine Menschenfreundlichkeit zu vermuten sei. Ich muß gestehen, mir stand damals tatsächlich der Sinn danach, Erich Honecker mit allen seinen saarländischen Prägungen und Eigenheiten als einen Landsmann von mir zu beschreiben, ich ging so weit, seine Grenzideen als symbolträchtige saarländische Verirrungen zu diagnostizieren, und verirrte mich in die kapriziöse Behauptung, so weit komme es mit jemand, der heimatliche Empfindungen in sich aufstaue und sie als internationale Brudergefühle ausgebe. Es komme zu Fehlhandlungen des Neurotikers aus zurückgedrängtem Gegenwillen, es komme zu Stacheldraht aus Fluchtbedürfnis, zu Mauerbau aus Heimkehrsehnsucht. Diese verständnisvolle Nähe zu einem saarländischen Landsmann stimulierte einen Journalisten der Regenbogenpresse und machte ihn derart erfinderisch, daß er daraus delikateste Verwandtschaftsbeziehungen zwischen Honecker und mir konstruierte; in seinem Artikel zu Honeckers Besuch in der Bundesrepublik 1989 heißt es wörtlich: »Der Staatsratsvorsitzende ist das vierte von sechs Kindern des Sozialdemokraten Ludwig Harig.«

Jahrelang verfolgte ich Honeckers politische Vorgaben und Praktiken mit saarländischen Augen, nie wurde ich die Vermutung los, er als Staatsmann, in einem redlichen Biedermeiersinn von der Robespierreschen Idee zernagt, der Mensch müsse zu seinem Glück gezwungen werden, habe sich mehr und mehr in Wahnvorstellungen einer besseren Welt verstrickt, in Trugbildern einer schöneren Zukunft. Denkt er mit Robespierre: »Nur der Schrecken zwingt die Menschen zu ihrem Glück, der Schrecken ist die Tugend«? Danach wollte ich ihn fragen, nachdem Konzept und Lebenswerk gescheitert waren; ich schrieb ihm einen Brief ins Untersuchungsgefängnis nach Moabit und bat ihn um ein Gespräch. Er gewährte es, das Landgericht Berlin genehmigte meinen »Antrag auf Erlaubnis zum Besuch bei Herrn Erich Honecker«, ich kaufte mir ein Flugticket und flog am 29. Dezember 1992 nach Berlin. Als ich am Flughafen Tempelhof ins Taxi stieg und das Fahrtziel nannte, musterte mich der Taxifahrer mit vorwitzigem Interesse und fragte: »Dann wollen Se wohl Ihren saarländischen Erich besuchen?«

Es war noch nicht ganz hell geworden, Berlin lag unter einer Dunstglocke, Moabit wirkte ausgestorben. Nur das Landgericht in der Turmstraße summte im Früheifer juristischer Geschäftigkeit. Schon bei der ersten Kontrolle versagten mir die Nerven. Beim Ausräumen der Kleidertaschen fiel mir der Schlüsselbund zu Boden und ließ die Treppenhalle erschallen, als sei der Kronleuchter von der Decke gestürzt; mein Hartgeld im Hosensack versetzte den Detektor in ein wildes Geheul, mir brach der Schweiß aus, meine Brille beschlug, meine Nase lief, die Beamtin am Kontrollschalter schaute mich mitleidslos an und sagte: »Würden Sie bitte auch mal Ihre Mütze lüften!«, und ich fürchtete augenblicks, eine unsichtbare Hand könnte mir einen Molotowcocktail darunter geschmuggelt haben. Auf Zimmer 409 erhielt ich meinen Sprechschein, der mir die Erlaubnis bestätigte, »den Untersuchungshäftling Honecker, Erich in der Justizvollzugsanstalt Moabit … im Beisein eines Beamten zu sprechen«. Es wird auf die rückseitig »abgedruckten Hinweise und Bestimmungen« aufmerksam gemacht, wobei es unter Strafandrohung heißt: »Das Mitbringen von Tieren ist nicht gestattet. Dem Gefangenen darf nichts unmittelbar übergeben werden. Körperliche Kontakte sind untersagt.«

Ich war Besucher Nr. I-25, auf meiner Kontrollkarte tanzte der Berliner Bär. In der Warteschlange vor dem gegitterten Betonkasten fing ich ein Gespräch mit anderen Besuchern an. Sie waren in dicke Mäntel gehüllt, trugen vollgestopfte Plastiktaschen und stampften gegen die Kälte mit den Füßen auf. Eine Frau fragte mich, was sich in meinem Leinentäschchen befinde, ich sagte es ihr, sie lachte auf, stieß mich in die Rippen und meinte: »Wat haben Sie? Ein Buch und Weihnachtsjebäck? Allet verboten! Kleider können Se mitnehmen, det is allet.«

Um neun ging die Stahljalousie hoch, wir traten in den Warteraum. Es gab neue Kontrollen, neue Visitationen, neue Anweisungen. »Hier ist für Sie nischt zu machen!« sagte ein Beamter zu mir, »wenn Sie den Gefangenen Honecker besuchen wollen, müssen Se rüber ins Krankenhaus. Der liegt da wegen seines Alters oder wegen eines Leidens, ick weeß det nich jenau. Awwer det steht ja in die Zeitungen, und im Fernsehen hat man's ja wohl auch jehört.« Ich trat vom Schalter ab, stand eine Weile im Vorraum, roch den Zigarettenqualm der wartenden Mütter, hörte das gequälte Stöhnen einer Braut, las Gedichte von Gefangenen, die, sorgfältig gedruckt, an die Wand gepinnt sind. »Ich liebe dich, Wind!« heißt es jeweils am Ende dreier Strophen, am Ende der vierten ruft der dichtende Sträfling beschwörend: »Wind, ich hasse dich, wenn du Sturm bist!«

Im Krankentrakt wieder Kontrollen, Visitationen, Anweisungen. Mein Täschchen mit Buch und Weihnachtsgebäck mußte zurückbleiben, auch Geldbeutel, Notizbuch, Schreibstift. Nur den Schlüssel des Spinds, worin ich meine Habe verstaut hatte, trug ich in der Hosentasche, als ich Erich Honecker gegenüberstand. Ein Wärter in weißer Leinenjacke hatte mich am inneren Kontrolltor abgeholt, oder war es ein Krankenpfleger, vielleicht ein Arzt? Er führte mich über den kahlen Innenhof, an den Fassaden aus roten Hartbrandklinkern entlang, er war entgegenkommend und freundlich, schloß die Stahltür in der Mauer, die den Krankentrakt vom übrigen Gefängnis trennt, auf und ließ mich in einen kleinen Innenhof eintreten. Erich Honecker war beim morgendlichen Hofgang, er trug eine blaue Steppweste und den grauen Kleinbürgerhut, der dem alten Strohhut aufs ähnlichste nachgebildet ist. Als er mich erblickt, kommt er auf mich zu, streckt mir die Hand entgegen und ruft mit heller Stimme: »Ah, Sie sind also der Harig aus dem Saarland!« Er faßt mich am Arm, führt mich zum Eingang des Gebäudes und sagt: »Hier draußen ist es viel zu kalt. Gehen wir lieber rauf ins Warme.« Auf der Treppe trafen wir mit anderen Leuten aus dem Haus zusammen, Honecker und der Wärter in der weißen Jacke kannten sie, ein plötzliches Gelächter kam auf, Honecker lachte, der Wärter lachte, eine Frau im Arztkittel sagte zu Erich Honecker: »Wat, Sie hier uff de Treppe? Ick dachte, Sie sitzen jetzt in Bonn bei Kohl!«, und das Gelächter wurde homerisch, als käme es aus dem Munde seliger Götter.

Ich bin Erich Honecker nie vorher begegnet, ich fürchtete, er könnte mir mißtrauisch entgegentreten, mich argwöhnisch beäugen, reserviert behandeln. Nichts dergleichen! Er war gefaßt, voller Vertrauen, es gab keine Sekunde der Zurückhaltung für ihn. »Saarländer können sich trauen«, sagte er, »nur: eine halbe Stunde ist wenig für ein Gespräch. Aber wir werden sehen, was wir in einer halben Stunde alles miteinander schwätze.« Ich grüßte ihn von seiner Schwester, die ich über Weihnachten im alten Bergmannshaus in Wiebelskirchen aufgesucht hatte. In Wiebelskirchen ist die Welt in Ordnung: das Grab der Eltern, von Efeu umrankt, von Rhododendren umgrenzt, ist mit einem einfachen Tannengesteck geschmückt, hinter dem Grabstein wachsen drei Stämmchen aus einer Wurzel, die Blätter sind von den Zweigen gefallen, es könnten Reineclaude- oder Mirabellenbäumchen sein. Gertrud, die Schwester, weiß es nicht genau. »Ach, der Erich!« meint sie, »wer wääß, ob ich denne nochemol siehn. Mir schreiwe uns iwwer die Familie un alles, was uns in de Kopp kummt. Ja, ja, unser Erich, er hat's ja gudd gewollt, awwer wie's kumm is?«

Er wollte mir sein politisches Testament erläutern, setzte an, die Widersprüche zwischen ideologischem Entwurf, den er eine Wissenschaft nennt, und dem praktischen Resultat, das er für die Realität hält, umständlich auszudeutschen, bemerkt meine Unruhe, erahnt erstaunlich rasch mein in ganz andere Richtung führendes Interesse und sagt: Gut, wenn ich sein politisches Bekenntnis erfahren wolle, lasse er mir die »persönliche Erklärung« von voriger Woche mit der Post zuschicken. Meiner Frage, derentwegen ich nach Moabit gekommen war, weicht er mit halb spöttischer, halb besorgt klingender Begründung aus: Zwang, meint er, sei vielleicht ein bißchen stark ausgedrückt. »Wir haben Druck ausgeübt«, sagt er, aber das müsse ein Politiker ja, wenn es ihm ums bessere Leben seiner Staatsbürger ernst sei, keiner tue etwas Maßgebliches von selbst, niemand unternehme etwas Entscheidendes von sich aus, es sei wie bei Kindern, denen man hinterher sein müsse, damit sie etwas lernen, ob Klavier oder die Arbeitsethik.

Ich habe diese Wörter in Erinnerung behalten, Honecker benutzte sie ohne Arg, in biederer Leichtgläubigkeit, ja Treuherzigkeit, noch immer überzeugt von der politischen Richtigkeit und moralischen Unschuld seiner Herrschaft über 16 Millionen. So weit entfernt von einer befriedigenden Antwort, konnte ich nicht ahnen, daß ich von einer ganz anderen Seite her viel näher an ihn herankommen würde als mit dieser Frage. Er rückt seine Brille zurecht, atmet tief, schaut mich an. »Da sitze ich nun im gleichen Gefängnis wie damals als Antifaschist«, sagt er und stößt die Luft zwischen den schmalen Lippen aus. Vor kurzem noch hätten ihm führende Politiker der BRD den roten Teppich ausgerollt und seien auch bei ihm ein und aus gegangen. »Wollen Sie die Namen hören?« fragt er, ich sage: »O ja.« Er nannte sie, ich hörte sie, und der Wärter hörte sie auch. »Und jetzt dieser Zirkus«, ruft er aus, obwohl Gorbatschow gegenüber versichert worden sei, es gäbe keine Prozesse.

»Ich will mich nicht beklagen«, meint er, denn ein Prozeß sei dies ohnehin nicht, eher ein medizinisches Seminar unter Richtern und Sachverständigen, und es gebe auch welche, die nur so täten, als ob. Erich Honecker sah zwar bleich, aber nicht todkrank aus, im Gegenteil. Wir saßen uns am Tisch gegenüber, quer übers Eck, Erich Honecker schaute mich bedeutungsvoll an, ein leichtes Rosa flog über seine Wangen, er lächelte ein klein wenig und sagte: »Aber die Uhr tickt.« Die Geschwulst an der Leber werde von Tag zu Tag größer, erzählte er, er wisse nicht genau, auf wieviel Quadrat- oder Kubikzentimeter sie bis heute angewachsen sei, und lachte auf, als hätte er einen Witz gemacht. Mir war klar, daß er keine Beschwerden hatte, ich sagte es ihm und gab zu verstehen, er mache auf mich eher einen gesunden Eindruck. »Und dabei hat unser Freund, der dort sitzt, heute morgen behauptet, ich würde schmeierlich aussehen«, rief er aus, doch der Wärter reckte sich von seinem Stuhl in die Höhe und erwiderte energisch: »Das habe ich nicht gesagt.« »Nun ja, nicht dieses Wort«, meinte Honecker, es sei nämlich ein saarländisches Wort, das er als Berliner gar nicht verstehen könne, »aber Sie haben eins benutzt, das genau das gleiche bedeutet.«

Als sich die Besuchszeit ihrem Ende näherte und der Wärter kurz hintereinander zweimal auf die Uhr schaute, rückte Erich Honecker ein Stück näher an mich heran, fuhr sich übers Haar, schneuzte sich, strich sich über die Schläfe. Indem er die Augen aufschlug und hinter den Brillengläsern funkeln ließ, fragte er: »Wie geht's Oskar? Ist die Wunde gut verheilt?« Er denke gern an seine Begegnung mit Lafontaine in Völklingen zurück, an ein opulentes Abendessen, sympathische Saarländer, angenehme Unterhaltung. Und als ob ihn der Mordanschlag auf Oskar Lafontaine selbst getroffen und heftige Erinnerungen daran wachgerufen hätte, sprang er von seinem Stuhl auf, ergriff mich wieder am Arm und sagte: »Menschenskind, der Oskar.« Er atmete tief, stieß die Luft abrupt aus, griff sich noch einmal an die Schläfe, als hätte eine Blutaufwallung den Pulsschlag beschleunigt. Ich kann nicht sagen, woran er sich in diesem tumultuarischen Augenblick erinnerte, an Oskars Mund, Oskars Narbe, seine Umgänglichkeit, seine Verwundbarkeit?

»Ich hätte noch einen Wunsch im Leben«, sagte er und lächelte dabei, »aber vergessen Sie es gleich wieder. Es kann mir diesen Wunsch sowieso niemand erfüllen, auch Oskar nicht.« Honeckers Lächeln war karg und reserviert, zugleich aber auch von zurückhaltender Verschmitztheit, die seine Verlegenheit kaschieren sollte. Es gelang ihm nur notdürftig, der Wärter, der schon vor uns aufgestanden war und seine Hand an der Türklinke liegen hatte, wartete Honeckers Muskelbewegungen nicht ab, so daß diesem keine Zeit blieb, das vermaledeite Lächeln zu kontrollieren. In verunglückter Miene zwinkerte er mir mit den Augendeckeln zu und flüsterte mehr als er sprach: »Nur noch einmal hemm!«

Sogleich wollte der Wärter wissen, was Honecker eben gesagt hatte, nahm die Hand vom Türgriff und trat in den Raum zurück. »Nix Besonderes«, sagte Erich Honecker, »es war ein Wort, das nur wir beiden Saarländer verstehen«, und sein Lächeln befreite sich aus der Klemme. »Heim will jeder gern noch einmal«, sagte der Wärter und gab zu verstehen, daß er sich Erich Honeckers letzten Lebenswunsch zusammengereimt hatte. Doch Honecker übertrumpfte ihn und sich selbst. Als die Tür schon von außen geöffnet wurde, ein neuer Wärter mit einem neuen Besucher in der Türöffnung erschien, blitzte mir Honecker entgegen, flüsterte: »Nix wie hemm!« und stand mit einemmal ungeschützt vor mir in verschämter Offenheit.

Erbärmlich oder erbarmungswürdig? Erich Honecker spricht am Ende seines Lebens einen Satz aus, den er viele Jahre seines Lebens heftig bekämpft hat. »Nix wie hemm!« hatten die ins hitlerdeutsche Reich heimkehrwilligen Saarländer gegen alle antifaschistischen Parolen des Status quo geschrien und waren, trotz Hitler, am 1. März 1935 ins Reich heimgekehrt. Nun sagt Erich Honecker diesen nämlichen Satz: Eine verschmähte Parole hat sich als geheimster Wunsch verselbständigt. Honecker korrigiert sein Versehen sofort, ich wisse ja, wie er es gemeint habe, oft genug denke er an die größte antifaschistische Kundgebung, die es im Saarkampf bei uns in Sulzbach gegeben habe, »wo Sie geboren sind und immer noch wohnen. Wie lebhaft erinnere ich mich an die feurigen Redner von damals, vor allem an den Pater Dörr.« Erich Honecker war nun völlig aufgewühlt, wir standen zwischen Tür und Angel, ein Tag seines Lebens, als er zweiundzwanzig war, ist dem alten Mann nicht aus dem Gedächtnis gefallen, huscht an ihm vorüber. Doch nicht die Namen des Kommunisten Fritz Pfordt und des Sozialdemokraten Max Braun sind ihm eingefallen, weder Erich Weinerts noch Kurt Eislers Namen spült das Gedächtnis nach oben, Erich Honecker denkt zuallererst an den katholischen Missionspater. Relikte frühkindlicher Prägung, Atavismen aus dem Mutterschoß wirken beharrlich nach: Einmal verwechselt er die DDR mit der Saar, ein andermal bringt er Titel von Liedern durcheinander. In dieser halben Stunde ist Erich Honecker zu Hause angekommen, dehemm, wie der Saarländer sagt, er ist endlich, für ein paar Augenblicke vielleicht nur, daheim mit seinem Kopf, in seiner Sprache. »Un selbschtgebackenes Zukkerzeuch hann Sie mitgebrung!« ruft er aus, »das tät ich gern esse.« Eine Tüte mit saarländischem Weihnachtsgebäck, der Gedanke daran läßt Erich Honecker das Blut ins bleiche Gesicht schießen. Mehr Emotion will er nicht mehr zeigen. Wir verabschieden uns rasch, der Wärter begleitet mich zur äußeren Pforte und bittet den Kollegen um die Tüte mit dem Gebäck, das ich zurücklassen mußte in meinem Leinentäschchen. »Hier kommt nischt durch«, sagte der Wärter, »nicht eene Makrone.«

Schnurstracks lief ich in die Kneipe vorne rechts in der Spenerstraße, bestellte mir einen doppelten Weinbrand und schrieb in mein Notizbuch, was mir wörtlich im Gedächtnis geblieben war. Ich will nichts begründen, nichts erklären. Vielleicht wirft die Erzählung meiner Begegnung mit Erich Honecker ein helleres Licht auf den Menschen als jede Erklärung, jede Begründung. Ich hoffe es. Als ich mit der Nachmittagsmaschine in ein sanftes Abendrot aufstieg, wiegte ich mich in der Überzeugung, daß mir der Tag vergoldet sei. Zu Hause lag der Brief eines Freundes aus Weimar, den ich auf der Jubiläumsfeier für die Literaturzeitschrift *Akzente* 1979 in Köln kennengelernt hatte. »Seit ein paar Tagen lese ich in meinen Stasi-Akten«, schreibt der Freund, »ergriffen und demoralisiert, zum literarischen Helden meiner selbst geworden, sozusagen ausgeliefert dem eigenen Leben... Bände über Bände getürmt – idiotische Aktivitäten, Mutmaßungen über vorhandene Zimmerpflanzen, bestellte Theaterkarten

(und deren Ablehnung, weil West-Gastspiele), genau be-
zeichnete Weinflaschen-Etiketts, aus der Mülltonne geklaubt,
25 Ostmark-Geschenk für die Klauber; Quittung anbei. Und
dann die planmäßige Verhinderung meiner literarischen Existenz: Anweisungen an den Aufbau-Verlag, keine Zeile von
mir zu drucken, und anonym in Westdeutschland aufgege-
bene Briefe, die mich als Mitarbeiter der Stasi denunzieren.
So wurde ich, was ich nun wirklich bin: ein Autor ohne Buch.
Manuskripte wurden gestohlen und vernichtet. Die Täter
räkeln sich indessen auf frisch gepolsterten Sesseln, markt-
wirtschaftlich. Und machen mich heute zu dem, was damals
mißlang – erstaunlich genug: zum Lehrer ohne Schüler. Und
jeder Brief unseres Briefwechsels, zum Teil – wie umseitig –
im Original: Den Brief bekam ich erst jetzt, mit Freude und
Dank.«

Am 11. August 1981 hatte ich ihm folgende Notiz geschickt,
die ich jetzt in Fotokopie wiederlas: »Voraussichtlich am
25. August sendet der RIAS ein Porträt, das ich vom Staatsratsvorsitzenden als Saarländer unter dem Titel ›Erich sein
Strohhut‹ geschrieben und gesprochen habe: liebevoll.« So
schließt sich der Kreis einer Geschichte, die auf ein stim-
mungsvolles Happy-End hinausgelaufen wäre, hätte nicht
eine alltägliche Hiobspost die Pointe verdorben. Nun bin ich
wieder weit entfernt von der so schön geplanten Wahrheit
meiner Geschichte. Es sind die Tatsachen, die nach Cervantes
die Feinde der Wahrheit sind. Oder ist alles ganz anders?

V

Quo vadis, deutscher Hans?

Es sind zwei wispernde Querflöten, die *Die Moldau* von Smetana eröffnen, ihnen gesellen sich zwei murmelnde Klarinetten hinzu, hüpfendem Wasserspritzen folgt gurgelndes Wellengeplätscher. Ein musikalisches Tonmalen ist im Gange, Flöten und Klarinetten rufen einander zu, umspielen, umschließen sich, ein Glück, daß es Hans gibt, unseren findigen Reiseführer! Wenn Hans nicht wäre, der sich auskennt in den Tongebilden der Programmusik und ihren Bedeutungen, wüßten wir nicht, daß die Flöten die kalte und die Klarinetten die warme Moldau musikalisch erschaffen. Ein spitzes Klirren erinnert an Kieselsteinrollen, ein dumpfes Läuten läßt an Kuhglocken denken, schließlich gurren Hörner wie Tauben, schwirren Geigen wie Zweige im Wind, Vogelgezwitscher ertönt, ein Sommergewitter zieht auf: Wir fahren mitten durch den Böhmerwald.

Aus dem Moldautal ragt in mählich aufsteigender Schräge der Hochwald empor; die Horizontlinie, gezackt von Föhrenspitzen, die »von solcher Höhe so klein herabsehen, wie Rosmarinkräutlein«, bringt Adalbert Stifter in Erinnerung: Es ist nicht nur eine Linie, der wir mit den Augen folgen. Ein Freund rezitiert Stifters wunderbare Beobachtungen aus dem Gedächtnis, spricht von seinem Jugendtraum, noch in fernster Zukunft die Heimatfluren zu betreten, beschwört das sanfte Gesetz, das die Eigenschaften des Unscheinbaren und die Gefühle des einzelnen aufwertet, damit jedermann »geachtet, geehrt, ungefährdet neben dem anderen bestehe, daß er seine höhere menschliche Laufbahn gehen könne, sich Liebe und Bewunderung seiner Mitmenschen erwerbe, daß er als Kleinod gehütet werde, wie jeder Mensch ein Kleinod für alle andern Menschen ist«. Stifters Geburtshaus in Oberplan (Horniplana), frisch gestrichen, schlicht renoviert, birgt ein paar sorgsam gehütete Schätze: In den Vitrinen sehen wir Bücher und Zeitschriften in alten Ausgaben, Zeichnungen und Aquarelle von seiner Hand, Siegelring und Federhalter, Zylinder und Hutschachtel, einen Schlüssel von seinem Sarg. Ein kleiner Junge reißt sich von der Hand seines Vaters los und eilt zum dritten, zum vierten Mal vor die Totenmaske: Er sucht die Stelle, wo das Rasiermesser des Selbstmörders den Hals aufgeschnitten hat, er findet sie nicht. »Du solltest nicht etwas suchen, was es vielleicht gar nicht gibt«, sagt der Vater; er stutzt, als wolle er Einspruch erheben und auf der Geltung des sanften Gesetzes beharren, auch für seinen Entdecker.

Krumau (Český Krumlov), an malerischer Moldauschleife, strebt nach Weltgeltung. UNESCO-Gelder wären nötig, die Renaissancehäuser am Ringplatz, Rokokotreppen und Barockarkaden und Kindheitsträume von schönerer Vergangenheit zu restaurieren. Im Hotelzimmer auf dem Bett liegend, phantasiert es sich am besten mit geschlossenen Augen: Herein tönt Pferdegetrappel und Räderrollen vom Katzenkopfpflaster des Marktplatzes; kein Maschinen-, kein Motorengeräusch ist zu hören, es ist wie in traulichen Dämmerstunden der Kindheit. Erst beim Abendspaziergang löst sich der Erinnerungszauber wieder auf, wir sehen die Einheimischen in den Gassen, sie sind still und scheu, immer noch, scheint es, gehen sie geduckt, und kein Lachen strafft ihre Backen. Auf jeder Brücke ein heiliger Nepomuk, mal in Stein gehauen, mal in Eisen gegossen, in jeder Gasse Ruinengemäuer, vor jeder Treppe ein Bettelstudent. Aber schon stapelt sich auch der Müll der Verbrauchergesellschaft, der Markt versucht sich mit pfiffigen Werbesprüchen: »Geschliffenes Glas und Getränke« heißt es in einem Schaufenster. Die beiden Bären im Burggraben schlurfen ausweglos von Mauer zu Mauer, Touristen ziehen durchs Schloßtor, betasten die Kanonen, fingern an Möbeln und Gobelins herum. An der Fassade des Maskensaals, dem Schauplatz einer Rilke-Novelle, arbeiten postmoderne Maler an hohen, bunten Freskogestalten.

Zu zwölft im kleinen Reisebus fahren wir durch Böhmen, steuern durch Mähren. Es ist früher Morgen, ein Fischreiher stößt den Schnabel ins Uferschilf der Moldau. Im Stadtpark von Budweis (České Budějovice) schlingt er, in weißen Marmor verwandelt, den Hals um eine schöne Artgenossin. Auf dem Marktbrunnen bändigt Samson den Löwen, dabei sieht er aus wie Victor Mature im amerikanischen Historienfilm, mit Pelzwams und Strumpfbandagen. Immer noch spukt Grillparzers Ahnfrau in Neuhaus am Vajgarsee, unbedroht grasen Schafe auf dem Schlachtfeld von Austerlitz. Zwar sind es nur Schnappschüsse, die das Auge registriert, doch sie sind hell ausgeleuchtet, scharf gezeichnet. Rechter Hand erscheint die Hohe Tatra am Horizont, und hinter sanft gewellten Kornfeldern, an deren Grenzscheiden ferne Schlote und Fördertürme aufragen, zeigen sich die Mauern von Krakau.

Wir wohnen im Gästehaus der Bergakademie, einer Reisegenossin wird das Zimmer zugewiesen, in dem Henryk Sienkiewicz den Roman *Quo vadis* geschrieben hat. Über den Grüngürtel sind es nur ein paar Schritte zum Hauptmarkt, woher Musik aus allen Winkeln dringt. Ein fröhliches Volk lärmt in den Gassen, es ist ein warmer, gewittriger Abend, in das Singen und Musizieren mischt sich quietschendes Vogelgekreisch. Myriaden von Mauerseglern umschwirren in raschen Wendungen die Türme der Marienkirche. In den Tuchhallen drängt sich die Menge nach Krakauer Volkskunst: holzgeschnitzte Handwerksleute, Musikanten, Hochzeitsgäste, galizische Menagerien, russische Puppen. Auf den Stufen des Mickiewicz-Denkmals haben sich junge Männer zum Gesang gruppiert, sie tragen rote Berrets und dreieckige Trachtentücher, singend fordern sie irgendeinen verlorengegangenen Landzipfel und ihre geschändete Ehre zurück. Hans führt uns zum Abendessen in den Spiegelsaal des Grandhotels. Wir sitzen zwischen Palmen und Birkenfeigen, die Spiegel vor Augen, die Hotelkapelle im Rücken. Bei Heringsfilet auf Krakauer Art erklingt das »Ave Maria«, geht über in »La Donna Clara«, und bevor noch das Rindfleisch à la polonaise auf dem Tisch erscheint, offeriert uns der Klarinettenspieler ein bayrisches Schnaderhüpferl. Am Seitentisch wird ein Fleischspieß flambiert: Im Holzstock steckt ein Tatarensäbel mit Fleisch, das für ein halbes Regiment reichen würde.

Kopernikus, in Bronze gegossen, mit ausgetüfteltem Weltmodell in der Hand, steht vor den neugotischen Kolleggebäuden der Universität. »Verstand ist mehr als Kraft!« könne man auf Latein an einer Rückwand der Aula lesen, wird erzählt, beim Streitgespräch habe allerdings ein Professor den großen Tisch emporgehoben und seinem Widersacher auf die Füße geworfen, Muskelargument habe Hirnargument gebrochen. Es ist elf Uhr vormittags: In St. Marien wird der Flügelaltar von Veit Stoß geöffnet. Eine Nonne zieht mit langer Stange die prächtigen Flügel auseinander: Wie Schwingen eines bunten Riesenschmetterlings klappen sie auf und stehen erst still, wenn die majestätische Orgelmusik aus dem Lautsprecher den Schlußakkord setzt. Ein raunendes Ah geht durch den Kirchenraum: Zwischen Gottvater und Christus thront die Gottesmutter auf dem Hochaltar, doch nicht auf gleicher Höhe wie diese, sei's aus theologischen, sei's aus kompositorischen Gründen. Nach wenigen Minuten hakt die Nonne ihre Stange erneut in die Ösen des Rahmens, zieht und beschleunigt und bremst im rechten Augenblick, denn die gutgeölten Flügelschrauben gleiten rasch in den Scharnieren.

Tadeusz Kościuszko, der Nationalheld in Bronze, grüßt auf einer Bastion des Wawel mit gezogenem Hut vom Roß herab. Der Wawel, Burgberg mit Königsschloß und Kathedrale, ist von der Morgensonne überglänzt: Auf der goldenen Kuppel der Sigismundkapelle sitzt ein weißes Kätzchen und grüßt mit erhobenen Pfoten; barocke Hauben, gotische Dächer, von

Grünspan gefleckt, schimmern im grellen Licht. Französische Teppiche, toskanische Möbel, venezianisches Glas dekorieren die königlichen Gemächer, Sigismund der Alte blickt skeptisch aus einem Gemälde, er hält ein Taschentuch zwischen den Fingern, vielleicht ist es aber auch der leere Staatssäckel nach der Stiftung der großen Glocke. Getanzt wurde einst im Ballsaal zwischen kostbaren Tapisserien mit Bildern von der Sintflut. Prächtige Engel stützen den Silberschrein, der die Reliquien des gevierteilten Stanislaus birgt. In die erhabene Vitrine hat sich der Kosakenspieß aus dem Restaurant des Grandhotels verirrt. Auf steiler Holztreppe steigen wir zur Sigismundglocke empor. Jeder legt seine Hand an den Klöppel und wünscht sich etwas. Wanda, unsere Führerin, sagt: »Ich bin wunschlos unglücklich«, eine Französin meint: »Je m'excuse, je crois rien.«

Die Sonne ist hinter Wolken verschwunden. Wir stehen wieder im äußeren Schloßhof, in den klotzig ein Seitentrakt vorspringt, bedrohlich im völkischen Klassizismus des Dritten Reiches aufgemauert. Hier saß Generalgouverneur Hans Frank und schrieb in sein Diensttagebuch, den Polen sei für alle Zukunft das Rückgrat zu brechen; wie nebenbei überwachte er den Betrieb der Vernichtungslager. Im Ballsaal, zwischen den Wandteppichen mit den Flehenden und Ertrinkenden, schaute er, während in Auschwitz die Verbrennungsöfen geschürt wurden, Filme aus Deutschland an, vielleicht *Das Bad auf der Tenne*, vielleicht *Quax, der Bruchpilot*. Noch sind die notdürftig zugemauerten Kameraschlitze zu entdecken, und im Fries eines Teppichs springt das Wort »Holocausta« ins Auge. Quo vadis, deutscher Hans, wohin führst du uns?

Eine Trauerweide neigt ihre Äste über das Eingangstor zur Synagoge von Kazimierz. »Gibt es noch hundertfünfzig Juden in Krakau«, erzählt uns der alte Vorbeter, indem er uns mit Käppchen versorgt, »einer ist gestorben gestern, sind es noch hundertneunundvierzig.« Vor dem Thoraschrein kniet ein Rabbi aus Österreich mit hohem Hut auf dem Kopf, er wiegt sich im Gebet, psalmodiert mit klagender Stimme, während der Vorbeter uns munter die Zeremonien erklärt. Auf den Blechdächern der Grabstellen, wie diese mit Flechten gefleckt, liegen die Steinchen des Gedenkens, wir lesen die Namen Silberpfennig, Weintraub, Lichtblau. Auf einem Stein heißt es in hebräischer Schrift: »Es gab vom alten biblischen Moses keinen solchen Moses mehr bis zu Moses Auerbach von Krakau.« Im Eckhaus gegenüber dem Friedhof ist Helene Rubinstein geboren, daneben, im »Ariel«, essen wir zu Abend: jüdische Gemüsesuppe mit Kardamom und Rosinen, Piroggen mit Salzgurken und Nußkuchen mit Liebstöckel. Eine Gruppe spielt auf und singt jiddische Lieder: Die Geigerin, mit ekstatischen Bewegungen, verliert sich in irren Läufen, die Sängerin, mit Hochfrisur der vierziger Jahre, gurrt und gluckst wie in Trance und schüttelt die Rasseln dazu. Dann greift auch unser Hans zur Gitarre, wagt sich auf das Hochseil und singt das jiddische Lied von den zehn Brüdern, von denen nur einer am Leben blieb.

An der Rampe von Birkenau wachsen tatsächlich Wolfsmilch und Schafgarbe; es liegen Schwellen aufgeschichtet, wo die Geleise zusammenlaufen, die zu den Krematorien führen; der Schotter ist hart und spitz wie im Frühjahr 1941, als die ersten Todestransporte ins Lager kamen. Die Betonpfosten verwittern allmählich, Stacheldraht und Porzellanisolatoren verrotten nur langsam. Die übriggebliebenen Baracken sind zur Besichtigung freigegeben: Wir sehen die engen Schlafställe, die gelben Waschtröge, die rußgeschwärzten Ofenrohröffnungen. Schweißdunst und Uringestank sind längst verzogen, in Schutt liegen Gaskammern und Verbrennungsöfen, Disteln und Kletten schießen üppig ins Kraut. In Auschwitz herrscht touristischer Betrieb: Polnische Gruppen in Sonntagskleidern, amerikanische Reisegesellschaften in Gimmick-Kappen, deutsche Familien in Jogginganzügen schleichen durch die Säle der Blocks. In einzelnen Räumen sind bis unter die Decke Schuhwichsdosen, Brillengestelle, Kinderschnuller gestapelt, Kleider- und Haarbürsten, Rasier- und

Zahnbürsten, Krücken und Prothesen, Schuhe in der Mode der dreißiger Jahre, Koffer aus Pappe, aus Leder, aus Schlangenhaut mit dem Namen der Besitzer, Linda Weissbrod, Siegfried Gelbkopf, Luise Goldstein: monströse Installationen, die eine ganze moderne Kunst überflüssig machen. Wir sehen den Bock und den Galgen, die Todeswand mit den Dämmplatten, das Schürgerät vor den Verbrennungsöfen. Noch klebt der Ruß in den Mauerfugen des deutschen Kreuzverbands. Holocaust, ein breites Wort, das die Qual des einzelnen zudeckt, den Schmerz beim Schlagen mit dem Knüppel, die Pein beim Injizieren der Herzspritze, die Drangsal beim Ersticken im Zyklon B. Wir gehen aneinander vorbei, schauen uns nicht an, atmen schwer und schweigen. Verweht ist die Illusion vom sanften Gesetz Stifters, das Bild vom menschlichen Kleinod, die trauliche Stille, die deutsche Heimeligkeit. Und auch das weiße Kätzchen auf der Goldkuppel der Wawelkapelle entpuppt sich als das Sonnenlicht aus dem Märchen von Hänsel und Gretel, das grell und unbarmherzig auf dem Hausdach liegt.

Wir fahren durch Schlesien, wir fahren zurück. Die Oder fließt verhaltener als die Moldau, kein musikalisches Wellengeplätscher wie von Smetana rauscht auf, auch kein Stiftersches Rauschen des Hochwalds begleitet uns zu Eichendorffs Schloß nach Lubowitz. In *Ahnung und Gegenwart* ragt es dem Reisenden »aus einem freundlichen Chaos von Gärten und hohen Bäumen friedlich« hervor; uns leuchtet eine Ruine zwischen efeuumrankten Akazien entgegen, der zerbrochene Stein ist gelb und verwittert rasch, das freundliche Chaos ist in einen bedrohlichen Bezirk verwandelt. Ein Transparent der schlesischen Landsmannschaft spannt sich über die Fassade des kahlen Seitenflügels. »Hörst du in dem Klange / den alten Heimatgruß?« fragt ein Vers des Dichters; hier auf einmal soll er Patriotismus statt Erinnerung wecken, hier gießt er Öl ins Feuer, sät Zwietracht, wiegelt auf. Wir spazieren im verwilderten Park, streicheln die Rinde der Bäume, steigen den Hasengarten zur Oder hinab, rezitieren Gedichte, lesen uns Briefstellen vor. Doch das aufreizende Spruchband hat uns verwirrt, und erst als Krysia ein Eichendorff-Gedicht auf polnisch deklamiert, beruhigen sich die kopfscheuen Gemüter. Im kleinen Museum zeigt uns die Pfarrfrau Diensteid und Trauschein des Dichters, erklärt uns Stammbaum und Familienwappen, führt uns vor alte Stiche und Gemälde. In stiller Stube betrachten wir die Mühle im kühlen Grund, die weiten Täler und Höhen, die schöne deutsche Waldeinsamkeit, die wir aber draußen nicht wiederfinden.

Im Riesengebirge, beim Aufstieg zur Schneekoppe, schwimmen wir im Strom der Sommerfrischler: Zoon politikon. Ein scharfer Wind weht uns ins Gesicht, alles schaut nach unten: vielleicht sind wir schon in uns gegangen. In der Baude vor dem letzten Aufstieg wird die Herde zur Tränke geführt, der »Grog Rübezahl« ist heiß und süß. Kann Rübezahl uns womöglich helfen in unserer Verwirrtheit? Im Hotelrestaurant steht er, aus Holz geschnitzt, er hat den gleichen drohenden Blick, den gleichen wallenden Bart wie auf der Ansichtskarte, er trägt eine Kapuze und klobige Wanderstiefel, den Stock hat ihm ein Andenkendieb aus der zusammengekrümmten Faust gezogen. Rübezahl ist allgegenwärtig, auf Bierkrügen lasur-, auf Hauswänden lüftlgemalt. Nirgendwo tritt er uns leibhaftig gegenüber. Er hat sich, enttäuscht von den Menschen, auf den Berg zurückgezogen, haust hinter zerzausten Föhren, im niederen Krummholz, auf bemoosten Granitbrocken und läßt uns an den Verkaufsbuden vergebens Ausschau halten. Hier gibt's SS-Ringe, Totenkopfabzeichen, Eiserne Kreuze zu kaufen; in eine Bank der Stabkirche von Wang sind Hakenkreuz und Judenstern nebeneinander eingeritzt. »O Täler weit, o Höhen, o schöner grüner Wald!« rief Eichendorff aus, uns aber ist das Singen vergangen, Hans packt seine Gitarre ein, und wir fahren.

VI

Reise ans Ende der Welt

Wenn man einen alteingesessenen, seiner Heimat kundigen Westerwälder fragt: Wo geht's hier bitte ans Ende der Welt?, dann antwortet er knapp, doch unmißverständlich und beschreibt ohne Umschweife den Weg. Er versteht diese Frage ganz real, mit dem Ende der Welt meint er nicht etwas für ihn Unerreichbares, kein Irgendwo draußen in der Ferne, wie die von keines Menschen Fuß betretenen Wüsten Arabiens oder die unerforschten Gletscher Grönlands: Ein Westerwälder meint mit dem Ende der Welt das Dörfchen Alhausen in der Kroppacher Schweiz. Er lächelt vielsagend wie die Frau, die vor ihrem Haus in Müschenbach die Straße kehrt und uns erklärt: Von hier aus kommen Sie nach Astert, von Astert nach Heimborn, von Heimborn nach Steinwingert, dann fahren Sie Richtung Mörsbach am Altersheim vorbei und immer geradeaus der Nase nach. Sie können es nicht verfehlen, denn bis ans Ende der Welt sind's von hier aus nicht mehr als zwölf Kilometer.

In diesem Sommer waren wir am Ende der Welt. Wir folgten der Auskunft der Frau, fuhren über schmale Straßen, die von Ort zu Ort immer schmaler wurden. Nebelschwaden zogen auf, der Wald rückte näher an die Straße heran, die Häuser der Dörfer duckten sich tiefer, und Brigitte sagte: Hier ist jeder Ort das Ende der Welt. Wir fuhren zwar der Nase nach, doch es war mehr ein sorgloses Irren als ein planvolles Suchen, bis wir endlich eine Straße erreichten, die keinen Gegenverkehr mehr zuläßt und sich in leichten Kehren talabwärts stürzt. Hinter einer Handvoll Fachwerkhäusern mit Bauerngärten davor und Holzschuppen daneben geht die Fahrstraße in einen Feldweg über, der nach ein paar Steinwürfen an einer Wand aus schwarzen Tannen jäh aufhört. Hier ist die Welt zu Ende, es führt kein Weg weiter. Man muß umkehren und dieselbe Straße nehmen, um aus dem tiefen Grund herauszukommen, will man nicht außerhalb der Welt im Unbekannten verschwinden.

Wir folgten aber auch Fred und Gabi Oberhausers literaturtopographischen Hinweisen, und als wir feststellten, das nahe gelegene Roßbach an der Wied zähle zu den legendären Stätten Heinrichs von Ofterdingen, erinnerten wir uns des jungen Mannes aus dem Roman von Novalis. Im Traum wandert er durch wilde, unzulängliche Gegenden, klettert über bemooste Steine, schlüpft durch enge Felsengänge und findet am Rand einer Quelle die lang ersehnte blaue Blume. Nach dieser Blume hat ihn ein unstillbares Verlangen gequält, »sie liegt mir unaufhörlich im Sinn«, sagt er zu sich selbst, »ich kann nichts anders dichten und denken«. Er nähert sich ihr, da fängt sie an, sich zu bewegen und zu verändern: »Die Blätter wurden glänzender und schmiegten sich an den wachsenden Stengel, die Blume neigte sich nach ihm zu, und die Blütenblätter zeigten einen blauen, ausgebreiteten Kragen, in welchem ein zartes Gesicht schwebte. Sein süßes Staunen wuchs mit der sonderbaren Verwandlung, als ihn plötzlich die Stimme seiner Mutter weckte.«

Der Vater, ein ehrsamer Handwerker, durfte nicht hämmern und feilen, weil er den Langschläfer nicht wecken sollte, obwohl ihn nach seiner täglichen Arbeit verlangte, denn in zünftigen Handwerkerfamilien gilt das Träumen nicht viel. Ein Traum ist eben ein Traum, ein Märchen ist ein Märchen, darin können zwar Riesen ungehindert durchs Schlüsselloch schlüpfen und Däumlinge ohne Not durch die Luft reisen: Für diese von Dichtern erfundenen Geschöpfe gibt es keine

Hindernisse, keine Grenzen, für sie ist die Welt nicht mit einem Zaun aus Tannenholz abgesperrt wie in Alhausen im Westerwald. Träume und Märchen hätten mit der realen Welt nichts zu tun, sagt der Realist mit eingebildeter Berechtigung, doch wie nah wirkliche und vorgestellte Welt beieinanderliegen, erfuhren wir auf allen unseren diesjährigen Exkursionen durch halb Europa.

Am Fuß der Dornburg, nur zweihundert Schritte von der Fahrstraße entfernt, dringt sommers wie winters aus einem unterirdischen Stollen der Hauch des ewigen Eises. Zwar gibt es eine physikalische Erklärung für dieses Phänomen, doch wer Andersens Märchen von der Eisjungfrau kennt, die in tief zerklüfteten Höhlen einen Glaspalast bewohnt, läßt sich nicht so einfach mit dem jahreszeitlich bedingten Austausch von warmer und kalter Luft abspeisen. Im Märchen besorgt die Eisjungfrau dieses Geschäft der Wärmeäquivalenz. Sie ist halb ein Kind der Luft und halb des Wassers und hat sich mit dem »Schwindel« zusammengetan, einem tückischen Gesellen, der sogar alles erklären kann, was niet- und nagelfest verschlossen ist. – Im Nistertal liegt das Zisterzienserkloster Marienstatt genau an der Stelle, wo vor Urzeiten mitten im Winter ein herrlicher Rosenstock aufgeblüht ist. Zum historischen Nachweis dieses Ereignisses fehlt allerdings jegliche rationale Grundlage, doch die Erinnerung an die Klostergründung hält ein blühender Rosenzweig auf dem Etikett des Marienstatter Abtei-Liqueurs wach. Es ist eine feine, zweiundvierzigprozentige Kräuter-Komposition aus Schneiders hochsauerländischer Kornbrennerei, und wer das Fläschchen von 0,2 l Inhalt ausgetrunken hat, weiß mit Heinrich von Ofterdingen, daß mehr Wahrheit im Märchen liegt als in gelehrten Chroniken.

An langgezogenen Hecken- und Fichtenstreifen vorbei spazierten wir über Sommerwiesen mit Hornklee und Margeriten. Neben dem Pfad torkelten zwei Schmetterlinge umeinander, sie begleiteten uns bis auf die Höhe der Fuchskaute, wo der blanke Basalt zwischen Grasbüscheln hervorstößt.

Ein Wegweiser, alle lästerlichen Behauptungen Lügen strafend, im Westerwald sei die Welt zu Ende, zeigt die Nordsüdrichtung des europäischen Wanderwegs an: Nach der einen Seite geht es zur Nordsee, nach der anderen Seite zum Mittelmeer. Mit seinen zwei spitzen Pfeilen weist er über das Ende der Welt ins Unendliche hinaus. Ist das nicht ein Widerspruch, eine vertrackte Paradoxie, die schon seit eh und je Philosophen beschäftigt?

Wo liegt eigentlich das Paradies, und wo die Hölle? fragte der junge Kunsthistoriker, der uns im Mai durch die Toskana führte. In der Basilika von San Gimignano versammelte er die Reisegesellschaft vor den Fresken von Bartolo. Wir sahen die Himmels- und Höllenszenerien jenseits aller irdischen Schauplätze. Der Reiseleiter rief uns Dantes *Göttliche Komödie* ins Gedächtnis: Vergil, der den Dichter durch die Tiefen der neun Höllenkreise auf den Berg der Läuterung geleitet, und Beatrice, die ihn an der Hand nimmt und mit ihm durch die neun Himmel schwebt. Herr Feißt zitierte ein paar Verse und fragte: Warum nennt Dante den abenteuerlichen Ausflug seiner Personen eine Komödie? Was ist komisch an den Höllenqualen? Was ist komisch an den Himmelsfreuden?

Dabei fallen mir Himmel und Hölle meiner Kinderzeit ein, die paradiesische Waldlichtung hinter der Sulzbacher Jahnturnhalle und die höllische Schlackenhalde der Hirschbacher Grube, von der wir mehr angetan waren als von allen anderen Spielorten. Die Schlackenhalde war damals noch ein kahles Gebirge, mit steilen Hängen, weiten Senken, Falten und Schollen, Sätteln und Kämmen, mal sanft geschwungen, mal wild zerklüftet. Dem Sulzbach zugewandt öffnete sich eine besonders enge Schlucht, deren Seitenwände schroff aufstiegen, manchmal golden, zumeist aber scharlachrot schimmerten und unergründliche Geheimnisse bargen.

Wo die Schlackenhalde ihre Außenwand dem Grubenpfad zuwendet, erklommen wir den schmalen Grat, der im Bogen aufwärts auf ein Plateau führt. Hinter den Absätzen rieselten die Schlackensplitter zu Tal, glatt und blau schimmerten sie im Sommerlicht, doch wenn wir in der Hölle ankamen, wechselte das schiefrige Blau in ein feuriges Rot über. Schroff senkte sich der Abhang in die Tiefe, dort kochte die Glut, sprudelte das Magma, in der kahlen Schlucht heulte der Wind auf, kein Grashalm sproß am Boden, kein Fäserchen Moos kroch im Hang, der Wind war heiß wie ein Wüstenwind, und wir hörten das Höllenfeuer brodeln. Es bullerte und schmurgelte, fauchte wie Blasebälge im Schmiedefeuer, doch nur wir hörten es. In den Schlünden glänzte es von bunten Glassplittern und Katzengold. Wir stiegen an den Wänden ab, kletterten stückweise, rutschten stückweise, rissen uns die Haut an den Knien auf, schlugen uns Beulen und Blutergüsse, wir glitten abwärts in verborgene Schatzkammern, dort, im Glasfluß, lockte der Zauber, dort, im Goldglimmer, blühte das Glück: Vergessen waren Stiefel und Braunhemden, augenblicklich konnte eine Erdspalte sich auftun, und der Ofen würde zu sehen sein, aus dem Goldmarie die gebackenen Brote herauszog, Pechmarie sich aber nicht schmutzig machen wollte, die Brote verkohlen ließ und darüber das Glück versäumte.

Wir würden uns nicht scheuen, die Brote zu bergen, wir saßen am Schlund der Hölle und starrten unverwandt nach dem steinernen Tor, das den Eingang verschloß. Es roch nach Schwefel, es stank, und doch, für uns war es ein balsamischer Duft. Uns tränten die Augen, biß die Haut, tropfte die Nase, war das des Teufels Atem, der so ätzend aus den Spalten drang? Erst beim Abendläuten packten wir Glassplitter und Katzengold in unsere Hosentaschen und eilten über das Plateau nach Hause. Kahl und bleiern glänzte dann die Kuppe.

Heute, fünfundsechzig Jahre später, hat sie sich in einen Birkenhain verwandelt, der die Schlacke begrünt.

Wo wir auch hinkamen in diesem Frühjahr und Sommer 2000, ob in den Westerwald, ob in die Toskana, ob nach Dresden, nach Niederbayern oder in den Schwetzinger Schloßpark: Überall tat sich dieser Widerspruch zwischen dem Wahrgenommenen und dem Eingebildeten, dem Begrenzten und dem Unbegrenzten auf; überall verblüffte uns der Gegensatz von Natur und Kunst, verwirrte uns das rätselhafte Verhältnis zwischen Sein und Schein. Ja, überall klaffte der Riß, der die Welt in Wirkliches und Erfundenes spaltet – und wenn diese doppelsinnige Welt in ihrer Zerrissenheit besonders wunderlich und närrisch, besonders komisch erschien, konnten wir sogar das Lachen nicht unterdrücken.

In der Basilika von San Gimignano amüsierten wir uns über ein Gemälde von Benozzo Gozzoli. Das Bild dieses launigen, unerschöpflich Geschichten erzählenden Malers zeigt den heiligen Sebastian, gespickt mit einem Dutzend Pfeilen römischer Legionäre. Sebastian ist blond und blauäugig, schön gestaltet mit schlanken Gliedern und schulterlangem Haar. Andächtig beschwor der Reiseleiter die weltabgewandte Glaubensstarre dieser Heiligenfigur, nur der Geist zähle, nicht die Natur, sagte er, Sebastian sei weit von uns entfernt, in himmlische Gefilde entrückt, deshalb blicke er so gleichgültig, so unbeeindruckt von den Pfeilen in seinem Bauch und seiner Brust. Doch was gehe dieser weltferne Sebastian von San Gimignano uns heute noch an, fragte Herr Feißt, wollte aber nichts Kunsthistorisches hören über die symbolhaft entkörperlichte Menschendarstellung der italienischen Frührenaissance, sondern erwartete etwas aus dem Herzen Kommendes über den unerschütterlichen Märtyrer, der, fern von sich selbst, den gebührenden Respekt fordert. Ja, wenn nicht das Unterhöschen wäre! Erst sein ganz modern geschneidertes, leicht geknittertes Unterhöschen macht den Sebastian von San Gimignano zu einem von uns Heutigen. Vor dem mit Pfeilen durchbohrten Märtyrer verharren wir nur ehrfurchtsvoll; vor dem mit Unterhöschen bekleideten Menschen stehen wir gerührt – und lächeln.

So sind wir, unentwegt auf Reisen, in lauter doppeldeutige Ereignisse und Erlebnisse geraten – und haben dabei etwas entdeckt, das allem gemeinsam ist: das Komische. Es schlummert tief und fest in den Erscheinungsformen, will aber erkannt und geweckt werden. Die blaue Blume ist nämlich viel mehr als das Symbol der verzehrenden romantischen Sehnsucht nach dem unwägbaren, »geheimnisreichen, alles vereinenden Urgrunds der Wirklichkeit«, wie die Literaturwissenschaftler sich ausdrücken –: Nein, sie ist der Schlüssel zu diesem Urgrund, der Dietrich für alle Türschlösser, hinter denen die nur schwer betretbaren Räume ihre Schätze bergen. Diese blaue Blume des Heinrich von Ofterdingen paßt in die Sicherheitsschlösser der Galerien und Bibliotheken; sie ist vor allem aber das Passepartout für die Schlösser, die den Zutritt in die Bilder und Bücher selbst versperren. Den richtigen Eingang zu finden, hatten wir es schwerer als der Hirt im Märchen, der ganz plötzlich, kaum hat er die blaue Blume an seinen Hut gesteckt, die Augen öffnet und den Schatz vor sich in der blühenden Wiese liegen sieht. Es ist eine prächtige Schachtel mit bemalten und beschriebenen Blättern, auf deren Rückseite jedes Bild und jeder Buchstabe spiegelverkehrt gemalt und geschrieben erscheint. Auf der Vorderseite sind alle Bilder und Buchstaben in altvertrauter Mal- und Schreibweise zu sehen und zu lesen. Was die blaue Blume uns erschloß, waren aber keine Bilder mit verzerrten Formen und keine Geschichten mit verfälschten Figuren: Wir fanden Bilder und Geschichten in fremden Umgebungen, in anderen Maßen und Verhältnissen. Die Formen schwangen in kunstvollen Rhythmen, und die Figuren bewegten sich außerhalb natürlicher Räume, wie auf eine Bühne gestellt. Formen und Figuren waren in Gestalten, Stimmen und Geräusche in Klänge jenseits ihrer bekannten Erscheinung verwandelt. So ist selbst das Echo des schwarzuniformierten Rufers im Baptisterium von Pisa schöner als der natürliche Klang seiner Stimme.

Aus der Kunst kehrt sich das Komische hervor und begleitet uns, in vielerlei Abwandlung verborgen, bis nach Dresden. Dort, in der Gemäldegalerie des Zwingers, betrachteten wir aufmerksam das Schokoladenmädchen von Léautard und waren angetan von soviel Properkeit und zurückhaltender Stille – bis Herr Tietze, unser Museumsführer, plötzlich zu verstehen gab, wenn er nicht immerfort schwadronieren, sondern einmal für ein paar Sekunden schweigen würde, könnten wir unter der frisch gestärkten Schürze des Mädchens den Unterrock rascheln hören, da vernahmen wir sogar das Knistern des Risses, der zwischen Sein und Schein hindurchgeht.

Überall wo wir hinkamen in diesem Frühjahr, blühte die blaue Blume, und überall waren wir ein Stück näher ans Ende der Welt herangekommen – dorthin, wo die engen Grenzen gesprengt sind und in unserer Phantasie die Märchenwahrheit aufscheint. »Sind auch die Personen und deren Schicksale erfunden: so ist doch der Sinn, in dem sie erfunden sind, wahrhaft und natürlich. Es ist für unseren Genuß und unsere Belehrung gewissermaßen einerlei, ob die Personen, in deren Schicksalen wir den unsrigen nachspüren, wirklich einmal lebten oder nicht«, erzählt Novalis in seinem Roman *Heinrich von Ofterdingen*, »wir verlangen nach der Anschauung der großen einfachen Seele der Zeiterscheinungen, und finden wir diesen Wunsch gewährt, so kümmern wir uns nicht um die zufällige Existenz ihrer äußeren Figuren.« Bis nach Niederbayern sind wir gereist, um einen Blick hinter den Vorhang der zweiten, der erfundenen Existenz zu tun. In der Damenstiftskirche Osterhofen standen wir eine Viertelstunde lang, den Kopf in den Nacken gebeugt, und schauten zu den Deckenfresken auf, die einer der beiden Asam-Brüder vor mehr als zweihundertfünfzig Jahren gemalt hat. Dort wimmelt es von ekstatisch bewegten Figurengruppen, weiß und blau gewandeten Frauen und Männern und Kindern. Aus geballten Wolken treten einzelne Personen hervor, mit kräftigem Armschwung die Wolken zur Seite schiebend, damit der Himmel sichtbar werde. Das Wolkenloch säumen Muschelgirlanden und Blumenbukette, woraus wir Rosen und Hyazinthen und am oberen Rande sogar die blaue Blume des Heinrich von Ofterdingen hervorleuchten sahen. Die Blume hat keinen Namen, prächtig blüht sie in ihrer Einzigartigkeit und Schönheit und verlockt uns in allerlei wunderliche Tagträume. Auch wir halten die Blume in der Hand, auch wir lieben das Erinnern, kehren in die Vergangenheit zurück und sehen Bilder unserer Kindheit vorüberziehen. Träume seien Schäume, sagt Heinrichs Vater, auch wenn die hochgelehrten Herren anderer Meinung wären: »Du tust wohl, wenn du dein Gemüt von dergleichen unnützen und schädlichen Betrachtungen abwendest.« Doch Heinrich von Ofterdingen kann die blaue Blume nicht vergessen, er gibt ihr zwar keinen Namen, doch wir wissen im geheimen, die Blume heißt Vergißmeinnicht. Als unsere Genickstarre sich löste und wir uns wieder der Reisegruppe zuwandten, hörten wir die letzten Worte des Reiseführers: Alles ist Augentäuschung, alles ist schöner Schein. Die Muscheln sind aus Stuck, die Blumen sind aus Gips, und der Himmel ist in den nassen Kalk gemalt.

Anfangs des Sommers waren wir ein zweites Mal am Ende der Welt, an seinem anderen, dem entgegengesetzten Ende. Es liegt mitten im Schwetzinger Schloßgarten, dort wo die berühmten Bronzevögel in der Runde sitzen und Wasser speien. Durch einen schmalen, mit quadratischen Holzblättchen gegitterten Laubengang schauen wir zu einer Grotte, die sich weit öffnet und uns eine sich in grenzenloser Ferne erstreckende Flußlandschaft sehen läßt. An Schilfkolben und Bäumen entlang zieht sie sich, von einer hellen Sonne überstrahlt, bis in die Unendlichkeit hinaus. Es tränen uns die Augen, so hell glänzend ist der Himmel über dem Fluß.

Wir wären gern dicht an die Grotte herangegangen, doch ein hüfthohes Holztor versperrt den Zugang, und ein deutsches BKS-Schloß ist nicht so leicht zu knacken. Da es uns aber keine Ruhe ließ, das Ende der Welt ganz aus der Nähe zu betrachten, eilten wir außerhalb des Laubengangs an der Mauer entlang, schlüpften durch ein geöffnetes Törchen und befanden uns nach ein paar Schritten, vom Gestrüpp des Parks nur leicht behindert, *hinter* dem Ende der Welt. Die Flußlandschaft, in lichten verwehenden Pastellfarben auf eine leicht nach einwärts gewölbte Betonwand gemalt, ist ein Bild: Sie ist das Abbild einer Landschaft, die uns eine zauberhafte Wirklichkeit vorspiegelt. Die Schilfkolben sind Stahlspitzen,

Himmel und Wasser, Bäume und Pfad sind mit Farbe gemalt. Die wirklichen Enten und Schwäne liegen seitwärts auf einer wirklichen Wiese und schlafen, ein wirklicher Pfau hat seinen Schweif auf die wirkliche Wiese gebreitet, und wirklicher Oleander, wirklicher Hibiskus, wirkliche Myrte blüht nur dreißig Schritte entfernt vom erfundenen Ende der Welt.

VII

Die Geschichten werden weitererzählt

Ich erinnere mich an frühe gemeinsame Tage. An einem Adventssonntag 1945 traten wir Mittelschüler bei einem Weihnachtsspiel im Saarbrücker Johannishof auf. Ich spielte den heiligen Josef, Margrit und Brigitte agierten als Engel und schwebten in batistenen Nachthemden über die Bühne. Ein Glück, daß Eugen uns damals nicht gesehen hat!

Er arbeitete tagsüber mit seinem Vater in der Backstube, nur samstagsabends holte ich ihn von zu Hause ab, wenn er mit der Arbeit fertig war, in der Küche am Tisch hockte, las und schrieb. Es war die Zeit der sternenhellen Nächte, wir spazierten zum Pflanzgarten hinaus, setzten uns eine Weile auf die Bank, rauchten wahlweise eine flache »Rote Halbe Fünf« mit orientalischem oder eine runde »Braune Halbe Fünf« mit Virginiatabak, stiegen den Pfad zum Philosophenweg hinauf und schlenderten am Hang des Brennenden Berges dahin. Unten aus dem Tal blitzten die Lichter des Dorfs herauf, und aus Eugens Jackentasche duftete es nach Veilchenpastillen. Wir rauchten, um unsere Gesundheit zu schonen, ab und an eine Mentholzigarette, lutschten Eugens Pastillen dazu und versuchten uns Zarathustras »Trunkenes Lied« auszulegen. Ein sanfter Wind zog durch die Zweige der Bäume, die Nacht, von der es im *Zarathustra* heißt, sie sei auch eine Sonne wie der Schmerz eine Lust, wie der Fluch ein Segen und der Weise ein Narr, verlor ihre Eindeutigkeit und verwies uns wieder auf das Je-nachdem.

Doch wir fanden aus dem Gestrüpp, das aus Nietzsches Sätzen in unseren Köpfen zusammenwuchs, heraus auf den geschotterten Weg und kehrten ins Dorf zurück. »Ihr höheren Menschen, es geht gen Mitternacht!« tönte es uns aus dem *Zarathustra* entgegen; wir begaben uns zur Spätvorstellung ins Lichtspieltheater. Es war die Zeit des guten Kinos, die beiden Filmtheater im Dorf konkurrierten mit poetischen Balladen aus Frankreich, realistischen Streifen aus Italien und melodramatischen Kolossalschinken aus Amerika. Wir zogen die Thriller vor, am liebsten sahen wir die B-Filme mit eleganten Gangstern und schönen Frauen. Ich erinnere mich an eine Szene, die mich so stark beeindruckte, daß ich sie bis heute nicht vergessen habe: Es klopft an die Tür, ein Gangster kommt zu George Raft und Virginia Mayo ins luxuriöse Hotelzimmer. George Raft schaut den Gangster an, drückt seine Zigarette im Aschenbecher aus und sagt zu Virginia Mayo: »Geh und spiel mit deinen Pelzen.«

Uns beeindruckte diese Aufforderung zum Spiel, und früh schon, bevor wir anfingen, es selbst mit der Sprache zu versuchen, bewunderten wir jeden spielerischen Ausdruck. Die Verwandlungsspiele aus den Büchern faszinierten uns am meisten: Rousseaus Gedankenspiele über den besseren Menschen, Max Dauthendeys Landschaftsspiele vom Biwasee. Sie packten uns an, gruben uns um; und es blieb nicht folgenlos. Damals, ich weiß nicht mehr, bei welcher Gelegenheit, brachten Margrit und Brigitte den Begriff der »Duplizität« der Fälle ins Spiel. Mit einemmal, ohne in den Kategorien des Denkens gebildet zu sein, philosophierten wir über die Eigentümlichkeit des Zufalls und des Unwägbaren, über die gar nicht so seltene Doppeltheit von Ereignissen, die sich heute, ein halbes Jahrhundert später, überraschend wieder in Erinnerung bringen.

Ein Jahr nachdem Eugen Helmlé geboren wurde, fast auf den Tag, stand Gottfried Benn mit seinen Freunden am Grab des Dichters Klabund und hielt eine Totenrede, die mir beim Wiederlesen diese Duplizität wieder erhellt. Auch Eugen und ich waren – wie Benn und Klabund – Klassenkameraden in derselben Schule, auch wir stürzten uns gemeinsam in die Lektüre derselben buddhistischen Schriften. Auch Eugen wohnte in einem kleinen Zimmer, das nur ein Fenster hatte, einen Tisch, einen Stuhl und ein Bett, das tagsüber mit Büchern und Zeitungen, Briefen und Manuskripten bedeckt war. Eugen ist Klabund vergleichbar in äußerer und innerer Verfassung. »Diese schmächtige Gestalt – und die Unendlichkeit der Welt!« rufe ich mit Benns Worten aus, »gegen eine Welt der Nützlichkeit und des Opportunismus, gegen eine Welt der gesicherten Existenzen, der Ämter und der Würden und der festen Stellungen trug er nichts als seinen Glauben und sein Herz« – zwei große Worte, die Eugen zu seinem Lob nicht akzeptiert hätte!

Auch ich gab dem Freund einen Kosenamen wie Gottfried Benn dem seinen. Benn nannte Klabund »in Freundschaft Jens Peter, das waren die Vornamen des großen dänischen Romanschriftstellers Jens Peter Jacobsen, dem er äußerlich ähnelte«. Ich nannte Eugen zeitlebens nach Eugene Gant, dem lern- und lesewilligen, fernsehsüchtigen Helden aus Thomas Wolfes Roman *Schau heimwärts, Engel!*, den wir zusammen lasen. Wenn ich zurückdenke und die Augen schließe, sehe ich seinen hellhäutigen Teint, die blonden Augenbrauen, das dichte, wellige goldrote Haar. Und erst sein Lächeln, das nur ein Zucken der geschlossenen Lippen war! Es scheint, als lächelte auch Eugen inwendig über irgendeinen phantastischen Einfall oder über irgend etwas, das im Gedächtnis auftauchend ihm zum erstenmal komisch vorkam. Eugene Gant, dem er ähnlich sah, ist mir so vertraut geblieben wie Eugen Helmlé, weswegen ich Eugens Name heute noch englisch aussprechе, manchmal in den verschiedensten Koseformen Gene oder Jeannie sage.

Im Kino, bevor das Licht ausging, las er ein ganzes Jahr in einem Schopenhauerbrevier, und auf der Bank am Pflanzgarten, wenn er auf mich oder auf einen anderen Freund wartete, studierte er Lehrsätze und weise Sprüche des Buddhismus. Er wußte Bescheid mit dem schwebenden Diskus und dem Rad des Gesetzes, erklärte uns, wenn wir mit Margrit und Brigitte zusammensaßen, ihre rollende Kraft, der keine Gewalt der Erde Einhalt gebieten könne: Scheibe der Sonne und Kreis der Lehre, zwei scheinbar nicht zusammengehörige und unvergleichbare Figuren, unser Schicksal zu bestimmen. Auf unseren Spaziergängen versuchte Eugen mir das Große und das Kleine Fahrzeug zu beschreiben, redete sich den Mund franslig, mich von den Einsichten des Erhabenen zu überzeugen.

Eugen hat nicht an Gott geglaubt. Wer in einem Gespräch mit ihm je an diesen strittigen Punkt gelangt ist, der kann Eugens Widerwillen gegenüber der Bevormundung durch die Kirche, seine Abscheu vor der Allmacht des Staats, seine Verachtung der inflatorischen Benutzung des Wortes Kultur bezeugen. In einem Brief nach Paris erregte er sich darüber, mit welcher Geringschätzung die offiziellen Verwalter der Kultur von der Kunst sprächen, die aber die einzige Errungenschaft unserer Ausdruckswelt sei. Die Kunst, schrieb er mir, habe nichts zu tun mit dem reaktionären deutschen Kulturverständnis. So anerkennend er unsere französischen Freunde im Freilauf aufgeklärter Zivilisation bewundert hat, so spöttisch hat er unsere deutschen Landsleute am Gängelband obskurer Kultur bedauert.

An dieser Stelle sind wir, nach meiner ganz freien spielerischen Auslegung, bei der letzten Duplizität angelangt: Sie betrifft die Vorlieben, die Neigungen unserer Seele – noch einmal das Wort, das Eugen nicht in den Mund genommen hat. Gottfried Benn spricht in seiner Totenrede für Klabund von der Tendenz der Künstlerseele, er sagt: »Die Wirklichkeit und die Entwicklung, die Kausalität und die Geschichte, alles nur Masse, alles nur Ton, darin sie spielend nach Göttern sucht.« Auch Eugen Helmlé hat spielend gesucht. Er war der ernste unter den Spielern, der unserem Beruf einen Hauch von Seriosität verliehen hat. Mit der Sprache spielend suchte er, aber er suchte nicht nach Göttern. Er suchte nach vorgestellten, nach erfundenen, nach möglichen Figuren, die im

Spiel der Sprache eine zweite Existenz gewinnen. Ihre Gestalt ist einzigartig, keine pure Doppelnatur, kein künstlich gespiegelter Zwilling. Die Duplizität der Erscheinung, von der wir vor fünfzig Jahren schwärmten, ist das wirkliche Gebilde in seinem künstlerischen Reflex.

Mit philosophischer Durchtriebenheit wünschte sich Georges Perec eine Vollkommenheit im Leben, die nur der Kunst vorbehalten bleibt. Aus seinem Buch *Träume von Räumen* übersetzt Eugen: »Leben heißt, von einem Raum zum anderen gehen und dabei so weit wie möglich zu versuchen, sich nicht zu stoßen.« Ein schöpferischer Übersetzer, hat Eugen Helmlé in hundert Büchern ein ganzes Universum von Eigenbrötlern und Mauerblümchen, von tragischen Aussteigern und sympathischen Käuzen bevölkert: Lauter Außenseiter, die im schönen Schein der Kunst ein neues Leben gewonnen haben. Es sind die in Eugens Sprache Neugeschaffenen. Ihre Geschichten sind nicht zu Ende, sie werden fortgesponnen und weitererzählt. Das hält auch der Tod nicht auf.